ORI

Tome I

Du rêve au cauchemar

Mickaël Mejean

ORI

Tome I
Du rêve au cauchemar

Roman

LE LYS BLEU
ÉDITIONS

Introduction

— Bon, ma puce, on y va ? Il n'avait jamais eu la patience d'attendre une femme, alors la sienne...

— Oui, Monsieur, on arrive immédiatement ! dit-elle d'un ton ironique.

Il était dehors, dans le jardin, quand il vit sa femme passer la porte du palier, suivie de trois adorables petits monstres. Il en profita d'ailleurs pour se faire la réflexion que chaque attente de celle-ci, aussi irritable soit-elle, en valait la peine... Comme tous les trente mille kilomètres, il fallait apporter le véhicule de fonction en révision. Le plan de bataille était simple. N'ayant pas beaucoup de travail ces derniers temps (le repos forcé des braves), ils allaient prendre les deux véhicules, se suivre jusqu'au garage agréé et finir cette belle journée ensoleillée en famille.

Le petit dernier courut vers son père et lui sauta au cou, fin, avec sa manière propre, ce qui s'apparentait plus à une course de coq qu'aux cent mètres des Jeux olympiques. Si papa ne s'était pas baissé pour l'accueillir comme il se doit, il aurait terminé celle-ci en s'éclatant vaillamment la tête contre ses genoux. Il installa le petit dans la berline familiale pendant que sa femme installait les aînés.

— Vous voyez, Monsieur, l'attente n'a pas été si longue que ça.

Qui pourrait résister à ce sourire éclatant… Beaucoup d'hommes, espérait-il…

— Oh, tu me connais maintenant… Il l'enlaça tendrement et l'embrassa avec fougue, avant de rejoindre leurs voitures respectives…

*****

Ils traversaient une belle route nationale, bordée de tous ses platanes et eux-mêmes posés sur des champs à perte de vue, aussi droite que la route 66. Perdu dans des pensées très instructives, il n'avait pas vu ce chauffard arriver à toute vitesse dans son rétroviseur. Son cœur eut un soubresaut quand il le vit sur sa gauche, en train de doubler et se rabattre en queue de poisson entre sa femme et lui.

— Ce n'est pas croyable, quel abruti, jura-t-il tout haut. Dire qu'on enlève le permis à d'honnêtes gens, qui ont eu le malheur de rouler à cinquante-trois kilomètres par heure au lieu de cinquante… Encore un qui a tous ses points, pensa-t-il.

*****

Une semi-remorque, arrivant en sens inverse, priva momentanément au chauffard le plaisir de perdre quelques points supplémentaires. Le conducteur du camion, comme à l'accoutumée, roulait déjà depuis de nombreuses heures. Dévorant un énième paquet de chips, affalé dans un siège semblant avoir pris toutes les formes de son corps, il s'empâtait jour après jour et il avait bien entendu conscience de cela. Plus le temps passait et plus il se demandait s'il avait choisi le bon métier, mais que pouvait-il faire d'autre, ou question autrement plus pertinente, que savait-il faire d'autre… Il y avait longuement réfléchi bien entendu, mais entre une femme qui ne l'attendait plus depuis longtemps à la maison, ou même pire qui ne souhaitait plus le voir régulièrement, et un nouveau travail qui demanderait trop de sacrifices pour parvenir à un salaire acceptable, la réponse paraissait à chaque fois évidente. Il terminerait sa vie dans ce vieux camion, célibataire et même pas fichu d'en ressortir tellement il aurait grossi. Comme pour se donner raison, il jeta l'emballage vide de son paquet de chips au pied du siège passager et en ouvrit immédiatement un neuf. Tout en le mangeant goulûment, il regarda l'heure en méditant sur sa prochaine livraison. Il était actuellement neuf heures et quatorze minutes, ce qui veut dire que comme à son habitude, il allait livrer largement en avance ce qui lui laisserait deux bonnes heures de repos avant d'entreprendre la livraison suivante. N'étant pas rentré chez lui depuis plusieurs jours déjà et se trouvant bientôt à proximité de sa deuxième maison (la cabine de son véhicule ayant mérité la première place depuis des lustres), il envisagea d'y faire une halte mais le cœur malheureusement, n'y était pas. À quoi bon après tout, se fatiguer à rejoindre une femme qui ne fera que le sermonner et qui n'aura qu'un seul désir : le voir déguerpir au plus vite. Oubliant rapidement cette idée déconvenue ou malvenue, son esprit se dirigea vers une alternative bien plus alléchante, se payer en l'occurrence les services d'une professionnelle. À ce moment-là, alors qu'il se voyait déjà entre deux cuisses bien fermes et sans la moindre cellulite, il vit un étrange éclair zébrer le ciel de part en part. En dehors du fait qu'il n'y avait absolument aucun nuage et un soleil de plomb, ce qui le rendit encore plus énigmatique, il aurait juré que celui-ci n'était pas bleu mais rouge. Disparaissant presque aussitôt, comme un vrai coup de tonnerre, il mit cela sur le compte de la fatigue et ce, malgré le fait que la journée venait à peine de commencer.

Soudainement, il entendit une explosion côté gauche et sentit son véhicule, de plusieurs dizaines de tonnes, s'acharner à vouloir prendre le contrôle des commandes. Il se vit dévier irrémédiablement sur la gauche, attiré par une attraction terrestre si intense et si violente qu'il s'en déchira les muscles des avant-bras, dans l'espoir déjà envolé de rappeler à celui-ci qui était le patron. N'ayant plus la possibilité ni même la capacité de gérer le monstrueux poids lourd, il pensa à cet instant qu'il aurait mieux fait de rester couché et qu'il n'était pas près de vidanger…

*****

Tout ne dura qu'une fraction de seconde, avant que la conductrice de la berline vienne littéralement s'encastrer dans la calandre du camion. Trop occupée qu'elle était, à surveiller le chauffard qui se trouvait derrière elle, elle n'eut pas l'opportunité ni la chance de choisir entre celui-ci et un platane.

Comment une vie si heureuse, si belle, peut-elle basculer aussi vite dans le chaos ? Chacun de nous imagine certaines situations terribles mais elles ne sont que compassions face à des destins qui nous dépassent ou face à des choses que nous ne pourrons vraiment comprendre qu'une fois qu'on les aura vécus. Le père de famille n'eut ni le temps ni le loisir d'avoir ce genre de pensées philosophiques. Il vit toute sa famille se fracasser dans le semi et se faire défoncer l'arrière-train par le chauffard qui les collait de trop près. Le choc fut si violent que ses yeux refusèrent d'y croire, le bruit si assourdissant que ses tympans battirent immédiatement la chamade. Il avait l'impression qu'une grenade venait de lui exploser en pleine gueule. Sa famille ne s'en sortirait pas, il en avait l'intime conviction, mais dans ce cas pourquoi choisir de sortir de la route ? La réponse était simple et indiscutable, son instinct de survie avait dominé sur sa raison, face à un danger survenu brutalement.

Un vrai miracle de la nature, ou la malveillance et la démence du destin le fit passer indemne entre deux platanes. Après un saut prodigieux, combiné de la bordure de la route et de la vitesse, il termina sa course dans le champ avec un dérapage incontrôlé. Il sortit d'un bond de la voiture, la tête lui tournait, des larmes naissantes lui brouillaient la vue, ses pensées et ses idées se bousculaient, se battaient. Le tout, en courant avec autant d'aisance que son fils quelques minutes plus tôt.

— *Ils sont morts, tu le sais.*

— *Non, c'est impossible, ce sont les miens, ils ont pu survivre.*

— *Tu les as vus se faire broyer, n'est-ce pas ? Regarde, tu vas dans la mauvaise direction. Tu vois, ils ne peuvent être que morts…*

Là, il s'arrêta et réalisa. Il était parti comme un dingue vers le point d'impact qui s'était produit à une bonne centaine de mètres devant lui, avant sa sortie de route. Il se retourna lentement et vit l'arrière du poids lourd, se trouvant désormais largement derrière lui.

Enfin, il commença à longer le camion, qui lui semblait être d'une longueur interminable. Il croisait des gens partout, sans les voir, en entendait certains hurler mais ne les écoutait pas. Le sol au loin scintillait de mille feux à cause des bris de glace, des formes indescriptibles le jonchait de toute part, il en devenait difficile de distinguer encore l'asphalte tellement elle était saturée de débris. Il passa devant le conducteur du semi sans savoir que tout était de sa faute, pas techniquement bien sûr, on ne peut pas dire qu'être au mauvais endroit au mauvais moment était de notre faute. Cela ne lui aurait pas empêché de l'attraper par les cheveux et de lui fracasser le crâne contre l'arête de sa portière ouverte, jusqu'à ce que celui-ci se fende en deux comme un melon et laisse jaillir sa cervelle de part et d'autre. Le chauffeur d'ailleurs, n'aurait même pas tenté de se défendre, rongé par une culpabilité qui ne cesserait de le hanter. Dans un tel moment, il se laisserait étriper volontiers par pur égoïsme de libération. Mais l'heure n'étant pas à la vengeance, il poursuivit courageusement son chemin.

Ce qu'il vit en arrivant dépassait l'entendement, une pure vision d'horreur pour les curieux agglutinés comme des mouches sur une merde, un châtiment suprême pour lui. La berline n'était plus, il ne restait qu'un mélange incohérent de tôle froissée, de verre brisé et pilé, d'os fracassés. Des bouts de chair revêtaient désormais l'intérieur et l'extérieur du véhicule, comprimé à l'extrême. Ses enfants, sa femme et la voiture ne faisaient plus qu'un. Il entendit de nouveau cette voix dans sa tête, suivie d'un craquement sourd et aigu.

— *Tu vois, j'avais raison.*

Il tomba sur les genoux, croisa ses bras sur son torse et se balança d'avant en arrière, le regard dans le vide. Il ne pensait plus qu'à une seule chose, la douleur, car celle-ci était insoutenable. C'était comme si on lui écartelait le cœur avec des hameçons, il les sentait pénétrer dans la chair toute frêle de celui-ci et le fissurer en tout point avec une lenteur démoniaque… *Papa je t'aime, moi aussi, papa on peut aller jouer au ballon tous les deux, oui tous les trois, pa… pa veu un biou, avec plaisir mon bébé, chéri tu viens te coucher, j'arrive ma puce, je vais faire au plus vite.* Puis plus rien, le néant.

Quelques minutes plus tard, les secours arrivaient ainsi que les forces de l'ordre. Un pompier, en découvrant la scène, fut choqué mais ne put s'empêcher de penser que le véhicule ne prendrait pas beaucoup de place à la casse. Les quatre policiers, qui contemplaient déjà le désastre depuis plusieurs secondes, comprirent rapidement que l'homme agenouillé était le père. Ils le trouvèrent exactement dans la même position, son regard était si glacial et impénétrable qu'il en fit frémir plus d'un.

L'un des policiers l'empoigna délicatement pour l'aider à se redresser et vérifier qu'il n'était pas blessé. Celui-ci se releva d'un bond et lui assainit un coup de boule fulgurant juste en dessous du nez. Les os craquèrent dans un bruit épouvantable et s'empalèrent dans le cerveau du pauvre homme qui fut projeté hors du sol par la violence du choc. Il n'avait pas encore touché terre, ses confrères n'avaient pas eu le temps de réaliser ce qui venait de se passer, que la fureur du père se répercutait déjà sur un autre policier, lui affligeant un uppercut dans le bas-ventre si puissant que celui-ci perdit pied une seconde. Il aurait voulu hurler de douleur, mais cela lui fut impossible car ses intestins obstruaient désormais ses voies buccales et le fond de sa gorge. Ses collègues sortirent leurs tasers et lui envoyèrent chacun une décharge sans aucune hésitation.

Avec une démence dans les yeux effroyable et un sourire si narquois, si maléfique, un mélange de haine et de douleurs démesurées qui pousserait n'importe qui à fuir, il continua d'avancer quelques pas en leur direction avant de s'effondrer comme une masse. Les deux policiers encore debout n'en revenaient toujours pas, d'après eux, une telle puissance et une telle vitesse étaient surhumaines…

Chapitre premier
La vie de rêve

Mike émergeait doucement, les yeux encore collés par une nuit de sommeil sans rêve, du moins il n'avait aucun souvenir d'eux. Il se retourna et enlaça le corps nu de sa femme, se blottissant contre elle en chien de fusil, tout en pensant qu'il était l'homme le plus chanceux. Au contact de la chaleur corporelle de son être, Mike ressenti une immense excitation l'envahir, ce qui ne manqua pas de réveiller Jane. Ils firent tendrement l'amour, avant de se rendormir presque aussitôt, l'un contre l'autre.

*****

— Ils font dodo, je vais sortir mon petit frère… Dany, six ans et demi, était l'aîné de la famille et il en retirait une grande fierté car lui seul arrivait à sortir Mathis, deux ans, de son lit.

— Non, arrête tes bêtises, tu sais bien que maman et papa veulent pas, on va encore se faire disputer par ta faute. Puis, reprit-elle avec jalousie et défiance, c'est notre petit frère à tous les deux, je te rappelle, il n'est pas qu'à toi… Alycia, cinq ans, était peut-être moins grande et moins forte que son grand frère, mais son futur esprit féminin (actuellement en plein développement) la rendait déjà plus intelligente et plus mature que celui-ci. Bien sûr, Dany n'en fit qu'à sa tête et libéra, non sans mal, Mathis de ses barreaux.

— Merki, dit Mathis à voix haute, le fait que papa et maman dormaient toujours étant le dernier de ses soucis. En effet, la seule chose à laquelle il aspirait jusque-là, ou à laquelle il pensait actuellement, c'est qu'il était enfin libre.

— Chut ! entonnèrent son frère et sa sœur avec leurs doigts devant leurs bouches. Il faut savoir qu'un petit de cet âge-là nécessite une grande technicité de signes, si l'on veut se faire comprendre rapidement ou même se faire comprendre tout court. Ils prirent tous trois le long chemin qui les mena jusqu'à la chambre des parents, certes il n'y avait que trois mètres de couloir à parcourir mais pour Mathis cela s'apparentait aux Champs-Élysées. Dany ouvrit lentement la porte de la chambre, très fier encore une fois d'être sur le devant de la scène et ce malgré les nombreuses disputes qu'il avait déjà subies, justement parce qu'il était toujours en première ligne. Bizarrement d'ailleurs, Alycia veillait personnellement à ce qu'il y reste. Ils s'approchèrent du lit à pas de loup, mais n'eurent pas le temps de sauter dessus car Mike tourna la tête à ce moment-là et vit ses trois petits garnements.

— Bonjour, papa !

— Bonjour, mes amours. Dany, combien de fois maman et papa t'ont dit de ne pas sortir Mathis de son lit ? Dany n'eut d'autre réponse que de baisser la tête, affichant néanmoins une mine boudeuse et offusquée.

— Bon, venez d'abord nous faire un câlin, on verra tout ça après… Les enfants sautèrent sur le lit, à part Mathis bien sûr qui s'agrippait désespérément aux draps quand enfin, après une seconde qui lui parut interminable, son grand et fort papa

16

l'empoigna à bout de bras pour que la famille soit au grand complet. S'ensuivirent des câlins, des rires et d'inévitables guerres de territoires entre frères et sœur.

— Papa, dit Dany, on a faim…

Mike et Jane éclatèrent de rire en entendant cette réplique très inattendue et des plus surprenantes.

— Bon, allez, papa va vous faire vos petits déjs. Mike attrapa tant bien que mal son boxer qui traînait par terre et l'enfila sous les draps, afin d'éviter une vision d'horreur à ses enfants et qui sait, peut-être même à sa femme. Ce n'est pas pour rien si seules les femmes posent nues, pensa-t-il à ce moment-là. Il s'habilla rapidement et alla en direction de la cuisine, poursuivi par Mathis. En ouvrant les rideaux, Mike fut ébloui par un soleil éclatant, un dimanche fabuleux s'annonçait déjà, comme tous ceux passés auprès de sa famille. Ils avaient vue sur leur jardin, les voitures stationnées dans l'allée et les villas de l'autre côté de la route. Mathis lui tira le pantalon.

— T'as faim mon bébé ? Allez, papa prépare.

Jane profitait des deux grands dans le lit, ils les entendaient rire d'ici et cela lui emplit le cœur de bonheur. Le petit-déjeuner se passa dans la joie et la bonne humeur devant divers dessins animés, qui étaient au grand regret de Jane et Mike, de moins en moins féeriques et de plus en plus violents. Une fois la famille rassasiée, Jane se mit à débarrasser les bols et les gâteaux. En la regardant, comme à son habitude, Mike la trouva sublime. Celle-ci n'était ni grande ni petite, ses cheveux tombaient en cascade sur ses épaules et le bas de ses reins, son visage était fin avec des yeux noisette et un petit nez rehaussé à croquer.

Elle portait un débardeur et un petit short que son derrière épousait comme un gant, il ne comptait d'ailleurs plus le nombre de fois où il avait rêvé d'être à la place de celui-ci. Ses longues jambes fines et musclées finissaient d'achever le chef-d'œuvre. Il se rappela leur rencontre. La première fois qu'il avait vu Jane, ce fut comme un coup de massue sur son cœur, il ne connaissait pas encore cette femme et pourtant il l'aimait déjà. Elle était assise à la terrasse d'un café, en train de bouquiner, Mike ne pouvait laisser repartir cette femme et il le savait, sinon il le regretterait toute sa vie. Il avait donc pris son courage à deux mains et avait foncé tête baissée.

— *Bonjour, ça vous dérange si je m'installe avec vous ?*

Le sourire éclatant de Jane avait déclenché une effusion de paillettes multicolores dans tout son être.

— *Non, avec plaisir… avait-elle répondu.*

— Papa, on va faire quoi ? demanda Alycia.

— Je ne sais pas, ma puce on va voir avec maman, dit-il en sortant de ses pensées. Ma chérie ?

— Oui, mon bébé ?

— Qu'est-ce qu'on pourrait faire de beau, aujourd'hui ?

Estimant qu'elle criait déjà suffisamment sur ses marmots, Jane eut le bon sens de venir dans le salon avant de répondre.

— Que diriez-vous d'un petit pique-nique au lac ?

Les cris de joie de ses enfants (Mathis aussi était très en joie même s'il ne savait pas pourquoi il devait l'être) et le grand sourire de son homme suffirent à lui donner la réponse… N'était-ce pas pour ce magnifique sourire qu'elle avait craqué et ses yeux, de grands yeux d'un bleu intense ? Elle se souvint que les premières fois, elle avait eu du mal à soutenir ce regard flamboyant et troublant. Mike était grand et mince mais plutôt musclé, le crâne rasé avec un nez fin et un peu allongé. Il n'était pas très beau, juste mignon, mais son sourire et ses yeux lui avaient offert un charme incomparable…

— Dany, Alycia, direct à la douche, n'oubliez pas de prendre vos pyjamas et surtout, rappelez-vous qu'il s'agit d'une salle de bains et non d'une piscine…

Les enfants partirent en direction de la salle de bains en riant allègrement, mais aussi sournoisement que possible, bien entendu.

Ils avaient passé une journée des plus agréables, le lac était bordé de sable fin (très certainement importé), entouré par la nature de toute part, ce qui offrait de nombreux coins calmes et ombragés. Ils jetèrent leurs dévolus sur l'un d'eux, non sans mal encore une fois, et commencèrent le déballage des sandwichs et des amuse-bouche préparés spécialement par maman avec amour. Ils se composaient d'œufs durs, de chips et de jambon-beurre dans du pain de mie, c'est l'intention qui compte diront certains. Tous apprécièrent ce petit pique-nique improvisé, encore plus Mathis qui en profita pour compter les morceaux de chacune des chips qu'il broyait dans ses petites mains. S'ensuivirent les brassards et la baignade, la digestion allongée sur la serviette ainsi qu'un petit cache-cache des plus sympathiques, limité à une circonférence d'environ six mètres carrés étant donné que papa était de nature très inquiète, surtout quand il ne les trouvait pas. Jane a même offert à son mari une sacrée vue lunaire, lorsque celle-ci plongea tout au fond d'un mètre de profondeur, afin de simuler un requin qui prenait un malin plaisir à chatouiller les pieds de Dany et Alycia. Pendant ce temps-là, Mike somnolait sur la serviette, avec son petit Mathis dans les bras qui lui ne faisait pas semblant, un sourire aux lèvres tout en écoutant le reste de sa famille à l'ouvrage.

Vers les dix-sept heures, le soleil les abandonna lâchement et la température commença à baisser brutalement, ce qui signifiait qu'il était temps de mettre les voiles. Mike aurait donné tout ce qu'il avait à ce moment-là pour que cette expression n'en soit pas une, car il savait pertinemment que leur belle berline toute propre ressemblerait en tout point à cette plage et ce lac, à l'instant où chacun d'eux y mettrait les pieds…

*****

— Bébé, met la table, s'il te plaît. Hum, ce qu'il aimait quand elle était autoritaire, encore un peu et ça l'exciterait…

— D'accord ma chérie, répondit-il comme un agneau…

Dany et Alycia faisaient un boucan du diable dans la salle de bains, c'était un mélange de rires et de ploufs qui n'auguraient rien de bon. Pendant que Mathis, n'ayant pas encore assimilé le principe du montage, s'évertuait à détruire les belles constructions de LEGO que ses aînés avaient passé beaucoup de temps à créer la veille. Ceux-ci s'étant même empressés de les montrer à papa et maman, avec une immense fierté. Mike, en voyant cela, devint tout rouge en imaginant son petit dernier se faire démonter à son tour, par un grand frère et une grande sœur désormais dotés d'une intarissable soif de vengeance.

— Mathis, tu vas te faire tuer par tes aînés ! Il essaya tant bien que mal de redonner forme à l'informe, jusqu'à ce que sa chère et tendre le rappelle à l'ordre.

— Bébé, la table.

— Bon, désolé Mathis, j'ai fait ce que j'ai pu, maintenant c'est ton problème. Il vit la mine de son fils, celui-ci arborait un air malheureux d'âme abandonnée à son triste sort par le plus grand des héros. Mike allait craquer quand il repensa à sa femme.

— Ta souffrance à venir n'est rien comparée à la mienne si je n'y vais pas tout de suite, tu comprends mon fils, ça fait déjà deux fois que maman me l'ordonne ! Mike, pouffant tout seul de rire, prit tendrement la tête de son fils entre ses mains et lui fit un majestueux bisou à s'en décoller la mâchoire. Puis il fonça à la cuisine sans plus tarder.

Le repas se passa plutôt calmement, la journée épuisante au lac y étant probablement pour beaucoup. Au menu, Jane avait préparé des escalopes à la crème fraîche, accompagnées de ses traditionnels spaghettis et champignons de Paris. Tout le monde se régalait à vrai dire. Mathis aussi, même si d'après lui, les pâtes étaient encore meilleures quand elles se retrouvaient sur la table ou sur son pyjama tout propre. Ce qui ne fut pas du tout du goût de maman, qui lui mit tout de suite une tape sur la main. Mike fut contraint de se tourner, tellement la bouille de son dernier était hilarante lorsque celui-ci se faisait disputer. C'était bien simple, alors premièrement il boudait ; cela se traduisait par un froncement de sourcil, un menton qui remontait et une tête qui se baissait. La seconde phase se situait au niveau des yeux ; tout en gardant la tête baissée, il relevait de temps en temps ses yeux effrontés à souhait, pour regarder soit maman soit papa avant de les rebaisser aussitôt.

— Allez, tout le monde au lit dit Jane une fois le repas terminé.

— Oh non, maman, on peut rester encore un peu, s'il te plaît ? demanda Dany le plus poliment et gentiment possible.

— Non, c'est l'heure, demain il y a école. Jane était très à cheval sur les horaires et Mike était plutôt d'accord avec ce principe, un enfant avait besoin de beaucoup de sommeil pour grandir ou s'éveiller sainement.

— Papa, s'il te plaît, renchérit Alycia avec une voie délicate ?

Bon sang quelle torture, elle est comme sa mère se dit-il, elle sait y faire avec moi.

—Maman a dit au lit et elle a raison, vous devez être en forme pour demain.

Ils conduisirent leurs petits monstres au lit, des câlins et des bonnes nuits interminables s'ensuivirent mais qu'importe, comme tous les soirs Jane et Mike en profitèrent, même s'ils savaient pertinemment que cette abondance de câlins n'était que la conséquence du fait que les enfants ne voulaient pas dormir.

*****

Mike s'affala sur le canapé et alluma la télévision pendant que Jane faisait la vaisselle. Le veinard, il avait pris le bon train car tragiquement, les mœurs ont changé et ce sont bien souvent les hommes qui font la vaisselle de nos jours. Les informations commencèrent sur la une à ce moment-là.

Mesdames, Messieurs, bonsoir, un tragique accident sur la route nationale 85, plus connue comme la route Napoléon, l'ancien président de la République mis en examen sur l'affaire des pots-de-vin et notre nouveau président qui interviendra en direct pour achever comme il se doit son prédécesseur… Comme je vous le disais, un terrible accident s'est produit sur la route Napoléon qui a fait cinq morts, nous retrouvons notre envoyé spécial, M. Wilfrid.

Bonsoir Anny, bonsoir à tous. En effet, un accident tragique s'est produit ici, une mère de famille et ses trois enfants ont percuté un poids lourd de plein fouet et sont morts sur le coup, le véhicule, qui selon nos sources les suivait de trop près, a terminé sa course dans la berline familiale et son conducteur est mort lui aussi sur le coup. L'origine de l'accident serait dû à l'éclatement du pneu avant gauche du poids lourd. Le père de famille était là, en train de les suivre dans son véhicule professionnel. Très traumatisé par cette vision d'horreur, il s'en est pris aux forces de l'ordre et a blessé grièvement l'un d'entre eux avant de s'attaquer à un second policier. Personne n'en sait plus pour le moment, hormis le fait qu'il a été maîtrisé et conduit à l'hôpital sous bonne garde. Voilà tout ce que je peux vous dire pour le moment Anny. D'accord Merci, M. Wilfrid. Comme je vous le disais notre ancien président…

— Chérie, t'as entendu ?

— Non mon bébé, je fais la vaisselle je te rappelle, qu'est-ce qu'il y a ?

— Un père de famille a perdu ses trois enfants et sa femme dans un accident de voiture, il est devenu fou et s'en est pris aux policiers et en a blessé un grièvement.

— C'est vraiment triste d'apprendre des choses pareilles, répondit-elle tout en astiquant.

Mike était profondément ému par cette annonce, d'une part parce qu'il avait exactement la même famille que ce pauvre homme, et d'autre part parce qu'il lui semblait impossible d'imaginer une telle perte, surtout quand il repensait à cette formidable journée passer à leurs côtés. Il en vint même à comprendre un tel acte de démence car que lui resterait-il si on lui enlevait ce qu'il avait de plus cher en ce monde. Qu'y avait-il de plus important dans une vie que sa famille, ses enfants, la chair de sa chair… Frissonnant à cette idée et sentant son sang se glacer, il préféra changer de chaîne. Jane le rejoignit quelques minutes plus tard.

— Alors ce soir il y a… Mike n'eut pas le temps de finir sa phrase.

— Je suis crevée mon bébé, regarde ce dont tu as envie, tant que je suis dans tes bras ça me va.

En entendant ses mots, et le temps que ceux-ci s'impriment dans sa tête, Mike pensa que c'était super-chouette !

— Ben ma chérie, j'ai envie que tu profites avec moi.

— Non, bébé, ne t'inquiète pas.

— OK ma chérie, viens. Il ouvrit ses bras et elle se blottit contre lui, le dos tourné à la télévision. Il regarda un téléfilm sur la six. Celui-ci n'était pas ennuyeux ni trop copieux mais il avait envie d'aller se coucher, de se reposer avant cette nouvelle semaine qui arrivait et qui promettait bien des rebondissements. Il éteignit la télévision avant d'entreprendre de porter sa femme.

— Accroche-toi à moi ma chérie, je t'emmène au lit. Elle mit ses bras autour de son cou et Mike l'enroula des siens afin de la soulever, fort heureusement sa femme était fine et donc plutôt légère. Néanmoins, il ne put s'empêcher de penser à ces bons hommes dans les films, qui portaient leurs dulcinées durant des kilomètres contre vents et marées, sans même sourciller s'il vous plaît. Pour se rassurer ou peut-être même s'encourager, il se fit la réflexion que ce n'était que du cinéma car là, il en chiait pour de vrai.

Après avoir traversé les quelques mètres qui le séparaient du salon à la chambre, dans le même état d'esprit que Mathis ce matin, Mike déposa enfin sa femme sur le lit et entreprit de la dévêtir un peu afin qu'elle soit le plus à l'aise possible. Jane à moitié endormie, se laissa faire et essaya même de participer à cette tâche, que son subconscient devait juger pénible pour son homme. Après avoir enlevé ses chaussettes et son jean, Mike s'allongea à ses côtés et ils s'endormirent comme ils s'étaient réveillés, l'un contre l'autre…

Chapitre 2
L'évasion

Une odeur âcre, pestilentielle, le sortit lentement des brumes ténébreuses du sommeil et de la drogue. Il était envahi et submergé par des sensations inconnues jusqu'alors, des bruits et des sons indescriptibles lui parvenaient de toute part. Un grignotement d'un côté, des battements d'ailes d'un autre, tant d'odeurs lui prenaient au nez qu'il en eut vite la nausée. Son corps était chaud, il pouvait deviner et contracter chaque fibre musculaire de celui-ci, il sentait chacun de ses muscles, noueux à l'extrême et d'une puissance démesurée. Il ouvrit les yeux sur un plafond et des murs blancs, d'un blanc si clair que même un ange tuerait pour avoir des ailes aussi pures. Pourtant la pièce était noire. Il porta son regard vers la fenêtre fermée. Dehors, il faisait nuit mais cela ne l'empêcha pas de voir des corbeaux, à quelques dizaines de mètres de là, planer et voler autour d'un arbre ce qui lui permit de l'associer aux battements d'ailes. En se concentrant au maximum sur les grignotements qui lui rongeaient le cerveau indéfiniment, il aperçut un écureuil sur une branche de l'arbre, une noisette entre les pattes.

À ce moment-là, il s'aperçut qu'il était pieds et poings liés par des sangles intégrées au matelas. Cloué sur un lit d'hôpital, mais que faisait-il là ? Il avait beau chercher, fouiller dans les moindres recoins de sa cervelle, il n'y retrouva aucun souvenir. Ils sont deux devant la porte, se dit-il à ce moment-là. Il repéra le premier grâce à son flingue, celui-ci sentant fortement la poudre, le second quant à lui portait une odeur amère des plus désagréables à respirer, son caleçon devant empester la pisse et la merde à bien dix pâtés de maison d'ici. Il me surveille, en déduit-il logiquement.

Il n'avait peut-être aucun souvenir mais avec un intense soulagement, désirant plus que tout s'échapper de ce trou à rat, il venait enfin de se trouver un projet à court terme des plus amusants. À cette seule pensée d'ailleurs, il ne put réussir à contenir un sourire s'élargissant jusqu'aux oreilles et si cela avait été humainement possible, celui-ci se serait étendu bien au-delà. Avec un contrôle de soi absolu, il banda tous ses muscles et entreprit, le plus discrètement possible, d'arracher ses liens. Il tira sur chacun d'eux en même temps, les étirant lentement mais sûrement. Augmentant au fur et à mesure la force qu'il exerçait sur ceux-ci, il entendit bientôt le matelas se déchirer de toute part dans un son qui, pour ses tympans aguerris, lui paraissait proche de l'agonie. Une fois le matelas crevé, il sauta d'un seul bond de son lit et atterrit sur le sol froid sans le moindre bruit, avec une souplesse et une dextérité à toute épreuve. La seconde suivante, il était dos au mur et seule la porte le séparait encore des policiers en faction.

Tout était calme dans les couloirs, aucun bruit de pas, ni aucune conversation alentour, uniquement cette abominable puanteur qui émanait de ce flic et qui ne cessait d'obstruer ses voies nasales. Sans même l'avoir vu, il imagina facilement celui-ci avec une énorme bedaine, montrant son clair de lune à tout bout de champ lorsqu'il se penchait à peine ou s'empiffrant allègrement de pizza et de pinard, chaque soir de sa minable vie.

Tout comme s'il voulait vérifier ses dires, ou tout du moins ses pensées, il ouvrit la porte à la volée et empoigna chacun d'eux par la nuque.

Les policiers se retournèrent immédiatement, leurs regards se croisèrent, ceux-ci étaient emplis de peur et d'incertitude. Ils n'eurent pas le temps de comprendre ce qu'il se passait ni même de voir autre chose que le reflet de leurs propres terreurs, que leurs crânes se fracassèrent mutuellement avec une telle violence que ceux-ci reprirent leur forme respective lors de ce grand moment que fut leur naissance. Il les tira tous deux par le col, les traîna dans la chambre et referma la porte calmement...

*****

— Commissaire Treffert ?

— En personne, répondit-il. Affalé sur son canapé avec son troisième verre de whisky à la main, Alain dit le Cerveau, était penché depuis des heures sur une affaire de pédophilie organisée. Quelque chose lui échappait mais il n'arrivait pas à mettre le doigt dessus ou dedans, ce qui l'irrita profondément.

— Docteur Podrick à l'appareil, votre gars a disparu.

— Comment ça il a disparu, demanda-t-il avec humeur, pourquoi c'est vous qui me tenez informé et pas les policiers qui gardent sa chambre ?

— Je n'en ai aucune idée commissaire, répondit le docteur sur la défensive, eux aussi ont disparu apparemment.

— J'arrive immédiatement.

Moins de quinze minutes plus tard, le commissaire et son équipe étaient déjà dans la chambre.

— Les infirmières se sont rendu compte que la salle de bains était verrouillée, dit le Dr Podrick.

Le commissaire essaya d'ouvrir la salle de bains sans résultat.

— OK, reculez, c'est fermé de l'intérieur, ce qui veut dire que notre homme est dedans. Je suis le commissaire Treffert, ouvrez immédiatement cette porte et gardez vos mains bien en évidence. Malgré les nombreuses sommations, aucune réponse ne leur parvint.

— Très bien, nous allons défoncer la porte, déclara le Cerveau volontairement à voix haute pour se faire entendre du suspect.

Treffert fit un mouvement de tête à l'intention de l'un de ses sbires et le tour fut joué. Johnson prit du recul et envoya son pied en travers de la porte, le verrou céda sans le moindre mal. Armes au poing, la scène qu'ils découvrirent ne manqua pas de les stupéfier. Alain comprit instantanément ce qu'il s'était passé mais comment avait-il fait ? Un homme sanglé sur son lit d'hôpital et à qui on avait administré de quoi assommer un cheval, a réussi seul l'exploit d'arracher ses liens, de tuer et traîner deux policiers sur plusieurs mètres, le tout sans faire le moindre bruit ou éveiller le moindre soupçon. Le gros porc était plié en quatre dans la cabine de douche, dans une position des plus improbables pour le commun des mortels, l'eau de la douche ruisselant abondamment le long de son corps. L'autre était assis sur les toilettes, nu comme un ver, sa tête profondément ancrée dans le trou.

— Johnson, descends immédiatement au parking et retrouve le véhicule des agents. Enrique et David, commencez à fouiller l'hospice de fond en comble, sait-on jamais. Dr Podrick, avez-vous les résultats ?

— Oui commissaire.

— Venez, s'il vous plaît, nous devons causer.

*****

Il roulait depuis plus d'une heure et avait lâché le molosse depuis une bonne dizaine de kilomètres. Le peu de véhicules qu'il croisait ne pouvait s'empêcher de lui faire des appels de phares ou de klaxonner en arrivant à sa hauteur.

— J'y vois mieux sans les feux, alors arrêtez de me faire chier. Il avait bien essayé de les mettre, par habitude bien sûr, mais sa vision était si développée, si acérée, que cela lui avait fait l'impression de se prendre deux projecteurs surpuissants en pleine face. Il voyait chaque détail de la route et des alentours à la perfection, les crevasses du bitume, les feuilles des arbres qui dansaient lentement, encore un peu et il aurait pu apercevoir une fourmi si celle-ci avait traversé, bien entendu il aurait volontiers fait une embardée forestière dans le simple vœu de ne pas l'écrabouiller.

Tant de questions restées sans réponses, les heures passées mais rien ne lui revenait. Qui était-il ? Quel était son but ? Comment s'appelait-il ? D'où lui venait une telle soif de sang et de vengeance ?… Impossible à dire, le paysage défilait à toute vitesse sans lui apporter la moindre réponse, ses pensées se bousculaient et se croisaient sans cesse, sa tête était sur le point d'exploser quand il arriva dans un quartier résidentiel. Soudainement, il sentit ses tripes se tordre avec douleur, assailli par une faim sans pareil. Il fallait impérativement qu'il s'invite à dîner dans une de ses belles maisons. Il se gara hâtivement, coupa le contact et éteignit le poste de radio qui passait les informations en boucle depuis qu'il avait quitté l'hôpital.

La porte principale était équipée de deux verrous, il posa son index sur le verrou du haut, se concentra légèrement et tourna celui-ci dans le sens des aiguilles d'une montre. Le verrou pivota, claqua à contrecœur, pivota et claqua de nouveau, attiré par une sensation inconnue jusqu'alors, ce qui le laissa sans voix mais surtout sans choix. Une fois à l'intérieur…

*****

Il n'était pas commissaire pour rien, sa grande aptitude à résoudre les enquêtes les plus farfelues lui avait valu ce titre depuis bien longtemps déjà, ainsi qu'une réputation que personne ne pouvait contester même si beaucoup la jalousaient. Mais là, cette histoire le dépassait complètement. Puis il était crevé par cette longue journée qui prenait un malin plaisir à se prolonger en une nuitée qui s'annonçait, d'ores et déjà, comme interminable. Je me fais trop vieux pour ces conneries, pensa-t-il à cet instant avec amertume. Il écoutait l'exposé sans fin et indéchiffrable du docteur, que d'une seule oreille bien sûr, l'autre étant accaparée par ses pensées, lorsque sa radio bipa. Il s'empressa de répondre, ravi de pouvoir se libérer du (trop) gentil Dr Podrick qui semblait confondre enquête policière et avancement scientifique.

— Chef, la voiture des policiers est introuvable, ni dans les parkings ni autour de l'enceinte.

— Je m'en doutais, il est parti avec, cela arrange bien nos petites affaires. Appelle-le central, dis-leur de repérer le véhicule par satellite et qu'ils envoient des renforts à sa poursuite, on les rejoint au plus vite dès qu'on aura eu l'info. Il n'est pas aussi intelligent que je le craignais, ajouta-t-il avec assurance.

— Je m'en charge commissaire, répondit-il avec sa voix hivernale… Johnson avait le menton carré, il était grand, très grand et c'était une vraie force de la nature. Il faisait partie de ces hommes qui se réveillaient un matin avec des épaules aussi larges qu'une armoire et des cuisses aussi grosses que des troncs d'arbres, sans avoir jamais fait le moindre effort. Le genre d'homme qui s'était trompé d'époque ou d'adresse en arrivant dans ce monde. Il aurait dû subsister dans une époque révolue depuis des siècles avec une hache à la main et une peau d'ours sur le dos. Entouré de blanches montagnes à perte de vue, il aurait passé son temps à fendre et pourfendre des crânes à tour de bras, dans de grandes batailles territoriales en pleine civilisation barbare.

Treffert prit sa radio.

— Enrique, David, laissez tomber les recherches, notre surhomme est parti avec la bagnole de police. Johnson et moi allons à sa poursuite, foncez au poste tous les deux pour nous guider en temps réel.

— J'allais vous appeler commissaire, dit David d'un ton écœuré. Je suis tombé sur un os, j'ai trouvé le cadavre d'un agent de sécurité dans un local d'entretien au rez-de-chaussée, c'est plutôt macabre.

— OK, répondit Alain avec un profond soupir, on se rejoint tous au local.

L'agent était allongé sur le ventre, pourtant quiconque n'aurait vu que sa tête aurait mis sa main à couper que celui-ci était sur le dos. Ces yeux exorbités fixaient froidement le plafonnier, des bourrelets au niveau de la nuque s'étaient créés lorsque pour la première et dernière fois de sa vie, elle eut l'opportunité de rencontrer ce fameux menton mystérieux. À elle seule, sa position témoignait de la violence de l'attaque et de la démence de celui qui l'avait exécuté, comme si celui-ci avait voulu lui dévisser la tête. Alain prit la parole à ce moment-là.

— David, renseigne-toi sur cet homme auprès de ses collègues, les autres agents de sécurité qui sont en permanence ce soir. Pas plus de trente minutes, reprit-il presque immédiatement, après tu rejoins Enrique au quartier général.

— Enrique et moi-même, nous en sommes déjà chargé chef, s'exclama David avec une pointe de fierté dans le timbre de sa voix, son nom est Hubert Alphonso. Celui-ci est arrivé en avance comme tous les jours, accompagné de son chien qui étonnamment, a disparu.

À ce moment-là, une question évidente traversa l'esprit du Cerveau mais il préféra néanmoins laisser son acolyte terminer car il était en effet inutile de lui couper la parole pour une question que tout le monde se pose, ou allait finir par se poser incessamment.

— D'après les dires de ses confrères, poursuivit Enrique, Alphonso ne se séparait jamais de son chien, ce qui nous a bien entendu mis la puce à l'oreille. David a alors appris que cet agent de sécurité n'était pas tendre avec son animal, voire injuste et plutôt violent, ce qui implique de n'être que très peu apprécié par ceux-ci, toujours selon leurs aveux.

— Nous n'avons rien obtenu d'autre, renchérit David après une courte pause, nous pourrions approfondir nos recherches à ce sujet mais je doute fortement que nous apprenions quelque chose de plus intéressant.

Alain, observant toujours la scène de crime avec un dégoût non dissimulé, s'octroya quelques secondes de réflexion et de répit avant de définir clairement la bonne marche à suivre. L'ancien père de famille avait tout bonnement perdu la raison, il n'y avait plus aucun doute là-dessus et celui-ci était désormais à la hauteur de cette toute récente réputation, acquise par des actes dénués de toute pitié envers la communauté. Mais qu'en était-il des animaux ou peut-être même des faibles, le tueur aurait-il tout simplement surpris une altercation impardonnable à ses yeux, entre l'agent de sécurité et la pauvre bête sans défense ? Certes, cela se tenait, mais cette idée paraissant trop belle ou trop enchantée pour être vraie, il se concentra à nouveau sur le vif du sujet.

— Bon travail les gars, déclara le Cerveau avec sincérité. Je pense que tu as raison David, il est inutile de perdre plus de temps avec ça pour le moment, ce n'est pas la priorité et nous pourrons toujours y revenir plus tard si le besoin s'en fait sentir. On maintient le plan de base, reprit-il, retournez au central et tenez-nous informés lorsque le véhicule sera localisé.

— Très bien, chef, répondirent tous deux presque simultanément avant de tourner les talons.

Alors que notre commissaire montait dans son véhicule banalisé, avec Johnson à ses côtés, il repensa à toute cette histoire et à ses nombreux points noirs. Ce meurtre supplémentaire était très préoccupant et lui rajouta à son grand désespoir, une nouvelle volée de questions auxquelles, il le savait pertinemment, il ne trouverait pas de réponse de sitôt. En effet, le tueur n'avait aucun intérêt à se débarrasser de cet agent étant donné qu'il était en uniforme de police et que de ce fait, il aurait pu sortir sans se faire remarquer davantage. À moins que celui-ci n'ait voulu jouer les héros en sauvant le chien, comme Alain l'avait pensé précédemment. Ou alors l'agent de sécurité l'a reconnu, ce qui paraissait tout aussi improbable. Venait ensuite ce policier descendu froidement sur le lieu de l'accident et l'autre grièvement blessé. Attribuait-il la perte de sa famille à tout ce qui était autorité, non cela ne se pouvait. Pour l'instant, je vais rester sur la conclusion qu'il est tout simplement devenu fou, avant que je le devienne moi-même, se dit-il.

*****

Quel régal, de toute sa vie il n'avait jamais autant aimé se remplir la panse, il en était convaincu même s'il ne se souvenait pas de ses précédents repas. Il engloutissait avidement ou avec délectation chacune des tranches de saucisson qu'il découpait, à l'aide d'un couteau de cuisine démesuré et digne d'un boucher. Le frigo était facilement identifiable comme appartenant à une grande famille, si plein que celui-ci devait en ressentir une indigestion permanente. Seul dans la cuisine et dans le noir, il était à l'affût du moindre bruit.

Éric se réveilla en sursaut, moite de sueur et son cœur battant la chamade à tout rompre. Sa femme dormait à poings fermés. Quelque chose n'allait pas, il le pressentait, ses années dans l'armée lui avaient appris qu'il pouvait faire confiance à son instinct. Le souffle court et la respiration sourde, il tendit l'oreille. Son cœur commençait à peine à recouvrer son calme que celui-ci repartit aussi vite qu'une locomotive, envoyant un afflux de sang conséquent dans chacune des veines de son corps lorsqu'il entendit un bruit au rez-de-chaussée qui ne pouvait être le fruit du hasard. Aucun doute, il y avait quelqu'un dans sa maison. Éric se pencha vers sa femme afin d'alléger le bord du matelas de son poids et en retira le revolver, planqué dans une sacoche de cuir, entre celui-ci et le sommier. Il lui parut plus léger qu'à l'accoutumée mais depuis combien de temps n'avait-il pas tenu une arme en main, trop longtemps, pensa-t-il à ce moment-là. Cela était probablement dû à cette brusque montée d'adrénaline, qui en d'autres circonstances d'ailleurs, aurait pu lui apporter un certain plaisir oublié. Il se leva et entreprit le long voyage qui le séparait de la cuisine, le plus discrètement possible car il devait impérativement surprendre l'imposteur pour avoir l'avantage.

Et dire que lors de la construction de leur maison, sa femme voulait du parquet pour les chambres et un escalier en bois. En cet angoissant instant, imaginant déjà le pire et du coup avoir le sort de sa famille entre ses mains, il se félicita à cette époque de l'en avoir dissuadé. Il se souvint avoir utilisé une multitude d'arguments qui étaient loin, bien loin, de s'apparenter à une intrusion chez eux.

Les lieux étaient très sombres mais, connaissant sa maison et les emplacements des différents meubles ou bibelots entreposés sur le bout des doigts, il traversa sans encombre le salon pour arriver aux abords d'une cuisine américaine. L'intrus était dos à lui, face au plan de travail. La lune, inondant la pièce de sa lueur blanchâtre, reflétait son ombre sur le mur adjacent de la pièce. Seuls quelques mètres le séparaient encore de l'homme quand son sang se glaça soudainement, son premier réflexe fut de braquer son arme sur l'inconnu.

— T'en a mis du temps à venir, dit l'intrus avec une voix douce et légère. Tu as une très belle famille. Le sais-tu, ou est-ce devenu si conventionnel à tes yeux que tu ne t'en rends même plus compte ?

La bouche du père de famille était si sèche que sa langue semblait être collée à son palais, comme si sa salive l'avait complètement déserté, asséché par une peur irrépressible le privant de la moindre allocution.

— Je ne sais pas pourquoi je te raconte ça après tout, je sais juste que tu ne mérites pas cette chance, ce cadeau de la vie. Qu'espères-tu faire avec ce pistolet ?

Éric se sentait désappointé par toutes ces annonces, l'homme ne s'était pas retourné une seule fois et savait déjà tout de la situation, plus d'effet de surprise n'était possible. Bien au contraire, toute la stupeur était pour lui. Dis un truc bordel, se dit-il à ce moment-là, ouvre ta putain de gueule et parle…

— Au moindre geste, je te bute, enfoiré de merde, l'emploi volontaire de mots vulgaires semblant amoindrir son appréhension ou renforcer ses convictions.

Éric n'en vit rien mais l'intrus afficha son plus beau sourire, à l'entente de cette phrase.

À peine son cerveau eut-il le temps de recevoir l'information, de l'étranger qui s'était retourné, qu'il sentit brusquement le haut de son buste partir en arrière. Seul le réflexe naturel de son pied droit lui permit de rester debout et d'encaisser cette puissance invisible. L'information suivante qui lui parvint fut chevauchée par une autre, puis encore une dernière…

Premièrement, il avait actuellement son couteau de cuisine préféré enfoncé dans la gorge, en plein dans la Pomme d'Adam. Le choc fut si brutal, que la garde de celui-ci s'était imprimée profondément dans sa chair. Deuxièmement, il avait pressé, non, martyrisé la détente à plusieurs reprises sans le moindre résultat. Enfin, il aperçut le reflet métallique de ses balles luire sur le plan de travail, jusqu'alors caché par le corps de l'intrus. Soudainement, tout fut aussi limpide et clair que de l'eau à ses yeux et cela lui fit encore plus mal de réaliser cela, que le couteau planté dans sa gorge. Le tueur avait déjà fait le tour de toutes les pièces de sa maison, il avait déjà vu sa femme, ses enfants dormir et cerise sur le gâteau, avait récupéré les balles de son revolver sans éveiller le moindre soupçon.

Éric sentait son sang encore chaud couler à flots sur son torse et au bas de ses reins. Lorsque la tête commença à lui tourner dangereusement, son esprit se perdit dans une dernière pensée avant qu'il ne tombe impuissant, à la renverse. Le tueur n'avait subtilisé sciemment que le chargeur afin de lui laisser croire qu'il était maître du jeu, qu'il avait toutes les chances de s'en sortir et par la même occasion de sauver sa famille. Puis sur cette chaleureuse pensée, plus rien, seulement le vide et le néant.

L'étranger revint chercher le couteau et le retira d'un coup sec. La lame sortie avec la plus grande légèreté, tout comme celle-ci avait pénétré, accompagnée d'une belle giclée de sang et d'un glougloutement proche de l'eau en ébullition. Avec le sang de sa victime, il inscrivit un mot sur le sol du bout de son doigt puis retourna tranquillement se couper une dernière tranche de saucisson, il était si bon ! Après avoir récupéré quelques affaires utiles pour la suite de sa fabuleuse épopée, c'est tout du moins comme ceci qu'il l'imaginait, il partit rassasié et le cœur libéré sans omettre de sonner à la porte...

*****

Le commissaire et le Barbare roulaient à tout berzingue, guidés par leurs confrères depuis le central. Encore quelques minutes et ils tomberaient nez à nez avec le meurtrier. Entre la fatigue, le stress et la concentration sur les données fournies par Enrique et David, l'ambiance dans la voiture n'était pas aussi agréable que d'habitude entre les deux hommes. Les arbres et le bitume défilaient à toute vitesse, seuls les virages leur prouvaient encore qu'ils n'étaient pas en mode retour en arrière et que chacun d'eux les rapprochait un peu plus de leur but. Deux autres patrouilles de police étaient briefées sur les coordonnées du tueur et arrivaient en sens inverse.

— Parfait, Enrique, dit Treffert, nous allons le prendre en sandwich et lui couper toute retraite. Informez les patrouilles que notre homme est armé et très dangereux, qu'ils restent sur leurs gardes.

— OK, patron, répondit celui-ci. Voiture vingt-cinq et quarante-sept, vous allez bientôt entrer en contact avec le fugitif, le commissaire arrive en sens inverse, soyez très vigilants, l'homme est armé, imprévisible et très dangereux.

— Ici voiture quarante-sept, message reçu cinq sur cinq.

— Voiture vingt-cinq, message bien reçu, à vous…

— Très bien, dit Enrique. Commissaire, David vient de réussir à se connecter sur la radio du véhicule de notre suspect, je la relie à la vôtre, peut-être que cela vous donnera des informations sur ce qu'il fait.

— OK, Rico ! Beugla l'homme de l'hiver, envoie qu'on écoute un peu ce salopard !

*****

Il roulait lentement, perdu dans des pensées et d'incessants flash-back, paraissant aussi vrais que nature. Ceux-ci étaient incompréhensibles et lui faisaient un mal de chien. Il ne cessait de voir une femme, des enfants, venait ensuite un bain de sang, la chair et les os. Le tout tournait en boucle et ne semblait pas décidé à s'arrêter en si bon chemin. Il alluma la radio pour essayer de se changer les idées, il vit alors un petit voyant clignoter sur celle-ci, ce qui le fit sourire d'un air suffisant. Il chantonna quelques secondes au plaisir de se faire entendre et continua d'aspirer les arbres et la route sous ses pneus, toujours dans la même direction.

— *Le réveille-matin et tout me revient, je l'aime je l'aime, j'ouvre la radio, tort en deux mots, je mets ma chemise un coup de peigne, je bois mon café, deux sucres à peine et mes pensées sont toutes les mêmes, c'est insensé je les aime je les aime…* Tiens, tout n'est pas perdu, se dit-il à ce moment-là, je me souviens de cette superbe chanson. Au loin, un cri déchirant d'horreur et d'effroi se fit entendre dans les ténèbres…

*****

— Non mais il n'est pas sérieux, il vient de jouer au boucher avec trois de nos hommes et là monsieur chante, peinard ! Moi qui me croyais sans cœur, dit-il en éclatant de rire.

— Ce n'est pas le moment Johnson, reste sur tes gardes, nous ne sommes plus qu'à quelques secondes et je peux te garantir que cet homme est très spécial.

— Ouais, je ne sais pas encore ce que vous a dit Podrick mais même sans ses explications, on se rend bien vite compte que ce mec est bizarre…

— Ne t'en fais pas, je vous expliqu…

Soudainement, les deux hommes furent éblouis par des pleins phares, Alain braqua violemment sur la gauche et fit un dérapage contrôlé pour bloquer les deux voies de la route, les quatre phares d'en face en firent autant. Tous sortirent de leurs véhicules arme au poing, dans une forte odeur de gomme brûlée, utilisant les carrosseries et les portières comme deuxième gilet par balles. Quelques mètres seulement les séparaient.

— Police ! On ne bouge plus, les mains en l'air ! cria le commissaire tout en se disant que c'était stupide de dire ça étant donné les circonstances de la situation. Plus tard en y repensant il attribuerait cette phrase absurde sur le compte de l'habitude…

— Patrouille vingt-cinq et quarante-sept sur place, commissaire, où est notre suspect ?

— Putain Enrique, qu'est-ce que c'est que ce foutoir, entonna le commissaire.

— On ne comprend pas chef, vous êtes en plein dessus là ! répondit celui-ci avec un air affligé.

Un bruit de fougère, sur la droite de l'Homme des Cavernes, fit sursauter et réagir six hommes bien entraînés. Ce qui eut comme conséquence le changement directionnel et simultané, d'une hache, ainsi que de cinq pistolets (six flingues, pardon). Le molosse apparu au milieu des trois véhicules, il avait la langue bien pendante et l'air essoufflé, de la bave en abondance débordait de ses babines grandes ouvertes. Dans ses yeux, se lisaient une immense gratitude et une fierté dépassant toutes ses espérances, suite aux nombreux exploits que celui-ci avait pu réaliser dans sa chienne de vie. En effet, six bons hommes appartenant à sa patrie et même trois gyrophares étaient venus à son secours. Alain qui affichait désormais une mine en pleine décomposition, s'identifia à voix haute et ordonna à tous les policiers de rengainer leurs armes lorsqu'il vit la balise du GPS clignoter sur le collier du rescapé. Le fugitif de son côté, aurait donné tout ce qu'il avait pour voir cette superbe boutade en temps réel, presque tout.

Treffert s'approcha du chien et le caressa tendrement, il le prit par le collier et le fit monter à l'arrière de son véhicule. Lui et Johnson étaient éreintés, un sommeil réparateur s'imposait après tant de rebondissements et d'agitations. L'enquête reprendrait demain et se poursuivrait très probablement plusieurs jours après. Au moment où ils remontèrent dans leurs voitures, enfin prêt à se diriger dans un grand lit plein de vide pour le commissaire et déjà tout chaud pour Johnson, la radio leur annonça aimablement la découverte d'un nouveau cadavre dans un charmant quartier sans histoire. Bon sang, je nage en plein cauchemar, pensa-t-il. Ils repartirent sur le champ. À la sortie d'un virage, ils croisèrent une belle berline bleu nuit, ayant les feux tout éteints :

— Quel con ! pensèrent Alain et Johnson à l'unisson !

Chapitre 3
Le mal porte un nom

Une fois sur place, après une centaine de kilomètres parcourus à l'est de l'hôpital, la scène s'étalant devant eux était tragique et douloureuse malgré les nombreuses fois où ils l'ont vu se jouer.

Ils furent accueillis par des cris et des pleurs provenant de l'étage, la maman essayant tant bien que mal de protéger ses enfants, leurs enfants, de ce spectacle atroce. En bas, des policiers étaient déjà là, s'affairant à la reconstitution de la scène de crime et regroupant les différents indices laissés par son auteur. L'homme allongé sur le dos, les yeux grands ouverts, baignait dans un bain de sang démesuré. Impossible d'accéder à la cuisine sans mettre les pieds dedans et risquer par la même occasion de trébucher à ses côtés. Perpendiculairement au corps, au-dessus de sa tête, était inscrit à l'encre rouge un mot pour le moins étrange : ORI.

Alain en avait vu tout au long de sa carrière, des crimes de toutes sortes, passion, vengeance, légitime défense ou par pur plaisir de donner la mort. Mais aucun depuis lors, ne lui avait donné un tel goût amer que celui-ci, ce qui lui fit faire un bond en arrière d'une dizaine d'années...

À cette époque, il enquêtait sur un serial killer en puissance qui échappait depuis des mois et des mois à tout le commissariat, ainsi qu'aux commissariats alentour qui, plus d'une fois, leur avaient prêté main-forte dans cette affaire. Le mode opératoire du tueur était simple voir plutôt classique, il cherchait de jeunes femmes d'une trentaine d'années, célibataires et n'ayant aucune attache familiale. Une fois la proie idéale repérée, celui-ci s'introduisait chez elle de jour comme de nuit, les attachait et les violait pour enfin les égorger. Sa seule subtilité, et pas des moindres, était de laisser un indice à chaque fois sur sa prochaine victime, un mot inscrit avec le sang de la défunte. Ce mot pouvait être un grand boulevard, son nom de famille, l'usine dans laquelle elle travaillait, etc. Un vrai casse-tête pour Treffert, qui s'était donné corps et âme dans cette affaire. Il avait dû se mettre à la place du tueur et essayer de penser comme lui afin d'espérer le stopper un jour dans son carnage. Il s'était pris au jeu bien malgré lui, surpris et honteux d'y prendre plaisir alors que tant de personnes en payaient le prix fort.

Un lien avait fini par se créer entre eux, une guerre ouverte entre le chasseur, la proie et la victime, un jeu malsain auquel le commissaire ne pouvait plus se dérober. Le tueur avait même pris contact avec lui, à deux ou trois reprises, d'une cabine téléphonique. Ce qui voulait dire qu'il avait été suffisamment malin pour découvrir qui travaillait sur l'enquête mais aussi que celui-ci était fier de ses forfaits et n'était donc pas près de s'arrêter en si bon chemin. C'est d'ailleurs lors de ce premier appel qu'Alain avait pris la pleine mesure de ce jeu dangereux dans lequel il s'était lancé par obligation mais aussi par devoir. L'avant-dernière victime avait été loupée de très peu…

Johnson le sortit de ses pensées à ce moment-là.

— Ça va, chef ?

— Ça va, merci, un peu fatigué. Ce n'est pas un indice que le tueur nous a laissé, reprit-il d'un ton sec et morose, c'est le nom qu'il s'est choisi car je pense qu'il ne sait plus qui il est. La perte de sa famille lui a causé un traumatisme évident et très certainement permanent. Ce n'est plus le père de famille qu'il a été ou que son entourage a pu connaître, c'est devenu un tueur de sang-froid, sans pitié et doté d'une intelligence sans pareil. Qui est la victime ?

— Il s'agit de M. Éric Storm Commissaire, 31 ans, ancien militaire. Sa femme et ses deux enfants se trouvaient à l'étage lors du drame, ceux-ci ont été réveillés par la sonnette de leur maison. Pourquoi le tueur a sonné avant de décamper, je n'en ai pas la moindre idée, toujours est-il que la mère de famille est descendue à ce moment-là et à découvert son mari. Aucune effraction n'est visible, la porte était probablement ouverte. Nous pensons qu'il s'est arrêté ici pour se rassasier et que le mari l'a surpris.

— OK, faites venir un soutien psychologique sur-le-champ et je n'en ai rien à foutre de l'heure qu'il est, ils viennent un point c'est tout ! Johnson, fais le tour de la maison, essaie de voir si cet enfoiré a emporté quelque chose. Ensuite, demande à sa femme, avec ta douceur légendaire, de combien d'armes son mari disposait et si elles sont toujours là. Je sens que ce type est une véritable bombe à retardement, nous devons lui mettre la main dessus au plus tôt.

Le Colosse n'était pas enchanté par l'idée d'affronter cette malheureuse femme au regard vitreux et suppliant car il savait déjà ce qu'elle voulait, là, maintenant. Celle-ci espérait de toute son âme et de tout son cœur qu'il lui raconte que ce n'était pas vrai, que tout allait s'arranger, que son mari allait bientôt arriver… Bien entendu, il allait faire son job et il la questionnerait d'un air sincèrement compatissant, mais dur aussi. Car il ne pouvait pas, il ne devait pas lui laisser la moindre lueur d'espoir face à ce terrible évènement, qu'elle-même et ses enfants mettront déjà des lustres à accepter, elle devait commencer à faire son deuil dès à présent.

Alain prit son portable.

— David, établis-moi un portrait-robot de notre tueur, communique-le à tous les postes de police avec tout ce que nous savons sur lui. Je veux le voir demain matin dans tous les journaux régionaux et demain midi aux infos télévisées. Tout le pays doit connaître sa tronche, je veux qu'il soit pris dans un étau à lui broyer les os. Dorénavant, nous l'appellerons Ori, c'est le nom qu'il s'est choisi et je tiens personnellement à lui accorder cette faveur car nous ferons tout notre possible pour que ce soit sa dernière volonté. Après ça, allez-vous reposer avec Enrique, une dure journée nous attend demain.

— Il ne manque pas d'air, notre père fouettard ! On s'en occupe, à demain, commissaire…

*****

Au loin, l'aurore pointait lentement le bout de son nez, diffusant sa douce lumière orangée sur les montagnes et la ville encore endormies. Submergeant chaque centimètre carré du paysage, celle-ci lui offrit le plus beau spectacle qu'il pensait n'avoir jamais vu. Combien d'heures avait-il roulé, combien de kilomètres avalés, il n'en avait pas la moindre idée…

Il repensa à cette nuit, au plaisir proche de la jouissance que lui avaient procuré tous ces morts, le grisement inconditionnel de cette agile puissance et cette force qui vibrait constamment en lui, élevant tous ses sens bien au-delà du maximum conventionnel et le rendant bien supérieur au commun des mortels. Malgré tout, il commençait à ressentir une lourde fatigue, il devrait bientôt trouver un endroit pour se reposer. Sur cette réflexion, il arriva aux abords d'une banlieue chaude. Les bâtiments, fondus les uns dans les autres, donnaient l'impression de pénétrer dans un bunker élaboré. Un balcon sur deux était équipé d'une parabole et de lourds tapis de toutes les couleurs pendaient mollement sur les rambardes au gré du vent. Chaque rue ou chaque virage menait sur une nouvelle série d'immeubles parallèle et identique à la précédente, donnant la désagréable impression d'être revenu à son point de départ. Au bas de ses blockhaus, des jeunes squattaient dans les cages d'escalier, fumant leur énième joint ou racontant leur dernière blague avant d'aller passer leur journée au lit. D'autres étaient postés juste devant l'entrée, surveillant les alentours ou attendant patiemment les futurs clients potentiels.

Absorbé par toutes ces découvertes, Ori n'aperçut qu'au dernier moment, le groupe qui se trouvait en plein milieu de la route et fut contraint de piler instantanément afin d'éviter de tacher ou d'abîmer sa nouvelle voiture. Par miracle, il s'arrêta à seulement quelques centimètres d'eux. Les sept jeunes d'une vingtaine d'années environ, élevés à la dure dans un monde brutal et sans pitié, n'avaient même pas esquissé le moindre mouvement pour s'écarter du danger. Peut-être auraient-ils dû, pour une fois, oublier leur fierté bien souvent déplacée…

*****

Pour la forme et le délestage d'encombrant, les secours étaient enfin arrivés. De son côté, Johnson avait enfin terminé son investigation et son interrogatoire qui fut tout comme il l'avait pressenti, des plus difficile moralement. Le tueur avait emporté plusieurs tenues vestimentaires, une arme de poing, deux épées courtes, deux poignards, une belle somme en liquide, un saucisson d'Auvergne et la voiture familiale bleu nuit. En fouillant le véhicule de police laissé par Ori sur le côté de la maison, il ne découvrit que les habits du policier soigneusement pliés sur le siège conducteur, comme si celui-ci tenait à les rendre au défunt propriétaire et ce, avec tous ses remerciements. À bout de nerfs, usé par la fatigue et profondément irrité par le sarcasme incessant de ce nouveau cas, la force de la nature ne put s'empêcher d'écraser ses phalanges sur la carrosserie de la portière, laissant ainsi une empreinte indélébile sur celle-ci et un léger vacillement sur l'intégralité du véhicule.

Alain vit l'action en temps réel, il connaissait les excès de zèle de son coéquipier sur le bout des doigts mais sa force légendaire ne cesserait jamais de l'étonner. Il s'approcha de lui avec un petit sourire aux lèvres :

— Que se passe-t-il, Jon ?

— Rien de particulier, chef. J'ai juste envie de lui arracher la tête et de faire une partie de rugby avec, répondit-il de sa voix hivernale !

Ils rirent tous deux de bon cœur ce qui détendit, pour un temps, l'atmosphère. S'ensuivit le compte rendu des affaires manquantes pour finir par la description de la berline familiale. À l'écoute de celle-ci, le commissaire afficha rapidement une mine blanche, terreuse, proche de la décomposition. Il comprit pourquoi son associé des mauvais jours était rentré dans une telle fureur, la berline était bleu nuit, ils avaient croisé le tueur en venant sur le lieu du crime. Lui-même sentit la colère l'envahir mais en regardant à tour de rôle, l'état de la portière puis l'immense stature de Johnson, il se fit la réflexion qu'il serait plus sage pour sa part, de noyer ses nerfs dans un bon whisky double.

De retour chez lui, après avoir déposé le Barbare, Treffert était bien trop éreinté, sa boîte crânienne bien trop martyrisée par toutes les pensées qui l'assaillaient pour entrevoir l'espoir de trouver le sommeil. Encore une fois, cette affaire allait le dépasser, il le sentait au plus profond de son être. Sa réputation était faite auprès de ses collègues ou même de ses supérieurs hiérarchiques. Il avait fait ses preuves de nombreuses fois sur des enquêtes irrésolues, sa logique et sa manière propre d'appréhender les évènements l'avaient élevé à un rang bien au-dessus de la moyenne. Combien d'années encore pourrait-il faire illusion, il était peut-être temps de passer la main, pensa-t-il à ce moment-là. Il avait formé de bons gars dont il était particulièrement fier et qui pourraient le remplacer aisément, ça aussi il le savait mais quand trouverait-il enfin le courage de s'y résigner, toute la question était là.

Il repensa à cette jeune femme, notamment à ses yeux. Quel avait été l'indice qui l'avait mené jusqu'à celle-ci, le temps efface tout malheureusement mais comment avait-il pu oublier cela, ah oui ça y est, c'était Paprika ! Le mot ressortit avec vélocité des entrailles de sa mémoire, lui rappelant de ce fait chaque détail de cette sinistre affaire. L'indice avait eu plusieurs raisons d'être, ce qui, à l'époque, lui avait donné énormément de fils à retordre. Celui-ci correspondait soit à une usine de biscuit apéritif qui se trouvait à la sortie de la ville, ne comptant pas moins de deux cent cinquante salariés, dont soixante pour cent étaient des femmes, soit à une rue du centre-ville qui comprenait quand même une trentaine de femmes. Enfin, aussi invraisemblable que cela puisse paraître, il s'agissait aussi d'un nom de famille plutôt répandu. Après l'étude des différents profils et la rigoureuse classification des victimes potentielles, le nombre était tombé dans toute la ville, à quatre pour le nom de famille, douze pour la rue et cerise sur le gâteau, soixante-cinq femmes pour l'usine. Ce qui faisait un total de quatre-vingt-une personnes à faire surveiller nuit et jour par au minimum deux agents, dans un laps de temps indéfini. C'était, pour ainsi dire, injouable. Aucun de ses supérieurs n'aurait accepté de mobiliser un tel nombre de policiers en civil sachant que l'indice pouvait vouloir dire tout autre chose, ce, malgré l'enjeu de la situation et l'empressement de tout un chacun d'en finir avec ces meurtres.

Je dois trouver une autre solution. Non, qu'est-ce que je raconte, je devais en trouver une… Alain s'endormit d'un sommeil sans rêves sur ses belles pensées, son verre encore à la main…

*****

Pour faire payer son impudence, à ce pauvre conducteur, les jeunes se mirent autour de la voiture et commencèrent à la faire tanguer dangereusement, dans un va-et-vient semblable à celui d'une balançoire. Trois d'entre eux étaient de chaque côté du véhicule, le dernier, a priori le chef de meute, étant resté en face de celui-ci, les bras croisés sur la poitrine.

Ori ouvrit la portière à la volée et l'un d'eux prit l'arête de celle-ci en plein thorax, l'envoyant valdinguer à quelques pieds de là, les poumons entièrement vidés. Le temps que les autres voyous réagissent, un direct du droit s'écrasa sur la face d'un autre en lui brisant la mâchoire à plusieurs endroits, le plongeant inerte dans les bras de l'un de ses collègues et finissant tous deux leurs embardées à terre. Pas chef par hasard ou pour rien, celui-ci arriva avec élan sur la portière restée ouverte et l'enfonça d'un coup de pied en avant avec toute la puissance dont il disposait. Celle-ci se referma avec violence entre les omoplates d'Ori, lui communiquant ainsi une intense décharge de douleur, ce qui n'eut d'autre effet que de le faire rentrer dans une sombre rage et une colère froide.

Dans le même temps, deux d'entre eux avaient contourné la voiture et un troisième était monté sur le toit de celle-ci avec un couteau à la main. Le dernier, n'ayant encore subi aucun dégât direct, peinait ou n'avait guère envie de se relever. Ayant compris qu'ils n'avaient pas affaire à une personne ordinaire, les cinq bandits étaient dans l'attente et l'observation. Le tueur quant à lui, cerné par les malfrats, se mit tout d'abord à sourire puis à partir de manière choquante dans un rire tonitruant qui ne fit que renforcer grandement les doutes bien fondés des assaillants. À une vitesse ahurissante, il envoya un coup de pied retourné qui fusa juste au-dessus de la tête des jeunes, se trouvant sur la terre ferme, et balaya à hauteur des cuisses les deux jambes de l'homme sur le toit. La force du choc le retourna littéralement et il se retrouva brutalement les jambes en haut ou la tête en bas, celle-ci fonçant directement sur la tôle, emporté par son propre poids qui ne pouvait lutter contre les lois impartiales de la pesanteur. La dernière chose qu'il vit fut son couteau dans la main gauche du surhomme avant que sa nuque ne se brise. Son corps tout mou retomba avec fracas et glissa lentement le long de la caisse. À peine Ori retombait-il agilement sur ses pieds, qu'il effectua une roulade avant et se retrouva, en une fraction de seconde, entre les deux qui lui faisaient face précédemment. Celui de gauche fut transpercé par la lame du couteau, qui pénétra promptement sous le menton, clouant sur place la langue au palais et terminant sa course dans les fosses nasales du malheureux. Le second hurlait déjà de douleur, en sentant ses testicules se broyer l'une contre l'autre, sous la poigne d'acier de l'inconnu. Ses traits se déformèrent subitement et ses yeux étaient tellement exorbités, que ceux-ci semblaient proches de l'éjection d'urgence. Immédiatement retourné et la lame ensanglantée au clair, il vit les deux derniers, dont le chef, prendre leurs jambes à leur cou. Il aurait pu leur courir après mais à quoi bon se fatiguer, se dit-il à cet instant tout en projetant sa lame dans les airs. Celle-ci partie aussi vite qu'une balle de quarante-cinq et alla se ficher dans les reins du chef, juste avant que celui ne bifurque sur la gauche, se pensant probablement déjà sorti d'affaire.

Des murmures commencèrent à résonner dans les bâtiments et aux alentours. Plusieurs personnes étaient sur leurs balcons, admirant avec dégoût ou simple curiosité, l'apothéose qui se déroulait sous leurs yeux ébahis et que chacun d'eux, appréhendait à sa manière depuis leur point de vue respectif. Ori, un sac de sport sur les épaules, s'approcha tranquillement du blessé qui essayait vainement de s'échapper en rampant. Il se pencha sur lui, l'attrapa par le col et lui murmura quelques mots à l'oreille avant de régler un dernier problème.

— *Que fais-tu là ?*

Mike mit un certain temps avant de comprendre qu'on s'adressait à lui. Plus penaud qu'un mioche ayant fait une connerie, il bafouilla la seule réponse logique qui s'imposa à son esprit.

— *Je, je ne sais pas... Dé, désolé.*

Le Surhomme avait déjà senti cette intrusion malsaine en lui la nuit passée et en gardait un souvenir putride. Il devait en connaître la raison et surtout, empêcher que cela se reproduise. Mais sa curiosité naturelle et son goût prononcé pour le jeu prirent rapidement le dessus sur la raison ou même la prudence.

— Calme-toi et respire à pleins poumons, mais essaie d'éviter d'embuer mon esprit, s'il te plaît. Je crains sinon de ne pas parvenir à garder les idées claires. Un rire des plus éloquent ponctua la fin de sa phrase, il aimait tant après tout, se raconter des histoires qu'il ne connaissait pas.

— Comment t'appelles-tu ? reprit Ori plus sérieusement.

Mike se surprit à suivre les instructions du tueur, il inspira et expira profondément mais trop choqué par la sauvagerie qu'il venait de vivre, son cœur ne décéléra pas d'un pouce. Toutes ses pensées se croisaient et se recroisaient dans une toile infernale. Il devait à tout prix garder sa famille secrète et tenter de berner ce fanatique. Il parvint, à son grand étonnement, à articuler sans bégaiement ni interruption.

— Je m'appelle Mike, je suis célibataire et je vis dans un appartement de la banlieue chic. Dès que je m'endors, je vois ce que vous faites, je vis ce que vous vivez en tant que simple spectateur. Je ne comprends pas pour quelles raisons je me retrouve embarqué dans cette folie.

Ori esquissa un sourire à l'entente de cette réponse spontanée et élaborée, improvisée à toute vitesse par l'instinct de survie de son invité. Il ne put de ce fait que féliciter, en son for intérieur, la combativité et la détermination de celui-ci. Préférant feindre la naïveté, il ne s'étala pas sur la vie privée de Mike.

— Si je comprends bien, arrête-moi si je me trompe ou si tu le peux bien sûr, dans ces moments-là, quand tu es chez moi, tu vois et vie tout ce que je fais n'est-ce pas ? Il ne lui laissa pas le temps de répondre et reprit presque aussitôt.

— Mais ressens-tu cette force qui me submerge en permanence, cette vitesse grisante d'exécution, cette résistance hors normes et cette capacité de récupération sans limite ?

Mike déglutit avec peine à l'écoute des paroles de son hôte, ce qui n'échappa pas à celui-ci. Une culpabilité écrasante l'envahit, quand il réalisa la pertinence et la véracité de ces paroles. Il avait détesté voir cette boucherie mais, indéniablement, il avait aimé ressentir toute cette puissance. Une force capable de soulever des montagnes et avec laquelle rien ne semblait être impossible. Absorbé par le tumulte de ses pensées, il fut soudainement assailli par une sensation vertigineuse lorsqu'Ori observa le vide, plusieurs mètres plus bas. L'interrogation lui vint sans commune mesure face à cette dangereuse ascension.

— *Putain, qu'est-ce que tu fous ?*

Le Surhomme laissa volontairement les secondes passées, appréciant le désarroi de son invité avec perversité avant de lui répondre de manière innocente.

— *Ben, je nous trouve un toit, mon cher ami. Alors, as-tu aimé ou pas ?*

Mike répondit la peur au ventre :

— *Ça n'a aucune importance, concentre-toi sur ce que tu fais ou nous allons nous ramasser la tronche sur le pavé.*

À ce moment-là, le Surhomme se balança sur une seule main, le regard dirigé dans le néant et laissant tout le poids de son corps sur celle-ci, seulement accrochée à une fine saillie.

— *Je ne pourrai pas tenir comme ça indéfiniment tu sais, je réitère ma question une dernière fois,* dit-il avec détermination. *As-tu aimé ? As-tu aimé sentir toute cette avalanche de puissance ?*

Mis au pied du mur et n'ayant aucune idée des limites mentales de son hôte, Mike répondit, certes avec colère mais aussi franchement que s'il s'était retrouvé dans un tribunal.

— Ouiiiiii ! J'ai malgré moi aimé cela et j'ai même pris mon pied, es-tu satisfait ?

Ori fut on ne peut plus satisfait par cette réponse qui à coup sûr, venait du fond du cœur, même si en définitive il s'était attendu à celle-ci. Qui pourrait refuser un tel pouvoir et de telles capacités après tout, ouvrant toutes les portes sur le champ du possible.

— Bien. Je te prie de m'excuser mais je vais devoir te mettre dehors, comme tu t'en doutes j'ai besoin de repos. À très bientôt, mon cher ami, que le reste de la nuit te soit douce et moins mouvementée.

Mike se sentit éjecté de l'esprit du tueur, comme un vampire n'étant plus le bienvenu dans une demeure qui n'est pas la sienne. Il put enfin se reposer, d'un sommeil sans rêves...

Chapitre 4
Enchanté

Ils couraient tous les trois dans cet immense parc, leurs cris de joie se répercutant dans les quartiers résidentiels alentour. Il attrapa Elana, sa fille de quatre ans, et se roula dans l'herbe avec celle-ci. Sarah, sa femme, arriva en trombe et se jeta dans cette mêlée de câlins avec un plaisir non dissimulé. Ils chahutèrent ainsi pendant plusieurs minutes, partageant ce grand moment de bonheur avec délectation. Celui-ci fut interrompu par sa femme :

— Mon cœur, ton téléphone sonne.

— Non, ma chérie, je l'ai laissé à la maison.

— Mon amour, tu dois répondre.

Les dernières paroles de sa femme résonnèrent dans sa tête. Très lentement lui parvint la sonnerie de son portable, par échos de plus en plus en net. Il se réveilla, regarda l'heure et attrapa son smartphone dernier cri qui ne lui servirait jamais à rien d'autre qu'à passer des appels.

— Allô ?

— Bonjour commissaire, on a retrouvé la berline dans une banlieue, Ori a encore frappé !

— Ok David, donne-moi l'adresse s'il te plaît, on se rejoint sur place.

Qu'aurait donné Alain pour ne pas s'éveiller ? Probablement tout ce qu'il possédait. Et cerise sur le gâteau, il avait été éjecté de ce rêve doux et merveilleux par une nouvelle des plus désagréable. Le Cerveau en avait assez de s'endormir sur une enquête et d'être réveillé avec. Décidément, son humeur n'était pas près de s'améliorer, pensa-t-il avec clairvoyance...

*****

Mike fit un bond dans son lit, manquant de tomber sur la table de chevet. Il était trempé de sueur et des frissons glacials parcouraient tout son corps par intermittence.

— Que se passe-t-il, mon bébé, demanda sa femme encore allongée à ses côtés ?

— Rien ma chérie, ne t'inquiète pas. Il se pencha et embrassa tendrement le front de celle-ci. Quel terrible cauchemar ! Comme tout un chacun, il ne pourrait compter le nombre de fois qu'il avait rêvé dans sa vie mais ce rêve-ci était différent, de cela en tout cas il était convaincu. En effet, celui-ci semblait être si réel et son souvenir bien trop persistant pour n'être que le fruit de son imagination. Criant de détails, ce mauvais songe tournait en boucle dans sa tête, ne laissant rien échapper à son esprit. Chaque parole prononcée, chacune des actions exécutées et même jusqu'aux couleurs ou aux différentes odeurs, restait imprimée dans sa mémoire comme s'il les avait vraiment vécues. Puis cette force... Quelle puissance avait-il ressentie ! Préférant oublier tout cela au plus vite, il se leva et commença à se préparer...

*****

Treffert passa récupérer Johnson en coup de vent et ils foncèrent en direction de la banlieue. Sur la route, le commissaire lui fit un compte rendu simplifié, non pas par désir mais par obligation, du diagnostic établi par le Docteur Podrick. Un cerveau dit « normal » est composé de deux hémisphères et chacun d'eux est spécialisé dans son propre style de pensée, possédant ainsi des facultés bien particulières. Ils peuvent tous deux disposer de leurs propres consciences et de leurs propres personnalités. La liaison entre eux est assurée par des milliards de fibres nerveuses microscopiques qui transmettent les informations sous la forme de signaux électriques. En ce qui concernait Ori, l'imagerie par résonance magnétique avait révélé que les deux hémisphères en question n'étaient plus reliés par des milliards de fibres mais par une seule membrane bien distincte, comme si les deux parties avaient littéralement fusionné pour ne faire plus qu'un.

Lors de l'entrevue avec le docteur, Alain avait, à ce moment-là, activé le mode « semblant d'écoute » (depuis longtemps à vrai dire), ce qui fait qu'il n'avait retenu que l'essentiel de l'histoire, à savoir que le tueur était désormais doté d'un cerveau unique au monde et que personne ne pouvait avoir idée du changement que celui-ci allait procurer à son hôte. En outre, Monsieur Podrick avait lourdement insisté sur un dernier point, qui semblait être essentiel à ses yeux. D'après lui, il fallait absolument récupérer le suspect vivant et avec une boîte crânienne saine car celui-ci pourrait représenter une avancée scientifique sans limites.

Hier encore, le commissaire avait bien l'intention de l'attraper vif. Autant aujourd'hui, en découvrant la nouvelle scène de drame, celui-ci se demanda s'ils arriveraient ne serait-ce qu'à l'avoir mort...

Ori dormait paisiblement sur un matelas qui n'était pas le sien. Il avait établi sa nouvelle demeure dans une résidence secondaire d'un beau petit quartier chic qui, à défaut d'être facilement accessible, contrastait complètement avec la banlieue de la veille. L'immeuble était de haut standing, équipé d'une sécurité optimum, si bien qu'il n'avait pas eu d'autre choix que d'escalader la façade pour atteindre l'appartement situé au huitième étage. Les autres appartements des étages inférieurs, étant d'après son sixième sens ou son intuition, tous habités. Cette ascension lui avait procuré des frissons de plaisir extrême, avec quelle aisance s'était-il déplacé. Il avait sauté d'une corniche à l'autre, d'une arête pas plus large que deux centimètres à la suivante, sans la moindre difficulté ni la moindre peur. Se retenant d'une seule main et s'élançant de nouveau au point supérieur d'un seul bras pour se rattraper avec l'autre, les muscles et les tendons saillants sous les lampadaires de la ville. Une fois arrivé sur le balcon de son choix, il avait soulevé suffisamment le volet roulant afin de passer juste en dessous. Il le laissa ensuite redescendre sans le moindre bruit, avant d'avoir déverrouillé la baie vitrée, grâce à ses nouvelles capacités. Par chance, l'alarme n'avait pas sonné lorsqu'il était entré, les propriétaires ayant certainement pensé qu'il n'était pas nécessaire d'activer celle-ci dans ce genre de quartier ou à un étage aussi élevé. Le Surhomme n'avait pu réprimer un sourire, en se disant qu'il aurait été sympathique qu'elle sonne, afin de refaire le même parcours en sens inverse…

*****

Une fois arrivés, ils découvrirent avec amertume l'ampleur des dégâts. Un périmètre de sécurité avait été installé tout autour de la berline pour empêcher les curieux de compromettre les preuves. David, sur place depuis un bon moment, avait déjà reconstitué le plus gros de la scène grâce aux différents témoignages recueillis auprès du voisinage. Alain et Johnson écoutèrent avec attention. Ils n'étaient au final pas bien avancés, aucun mobile apparent pour cette altercation et aucune trace d'Ori dans les environs, malgré un nombre impressionnant d'agents de police déployés dans la banlieue.

— Le blessé a dit quelque chose avant d'être emmené par les pompiers ? se renseigna le commissaire.

— Justement, chef, j'allais y venir. Notre dingue lui a laissé un message avant de partir mais vous n'allez pas aimer !

— Accouche David, s'il te plaît, je ne suis pas d'humeur là.

— Il a demandé des nouvelles du chien, s'inquiétant soi-disant de le savoir seul dans la nature.

Le commissaire dû déployer toutes les forces mentales dont il disposait afin de ne pas exploser devant ses hommes. C'était à lui et à lui seul de montrer l'exemple après tout. Encore mieux, face à cette annonce hors de propos et complètement déplacée, son visage resta de marbre. Des années et des années d'expérience lui avaient inculqué cela, tant d'un point de vue professionnel que dans la vie privée.

Il ordonna à Johnson de faire le tour de toutes les places de parking alentour, espérant y trouver des bris de verre ou tout autre indice permettant de leur indiquer le vol d'une autre voiture.

Il lui demanda aussi d'informer tous les commissariats des autres quartiers que toute plainte, pour vol ou vandalisme de véhicule dans le secteur et dans le créneau horaire concerné, devrait leur être immédiatement transmise.

— David, où en sommes-nous avec le portrait-robot ?

— Sa tronche est déjà dans la majorité des journaux, commissaire, et il passera ce soir au journal de vingt heures.

— OK, la population va s'inquiéter mais nous n'avons pas le choix, cet homme est bien trop dangereux pour le laisser traîner dans la nature. D'ici demain, n'importe qui pourra le reconnaître ce qui nous permettra de mettre la main dessus plus facilement. Retourne à l'hôpital et essaie d'en savoir plus sur le chef de la bande, qu'on soit sûr que notre homme n'a rien dit d'autre, le plus tôt on l'attrapera, le mieux ce sera.

Treffert prit son portable à ce moment-là, afin de donner de nouvelles directives adaptées à la situation actuelle.

— Bonjour chef, dites-moi tout.

— Salut, Enrique. Il faut que sa photo soit apportée dans tous les supers ou hypermarchés et dans les boutiques diverses, dans un rayon de dix kilomètres autour de la banlieue. Organise aussi une ronde vingt-quatre heures sur vingt-quatre à son lieu de travail.

— Vous pensez qu'il est parti à pied ?

— Oui en effet, avec un peu de chance il ne sera pas allé bien loin. Je pense aussi qu'il va vouloir changer de gueule, déploie autant de patrouilles que possible, je veux que ce soit fait dans la matinée.

— Je m'en occupe tout de suite, seul le personnel disposera du portrait.

— Parfait, Rico, appelle-moi quand c'est fait, à plus tard.

— Ça roule, à toute.

Le commissaire savait qu'il ne pouvait rien faire d'autre, il ne s'agissait pas d'un tueur ou d'un fol ordinaire, celui-ci frappait à tout bout de champ sans but ni motivation précise. Habituellement, il devait trouver des indices sur les scènes de crime pour établir un profil physique et psychologique, venait ensuite une grille de suspects potentiels puis l'identification du meurtrier. Pour finir, il suffisait d'aller le cueillir à son domicile ou à son lieu de travail. Aujourd'hui, c'était tout l'inverse, il connaissait le tueur mais n'avait aucun moyen de le trouver, celui-ci n'ayant ni point de chute ni point d'attache. De plus, son désordre mental le rendait imprévisible et inaccessible. À cet instant, ses pensées dérivèrent de nouveau. Comment avait-il fait déjà, ah oui, ça lui revenait…

La solution à son problème lui avait été servie sur un plateau en argent, et ce n'était rien de le dire. Quand Alain et son coéquipier du moment s'étaient rendus à l'usine fabriquant des biscuits apéritifs, le patron leur avait fourni toutes les fiches des employés, ce qui leur avait permis de quantifier les cibles potentielles. Bien sûr, Alain avait été très clair sur un point crucial, si l'une des employées venait à manquer à l'appel, il devrait en être informé au plus vite. Ce qui, par chance ou simple négligence de la part du tueur en série, ne tarda pas à arriver. En effet, seulement deux jours après leurs visites à la fabrique, une salariée était absente et celle-ci n'avait fourni aucune justification. Seul problème et pas des moindres, celle-ci ne correspondait pas au critère habituel du tueur, à savoir qu'elle avait plus de la quarantaine. Malgré tout et probablement par acquit de conscience, Alain s'était rendu sur place avec son équipe. Lorsqu'ils arrivèrent sur les lieux, la femme était déjà morte, le visage blême et froid. Une boîte de somnifère vide traînait au pied de la petite commode ce qui signifiait, bien entendu, que le psychopathe n'était pas en cause avec la mort de cette pauvre femme. Pourtant, grâce à son sacrifice et même si celle-ci ne le saurait malheureusement jamais, une idée infantile avait germé dans la tête du Cerveau à ce moment-là...

*****

Quelques heures plus tard, Ori s'éveilla plus revigoré qu'un adolescent de quinze ans. Il ouvrit les stores et fut ébloui par un soleil éclatant. Les rayons de celui-ci inondèrent toutes les pièces en une fraction de seconde comme un tsunami emporterait une vieille bicoque. L'air était doux, délicieusement rafraîchissant. En bas de l'immeuble, des centaines de personnes allaient et venaient à leurs grés, se baladant tout simplement ou s'affairant à leurs petites affaires quotidiennes. Vu d'ici, cela ressemblait à une immense fourmilière qu'on venait de faire valser par mégarde d'un seul coup de pied bien placé. Des boutiques de toutes sortes, s'étant réservées la grande majorité des rez-de-chaussée qui longeaient l'avenue, expliquaient cet immense rassemblement et cette abondance de passage à toute heure de la journée. Les bruits de pas dans la rue, provenant pourtant de six étages plus bas, résonnaient dans sa tête aussi bien que s'il était parmi eux. Les talons d'une jeune femme claquant sur le pavé, lui indiquèrent aisément où celle-ci se trouvait sans même qu'il n'ait besoin de la chercher du regard.

L'appartement était composé de deux chambres, une cuisine américaine qui donnait sur le salon et d'une petite salle de bains.

La décoration et le mobilier, étant aménagés au strict minimum, confortaient l'idée d'une résidence secondaire. Après avoir feuilleté des papiers traînant dans un tiroir, son attention s'attarda sur un grand cadre empli de photos, accroché dans l'une des chambres. Les propriétaires semblaient avoir la cinquantaine bien tassée et les deux jeunes qui se pavanaient à leurs côtés étaient probablement leurs enfants.

Suite à une brève réflexion, il comprit que tout cela n'avait aucune importance et stoppa de ce fait, la poursuite de son investigation déplacée.

Mais qu'était-il important, en définitive ? se demanda le Surhomme à cet instant. En effet, il ne savait pas qui il était, il ne savait que faire ni même pourquoi il le ferait. Préférant pour le moment ne pas s'attarder sur toutes ces questions ou pire encore, se rendre malade à cause de celles-ci, il entra dans la salle de bains pour prendre sa douche. Tout comme le reste de l'appartement, la salle d'eau ne disposait que de l'essentiel, un gel douche, un rasoir et quatre serviettes de bain rangées dans le meuble bas du lavabo. En voyant son reflet dans la glace, il ne put réprimer un mouvement de recul, comme s'il découvrait ce visage crasseux pour la première fois ou comme s'il regardait un étranger dans le miroir. Cet homme n'est pas moi, pensa-t-il, horrifié. Bien entendu, il se trompait et il allait d'ailleurs, devoir s'en accommoder.

En sortant de sa nouvelle demeure, Ori se retrouva sur le palier de l'étage, celui-ci desservait deux autres logements. Une vieille dame et sa canne sortirent au même moment avec difficulté, chargée d'un sac plutôt léger mais suffisamment lourd pour constituer un fardeau pour elle.

— Puis-je vous aider, Madame ?

— Oh oui mon bon monsieur, avec plaisir, si tous les jeunes pouvaient être comme vous... Vos parents sont-ils là ?

— Non mais vous savez, je peux me permettre de venir en vacances tout seul, maintenant.

— Oh oui, pardonnez-moi, quelle idiote. C'est mon fils qui va être content de vous revoir, il adorait passer des moments en votre compagnie et j'ai beau perdre la tête, il me semble que ça fait longtemps que vous n'étiez pas revenu n'est-ce pas ? Si vous passez au supermarché, vous l'y trouverez, il travaille là-bas en tant que caissier. Mon Dieu, si vous saviez tout le tracas que je me fais pour lui, il n'a pas eu de petite femme depuis si longtemps. Puis, quand même, travailler derrière une caisse pour un homme... Je suis très malade vous savez, j'aimerais tant le voir heureux avant de m'en aller.

Pendant qu'il ne semblait plus possible d'arrêter mamie de parler, Ori comprit qu'il allait être pris au piège car il pouvait faire illusion face à une vieille dame qui perd la tête, mais certainement pas avec son morveux raté.

— Vous devez faire erreur, Madame, je ne suis pas leur fils mais leur neveu, c'est pourquoi ils ne sont pas là. Mais sachez que je suis ravi de vous avoir rencontré.

— Rho, je me disais bien aussi que votre bouille ne m'était pas familière. Je dirais quand même à mon petit Jonathan de passer vous saluer. Comment vous appelez-vous ?

— Je m'appelle Kurt. Ce sera avec plaisir, Madame. Qu'il passe me voir. Donnez-moi votre sac, je vous accompagne jusqu'en bas. Par contre, j'ai dû sonner chez des voisins hier pour accéder à l'immeuble car mon oncle a oublié de me communiquer le code. Si vous pouviez avoir la gentillesse de me le donner, cela m'évitera de le déranger inutilement...

Aucune parole ne fut échangée dans l'ascenseur, le Surhomme sentait que la mamie l'épiait mais il ne souhaitait plus donner le change. Il était perdu dans des pensées contradictoires pendant que l'ancêtre à ses côtés s'évertuait vainement à redresser un dos qui ne cesserait de se courber davantage. Cette nuit passée lui avait procuré un plaisir extatique, une jouissance permanente de plusieurs heures.

Pourtant, proche de cette vieille femme qui n'attendait plus rien d'autre que la mort, il sentit son humeur devenir morose. Un sentiment d'un nouveau genre naquit en lui, son cœur s'emballa et un sourire chaleureux força le passage de ses lèvres, faisant par la même occasion pétiller ses yeux. Celle-ci croisa son regard et tout devint plus clair, il aimait bien cette vieille dame…

*****

Il mangeait mécaniquement son plat du jour, simplement parce qu'il le fallait, dans son restaurant habituel situé à l'angle de la rue du commissariat. Sans surprise, il n'y avait pour le moment aucune déclaration de voiture volée. David était revenu de l'hôpital sans plus d'informations, hormis le fait que le jeune voyou se baladerait désormais en fauteuil roulant. Les photos du fugitif avaient été transmises dans la majorité des magasins concernés, ce qui restait la seule source d'espérance pour cette journée. Il porta un verre de vin rouge à ses lèvres et en bu une bonne lampée pour se rincer un peu la bouche, un grand bordeaux soi-disant qui dessina une grimace sur son visage lors du passage de celui-ci dans son gosier. À chaque fois qu'il repensait à cette affaire, tout lui revenait en mémoire avec fracas, discorde et culpabilité, comme un circuit imprimé qui serait remis en service après plusieurs années d'inactivité…

L'idée était si simple pourtant, ils avaient fait passer un communiqué à la presse qui prétendait l'assassinat d'une jeune femme travaillant à l'usine. Pour remédier à toute suspicion de la part du tueur en série, l'annonce stipulait que le mode opératoire était le même que d'habitude mais que seul l'âge de la victime ne correspondait pas aux critères habituels. Cette judicieuse manœuvre avait évité la surveillance des soixante-cinq cibles potentielles, correspondant à la fabrique de biscuits apéritifs, car Alain le savait fier et pour rien au monde celui-ci ne voudrait laisser croire qu'il se répète. De plus, et tout comme Alain l'avait envisagé, ce simple communiqué avait fait d'une pierre deux coups. En effet, le bourreau de ces dames avait imaginé qu'un nouvel indice avait été laissé par ce qu'il pensait être un copieur ou même un admirateur. Celui-ci croyant de ce fait, avoir toute liberté d'action pour s'en prendre à l'une des victimes restantes, dans ce schéma incohérent qui ne serait jamais compris que par lui. Ils avaient donc concentré tout leur pouvoir d'action sur la surveillance des douze femmes pour la rue et des quatre, pour les noms de famille. Certes, le Cerveau avait pris de gros risques en misant autant sur de simples suggestions mais, d'une part il n'avait pas trouvé de meilleure alternative et d'autre part, il y avait cru dur comme fer.

Pour plus de discrétion, la surveillance de la rue avait principalement été établie sur les toits. Seules quatre patrouilles en civil, Treffert, faisant partie de l'une d'elles, étaient postées au sol et prêtes à intervenir si nécessaire. Équipés de jumelles et installés de chaque côté de la rue, les agents haut perchés devaient surveiller les entrées d'immeubles et transmettre tout comportement suspect. Principalement, un homme qui patiente devant un bâtiment, quelqu'un qui aurait des difficultés à entrer, une personne profitant du passage d'un résidant pour y accéder, etc. La liste était longue, bien trop longue pour être énumérée dans son intégralité mais les policiers n'étaient pas stupides et ceux-ci étaient restés en alerte…

— Un café, commissaire ?

Comme s'il avait fait un bond de quinze ans dans le futur, la serveuse le ramena brutalement à la réalité, lui donnant la désagréable impression d'être revenu d'un monde parallèle grâce à un trou noir. Divisant ainsi ses molécules une par une lors de la traversée, dans une douleur indescriptible, pour les rassembler de nouveau à l'arrivée. Son état actuel s'apparentait à ce genre de voyage spatio-temporel.

— Oui, s'il vous plaît Lindsay. Un bien serré !

*****

Des lames de cutter à multiples facettes semblaient lacérer son cerveau indéfiniment. Pénétrant par ses appareils auditifs, celles-ci déchiquetaient tout sur leurs passages, aussi bien qu'un foret à béton installé sur une perceuse à percussion. La cohue perpétuelle de la foule environnante lui donnait l'impression de passer en dessous d'un Mirage en plein décollage. Sa tête ne cessait de pivoter de droite à gauche et d'avant en arrière, débordée par ses sens en surdéveloppement. Le peu de personnes, prêtant attention à lui, s'écartait prudemment de son chemin, le prenant pour un drogué en manque de crack. La libération se fit enfin lorsqu'il pénétra dans une vieille boutique, vendant des articles de chasse et pêche, et qu'il claqua brusquement la porte d'entrée de celle-ci. Le vendeur, feuilletant un magazine, ne se donna même pas la peine d'accorder un regard à ce nouvel invité. Ori fit patiemment le tour des rayons, profitant au passage de cette succulente accalmie. Il savait pertinemment ce dont il avait besoin mais n'étant pas pressé de retrouver le brouhaha extérieur, il prit néanmoins tout son temps. Après plusieurs magasins visités, le Surhomme était alourdi de quelques sacs mais son porte-monnaie quant à lui, était bien plus léger qu'auparavant. Rongé par une faim sans nom, les traits de son visage semblant se creuser à vue d'œil, il termina ses emplettes par le supermarché du coin. Tout comme une insurmontable torture, il fut contraint de dévorer un sandwich avant le paiement de celui-ci, aussi goulûment qu'un chien à qui on jetterait un os de poulet. Longeant les caisses à la recherche de son voisin provisoire, il aperçut un agent de sécurité en train de déposer une feuille à chacun des employés, suivi d'un murmure à l'oreille.

Ori enleva ses écouteurs factices, récemment acquis, et se concentra au maximum de ses possibilités sur les paroles du vigile lors du passage de celui-ci à la caisse suivante. Il s'agissait d'un avis de recherche qui, bien entendu, ne pouvait concerner que lui. Tant d'intérêt à son encontre le flatta quelque peu, il devait bien se l'avouer, et il en fut agréablement touché.

Deux ou trois personnes faisaient la queue devant lui mais il n'en avait cure car c'était à cette caisse qu'il voulait passer et pas à une autre. Il n'eut d'ailleurs aucun besoin de regarder le badge du caissier pour deviner que ça ne pouvait être que Jonathan. Son allure blasée et peu ragoûtante correspondant parfaitement à l'image d'une vie manquée. Après une attente interminable, à croire que le morveux n'était même pas capable de scanner les articles efficacement, ce fut enfin à son tour.

— Bonjour, Jonathan, comment allez-vous ?

— Bonjour, Monsieur, nous nous connaissons ?

Simple coïncidence ou par amour du risque, Ori vit ses courses défilées, dont l'emballage vide, dans le même temps où le vigile passait à leur caisse. Celui-ci le regarda rapidement sans le voir vraiment, remplissant sa mission avec autant d'intérêt qu'un poisson rouge faisant perpétuellement le tour de son bocal de trente centimètres de diamètre.

— Non, pas encore. C'est votre maman qui m'a parlé de vous, j'emprunte l'appartement de mon oncle pour ces quelques jours de vacances…

— Ah, d'accord et comment vont-ils ? Vous étiez déjà venu auparavant ? reprit-il sans avoir attendu de réponse à la première question. Votre visage me dit quelque chose...

Sa photo étant sur le comptoir du raté, le Surhomme ne sut comment appréhender les derniers mots de celui-ci alors qu'il se présentait là, juste en face de lui. Il retint un rire qui aurait pu contaminer le supermarché tout entier, peut-être même le quartier dans son intégralité.

La meilleure défense c'est l'attaque, se dit-il à ce moment-là, et il devait à tout prix garder l'esprit en alerte. Si jamais Jonathan l'avait reconnu, feignant de ce fait habilement le contraire, il devait faire comprendre et rappeler à celui-ci que rien n'était éternel.

— L'air de famille très certainement. Oui, aux dernières nouvelles ils vont bien, merci pour eux. Votre maman, par contre, n'est pas au mieux de sa forme d'après ce qu'elle m'a dit, ajouta-t-il avec un air innocent et sincère, puis elle semble si fragile.

Cette dernière réplique blessa et peina profondément le morveux, mais il n'en montra rien. Celle-ci lui rappela sa triste vie et ce qu'elle deviendrait quand sa maman ne serait plus de ce monde. Il aimait énormément sa mère et il n'avait qu'elle en fin de compte, tout le reste ayant foutu le camp depuis bien longtemps déjà. En grande partie par sa faute d'ailleurs, il en avait pleine conscience et en assumait tant bien que mal l'entière responsabilité ainsi que les conséquences de ses nombreux échecs.

— C'est le cycle de la vie, malheureusement, maman n'est plus de la première jeunesse. Content de vous avoir rencontré, on se croisera probablement avant que vous repartiez. Ayant scanné le dernier article de son client et voisin, il termina par la douloureuse.

— Ça vous fera dix-sept euros et vingt centimes, s'il vous plaît.

— Oui, c'est vrai, vous avez raison. Mais, je vous en prie, dites-moi « tu ». Tiens.

Le Surhomme tendit au caissier un billet de cinquante euros, celui-ci lui rendit la monnaie et ils se saluèrent cordialement. Un peu trop au goût d'Ori mais préférant passer pour un homme pompeux que suspicieux, il joua efficacement le jeu.

Ori sortit ensuite du supermarché et rentra tranquillement à la résidence, les écouteurs toujours sur les oreilles. Sur le chemin du retour, il réalisa que ses sens aiguisés au maximum étaient une force mais pouvaient devenir en un simple claquement de doigts sa plus grande faiblesse, s'il ne s'adaptait pas rapidement à ce monde inférieur. Une fois devant la porte de l'appartement, il posa son pouce sur la serrure extérieure et fit pivoter sa main d'un quart de tour. Comme un aimant surpuissant, celle-ci se déroba sans la moindre contrainte…

*****

Il avait passé une journée pratiquement conventionnelle, un peu entachée jusqu'en milieu de matinée par le souvenir récurrent de la nuit passée. Il était rentré de bonne heure et avait eu tout le loisir de profiter de ses enfants, Jane étant occupée à diverses tâches quotidiennes de fin d'après-midi. Sa femme et lui s'étaient régalés avec une grosse côte de bœuf, Mike avait d'ailleurs ouvert une bonne bouteille de vin rouge qui les avait tous deux aidés à se délasser de la journée. Les enfants quant à eux, s'étaient contentés, avec joie, du fameux et indémodable steak haché frite, qui comme toujours avec Mathis s'était terminé en purée.

Ils couchèrent les enfants plus tôt que d'habitude mais vu que tout le monde était fatigué, cela semblait justifié. Mike s'installa confortablement sur le canapé avec son verre à la main et mit la chaîne diffusant les informations du vingt heures. Jane, comme à son habitude, préféra d'abord faire la vaisselle avant de le rejoindre ce qui le chagrinait chaque soir un peu plus. En effet, il ne comprendrait jamais pourquoi celle-ci devait impérativement faire cette corvée le soir même et non le lendemain. Il estimait qu'après une bonne journée de dur labeur et un dîner bien copieux, la vaisselle pouvait attendre quitte à devoir mettre les bouchées doubles pour récurer celle-ci quelques heures plus tard. Ce débat étant poncé jusqu'à la moelle et déjà consumé depuis belle lurette, il ne servait à rien de le remettre encore une fois sur le tapis. Il en venait même à soupçonner sa femme de ne pas pouvoir dormir de la nuit si par le plus grand des miracles, il réussissait un jour à la convaincre sur ce sujet. C'était donc, en définitive, mieux ainsi. Il préférait amplement l'attendre dix minutes de plus devant la télévision plutôt que d'être bousculé ou sermonné toute la nuit par une boule de nerfs.

— Mesdames, Messieurs, bonsoir. À la une aujourd'hui, de nouveau ce père qui a perdu toute sa famille dans un tragique accident de la route. Celui-ci s'est échappé de l'hôpital et est activement recherché par les forces de l'ordre. Il est considéré comme très dangereux, sa photo apparaîtra à la fin de ce journal avec un numéro à contacter. La dernière nuit fut malheureusement très macabre, un homme a perdu la vie à son domicile et il s'agirait, au dire des autorités, d'un suicide. Nous vous tiendrons, bien sûr, informés sur l'avancement de l'enquête. En parallèle, une bagarre d'une rare violence entre jeunes de banlieue a fait plusieurs morts et un blessé grave. Nous retrouvons sur place Wilfrid, notre envoyé très spécial...

— Bonsoir, Anny, bonsoir à tous.

— Bonsoir, Wilfrid, pensez-vous que toute cette débauche de violence est en rapport avec l'évadé ?

— En toute franchise, nous avons de sérieux doutes, les policiers que nous avons interrogés sont restés très évasifs dans leurs réponses ce qui peut nous laisser imaginer que toutes ces affaires ont un lien avec le père de famille. D'autant plus qu'ils auraient tout intérêt à ne pas ébruiter ce genre de situation car la chambre du forcené était gardée par deux agents de police, pour lesquels nous n'avons aucune nouvelle.

Son ballon de vin avait déjà glissé de sa main depuis plusieurs secondes, laissant ainsi de sombres traînées rouges sur le carrelage et le coin du canapé, mélangé à de nombreux morceaux de verre brisé. Jane, depuis la cuisine, lui demanda ce qu'il s'était passé mais il ne l'entendit pas, trop sonné et absorbé par des révélations qui le ramenèrent sans détour au cauchemar de la nuit dernière. Il n'avait pas rêvé mais bel et bien vu à travers les yeux du tueur et cette évidence le laissa sans voix, figée comme une statue. Même les battements naturels de ses paupières s'arrêtèrent, embrumant ses yeux d'un liquide qui n'était plus dispersé par celle-ci. Des tonnes de questions s'immiscèrent dans son esprit, dont certaine en particulier : pouvait-il aider à faire avancer l'enquête ? Quel était le nom de cette résidence déjà, avant que le tueur n'entreprenne d'en escalader la façade ?

Sa femme arriva à ce moment-là et découvrit tout le vin répandu sur le sol. En apercevant la mine délabrée de son mari, elle jugea plus opportun de comprendre ce qui n'allait pas plutôt que d'en rajouter pour un simple verre cassé.

*****

Tel un trou sans fond, il avait englouti tous les aliments dont il disposait, se demandant à chaque bouchée supplémentaire si son estomac y survivrait ou s'il disposerait de la force adéquate pour se relever. Peut-être qu'à l'avenir, songea-t-il, je devrais m'installer directement sur le trône comme une pauvre oie en plein gavage. Un effort titanesque lui permit de se décoller du canapé pour aller se doucher et se préparer. Vêtu d'un simple jean, d'un t-shirt sans motif et d'une paire de chaussures de couleur uniforme, il affichait néanmoins un look plutôt classe. Ori passa ensuite un harnais en cuir sur ses épaules, croisé en x devant et derrière. Celui-ci s'enfilait comme un gilet pare-balles et descendait jusqu'au bas-ventre, le tout étant relié par une ceinture pour une meilleure tenue. Sur chaque branche du X dorsale, il avait cousu quatre fourreaux de la même matière, ouvert de part et d'autre, qui permettrait le croisement de ses deux épées courtes dans un crissement proche d'une craie sur une ardoise. Les pommeaux des épées arrivaient juste à la hauteur de ses trapèzes, fins mais musclés, sa veste longue et noire dissimulant parfaitement l'ingénieux système.

Un sac en bandoulière, il partit dans les rues sombres de la ville à la recherche d'un coin tranquille et éloigné de son antre. Il avait trouvé un pub chichement décoré, dans un mix de style, à la fois rustique et moderne. Beaucoup de tables étaient prises, seules les plus retirées étaient libres ce qui lui convenait très bien.

— Bonsoir, Monsieur, que désirez-vous ?

— Bonsoir, répondit froidement Ori, je voudrais un whisky coca s'il vous plaît.

— Très bien, je vous apporte cela. Voulez-vous un accompagnement de biscuits apéritifs ou de charcuteries avec ?

Son organisme étant toujours en pleine saturation de nourriture, il manqua de vomir sur les mocassins reluisant du serveur, rien qu'à l'idée d'ingurgiter de nouveaux mets.

— Non, merci, ça ira.

Après trois ou quatre verres, il n'était à vrai dire plus certain du compte, et une addition bien garnie réglée en bonne et due forme, il sortit du bar en titubant, surpris par cet enivrement inattendu. Il traversa l'artère principale du quartier et se balada maladroitement autour des ruelles. Au bout d'une impasse, il aperçut trois mafieux belliqueux, vaquant probablement à leur trafic quotidien. Il les rejoignit avec entrain.

— Tu t'es perdu, l'ami ? demanda l'un d'eux avec agressivité.

— Non, bien au contraire, on m'a dit qu'il y avait une boîte de gay dans les parages, j'imagine que vous devez savoir où elle se trouve…

De haineuses veines marquèrent subitement les visages charismatiques des protagonistes, n'augurant rien de bon et les rendant miraculeusement encore plus moches qu'à l'origine. Trois lames, qui étincelèrent sous l'éclairage public, apparurent dans leurs mains agiles et coutumières de ce genre de situation, ne laissant aucune place pour la négociation. Le bandit du milieu se jeta sur Ori avec son couteau en avant. Le Surhomme dégaina ses épées courtes en un éclair et le trancha promptement en deux, juste au-dessus du nombril, d'un seul mouvement harmonique et circulaire des deux bras. Son torse, désormais affublé ou décoré par moult viscères, tomba avec fracas sur le sol mais bizarrement, ses jambes restèrent debout et tremblantes encore quelques instants avant d'aller rejoindre leur partie manquante. Ses amis, quant à eux, furent éclaboussés par une giclée de sang pouvant concurrencer toutes les fontaines de la ville réunies. Courbé en avant et les jambes fléchies, les deux bras toujours croisés suite à la force d'attraction de l'attaque précédente, il fondit entre les deux mafieux restants. D'un coup de revers symétrique, Ori déploya soudainement ses membres supérieurs pour les décapiter simultanément. Leurs corps ramollis cédèrent dans une synchronisation renversante, tombant d'abord sur les genoux et enfin sur le côté, si bien que de loin on aurait pu imaginer que ceux-ci finalisaient une chorégraphie de danse. Il sortit un pistolet de son sac, vida le chargeur en l'air, et s'évanouit dans la nuit…

*****

Deux heures plus tard, Alain et le Barbare débarquaient sur les lieux, plusieurs policiers étaient déjà sur place. Certains d'entre eux étaient appuyés sur les façades d'immeubles, gerbant majestueusement leur dîner. Le commissaire ne porta aucun jugement hâtif sur ces hommes, préférant d'abord voir de quoi il s'agissait. De nombreuses têtes dépassaient des fenêtres des immeubles, adjacents à la ruelle. La tuerie qu'ils découvrirent parla d'elle-même et se passait de commentaires, Treffert en profita pour se féliciter intérieurement de ne pas avoir encore mangé de solide ce qui sans aucun doute, lui évita de se retrouver dans la même situation que ses camarades. L'Homme des Cavernes quant à lui, nourrissait encore une certaine rancune envers sa compagne, en repensant à la dernière tranche de fromage de cette délicieuse raclette qui fut pour elle. Un vêtement rose bonbon était soigneusement plié sur l'un des cadavres. Le Cerveau le ramassa et déplia un t-shirt. Un large smiley, en mode grande banane suivi de la mention « hello » apparut aux yeux de tous. La mine satisfaite du commissaire intrigua Johnson.

— Tout va bien, chef ?

— Oh oui, très bien, je sais pourquoi il a fait ça : il voulait nous rencontrer...

Équipé de jumelles et de son superbe sourire, Ori observait attentivement les deux hommes.

— Enchanté, commissaire...

Chapitre 5
Vieux démons

Son talkie-walkie se mit à grésiller.

— J'écoute ?

— Cible en vue, commissaire, sur le toit du bâtiment derrière vous.

— Abattez-le, exécution !

Dans l'après-midi, Alain avait eu tout le loisir de réfléchir à la situation. Avachi sur son fauteuil à roulettes, les pieds croisés sur son bureau rétro, il avait tenté de lire à travers les lignes, de trouver une logique dans le fonctionnement du surhomme. L'agent de police tué sur les lieux de l'accident était un acte de pure colère, perpétré par un homme au bord du gouffre. Les morts de l'hôpital étaient dus à l'évasion même si la manière dont celui-ci les avait exécutés témoignait de son sadisme sans limites et de son goût prononcé pour le jeu. L'intrusion dans la maison de campagne n'avait eu lieu que pour assouvir sa faim, l'étalage de charcuterie et d'aliments divers sur le plan de travail en était la preuve, le pauvre père de famille n'étant qu'un dommage collatéral. L'interrogatoire du chef de la bande, à présent invalide pour le restant de ses jours, avait révélé que l'altercation n'était rien d'autre que le fruit du hasard. Aux dires de celui-ci, ils s'en sont pris gratuitement (comme bien souvent) au mauvais bougre ce qui leur a coûté très cher.

Ori sera plus prudent à l'avenir, avait-il pensé à ce moment-là, celui-ci va naturellement se servir de ses erreurs passées pour s'améliorer. Sa prochaine action ne serait ni fortuite ni gratuite, elle aura forcément un but. L'appel en fin de journée de ce patron détenant une boutique vendant du matériel de chasse et pêche, et qui avait reconnu le Surhomme grâce aux portraits-robots distribués dans de nombreux quartiers, avait conforté l'hypothèse du Cerveau. Enfin, quand les échos d'un massacre aux abords de la ville lui parvinrent, son instinct lui avait crié que c'était forcément un piège. Il avait alors ordonné la mise en place de quelques patrouilles dans le secteur et fait installer trois snipers sur des toits d'immeubles, devant être au minimum à deux cents mètres de l'endroit où les crimes avaient été commis afin de conserver le bénéfice de la surprise, si jamais il avait vu juste. Les forces s'étaient déployées pendant que le commissaire et ses hommes arrivaient sur les lieux…

*****

Du haut de son toit et allongé sur le ventre, Ori vit le commissaire porter son talkie-walkie à l'oreille ce qui, sur le coup, lui apparut comme un geste inopportun de sa part. Il releva ses jumelles et aperçut le reflet d'une lunette de précision lui envoyant une balle de HK 417 qui allait terminer sa course entre ses deux yeux, éliminant jumelles et cervelle sur son passage. Il lâcha prise instantanément sur sa précédente position, roulant sur le côté et se relevant dans le même mouvement, aidé par l'attraction de son poids dans la gravité atmosphérique. Pendant que les jumelles furent explosées en plein vol, il était déjà debout et courait en direction de la cage d'escalier. Durant cette course effrénée, une balle, heureusement amortie par le harnais, le toucha de face au niveau de l'épaule gauche, propulsant son buste en arrière et le freinant dans sa course. Une autre se ficha dans sa cuisse arrière droite et alla s'écraser contre son fémur, lui communiquant ainsi une douleur qui aurait rendu tout homme normal inconscient. Il parcourut les derniers mètres le séparant du sas dans un bond majestueusement imprévisible et atterrit souplement sur ses pieds, malgré sa jambe défaillante qui lui envoyait continuellement des signaux de détresse. Il se jeta dans la cage d'escalier, se retenant d'un bras à l'autre sur les garde-fous à chaque étage passé, pour ralentir sa chute et éviter de s'écraser sur le béton armé qui l'attendait. Comme un singe dévalant un arbre, il se retrouva au niveau des sous-sols en seulement quelques secondes…

*****

Il était transbahuté de gauche à droite, voyant défiler ponctuellement ce qui lui semblait être des pieux en acier encastrés dans les murs. Il avait la sensation vertigineuse d'avoir été jeté en pleine nuit d'un Boeing sans parachute. Telle une caméra sur l'épaule de son reporter au beau milieu d'un champ de bataille, il ne pouvait rien faire d'autre que subir la peur au ventre, cette descente infernale dans les abysses les plus profonds. Celle-ci, lors de l'atterrissage, le renverrait inévitablement à l'âge de pierre, brisant chacun de ses os comme une série de dominos basculant à la chaîne. Sans avoir eu le temps de se demander comment c'était possible, il se retrouva dans le parking, indemne et en un seul morceau. Mike se vit défoncer la vitre côté conducteur d'un véhicule, s'introduire à l'intérieur et la démarrer aussi facilement que sa tondeuse à gazon. L'appui sur l'accélérateur, de cette mustang de trois cents chevaux, leur fit à tous deux l'effet d'un grand huit en pleine vitesse. Ils arrachèrent la porte automatique de sortie avec fracas, dans un grand dérapage contrôlé, qui laissa de longues traînées noires sur le bitume et une odeur rance de plastique brûlé. Fonçant à toute allure, sans destination apparente, ils aperçurent au loin des gyrophares dans leur rétroviseur…

*****

Ils montaient les étages à tout berzingue, le cœur d'Alain semblant être au bord de l'arrêt cardiaque, suite à son âge avancé et les nombreux whiskys ingérés.

— Commissaire ! Il vient de sortir du bâtiment à bord d'une sportive noire !

Haletant et hors d'haleine, celui-ci répondit avec la plus grande difficulté.

— C'est… impossible…, on l'aurait croisé… s'il était descendu…

— Je ne sais pas quoi vous dire chef, qui d'autre pourrait sortir sur les chapeaux de roues en défonçant la porte de garage ?

— Les… les unités mobiles… le poursuivent ?

— Oui, mais ils ont déjà un bon train de retard.

Le tireur d'élite, ne voyant plus rien dans son viseur, préféra libérer la fréquence. Quelques virages plus tard, les patrouilleurs perdirent la trace du monstre noir…

*****

Une fièvre terrible et inattendue lui brouilla la vue et le rendrait très prochainement, aussi inerte qu'un sac de pommes de terre posé à même le sol. Ne voyant plus de guirlandes dans son rétroviseur, il en profita pour stopper le véhicule dans un trottoir, sans reconnaissance aucune pour celle qui l'avait sorti de ce mauvais pas, avant de terminer sa course dans une boîte de conserve. La portière de la caisse lui sembla plus lourde qu'un coffre-fort à blindage renforcé, capable d'accueillir un mammouth dans son espace intime. Glacé jusqu'à l'os et assailli par d'incessantes convulsions, Ori luttait pour continuer d'avancer et trouver une échappatoire digne de ce nom. Sa condition physique actuelle ne lui permettant pas le luxe d'une recherche plus approfondie, il ouvrit une benne à ordure et pénétra dans une puanteur digne des plus grands monarques défunts de notre histoire. Au bord de l'évanouissement, il entreprit néanmoins de faire plus ample connaissance.

— *Salut Mike, je te présente une nouvelle fois mes excuses, comme tu le vois, je ne suis pas au top de ma forme.* Sa voix étant saccadée, le Surhomme dut reprendre sa respiration avant de poursuivre.

— *Sacré commissaire, je t'avoue qu'il m'a étonné ce soir, il est plus intelligent que je ne le pensais. Nous allons devoir être plus prudents à l'avenir, qu'en penses-tu ?*

L'adrénaline encore omniprésente dans tout son être, Mike se remettait lentement de cette cavalcade enflammée. Il n'avait eu aucune douleur physique réelle, lorsque les balles avaient pénétré la chair de son hôte, mais il avait ressenti toute la souffrance et l'inquiétude de celui-ci. Il voyait et vivait les choses à travers l'esprit du tueur, aussi bien qu'un tétraplégique allongé sur les rails d'une voie ferrée, sans le moindre pouvoir d'action. Pire encore, même sa vision était contrainte de suivre ses yeux à lui, celle-ci se limitant à son bon vouloir.

— *Je pense que tu devrais arrêter tout ça. Ce chemin, non, cette guerre ouverte et absurde que tu as entrepris ne te mèneras nulle part. Tes actes horribles et vides de sens ne feront qu'entacher la mémoire de ceux que tu aimes et les éloigner un peu plus, à chaque fois, de toi.*

Ori nota une certaine solennité et de la compassion dans les propos de son invité. Il sentit de nouvelles portes s'entrouvrirent, des portes capables de divulguer un passé que son être refusait d'admettre. Tôt ou tard, il ne pourrait plus les garder sous scellés, il le savait pertinemment. Il devrait accepter la vérité ou mourir pour elle. Cette deuxième hypothèse lui remit du baume au cœur. Indéniablement, Mike s'intéressait à lui, il profita de cette brèche inattendue et focalisa tout son esprit dessus afin de calmer sa colère et de renforcer ces terribles portes.

— *Tu me juges trop facilement et bien sommairement, mon cher ami. Confortablement installé dans un quartier résidentiel, tu as tout pour toi : une maison, une femme aimante et trois enfants adorables. Qui es-tu pour juger de la sorte un homme comme moi ?*

Une chair de poule envahit tout son être à mesure qu'il quantifiait l'ampleur de la menace, car il prenait cet affront en tant que tel. Mike conversait avec un homme que le destin avait transformé en malade mental, capable d'anéantir ce qu'il avait de plus cher au monde sans la moindre pitié ni le moindre regret. La plus grande prudence était de mise, chacune de ses réponses pouvant être décisive. Rien au monde, pas même Ori, ne pourrait lui enlever sa famille.

— *Je ne comprends pas de quoi tu parles, je te l'ai déjà dit, je vis seul.*

— Bon, d'accord. Autant mettre les choses au clair tout de suite sur ce sujet. Sache qu'à chaque fois que tu pénètres en moi ou qu'une personne tente de sonder mon esprit, je lis en vous comme dans les pages d'un livre ouvert. Tu me fais de la peine, tu sais ? Crains-tu que je t'arrache à ta belle petite famille ? Ou te crois-tu suffisamment supérieur à moi, pour me mentir ainsi ?

Son cerveau tourna immédiatement à plein régime, chaque idée et chaque pensée bousculant la suivante avant même d'avoir eu le temps d'être interprétée, à l'entente de cette révélation. Telle une locomotive élancée dans une vive descente et privée de freins, Mike n'arrivait pas à calmer celui-ci. Il avait pensé avoir le dessus, l'avantage de voir à travers les yeux du tueur sans le moindre risque, en toute impunité. La vapeur venait brutalement de se renverser, délivrant toutes les cartes du jeu à son hôte et lui brûlant les doigts au passage. Il savait tout sur lui, et ce, depuis le début, il s'était même joué de lui. L'odeur infecte, doublée d'une vision devenant floue, le poussa à répondre rapidement et il abattit la dernière carte encore en sa possession.

— Tu as raison, je n'aurais pas dû te mentir. Si je l'ai fait, c'est seulement parce que je voulais protéger ma famille. À aucun moment, je n'ai pensé te faire du tort ou être supérieur à toi en agissant de la sorte. Tu es la personne la mieux placée pour comprendre cela, j'espère donc que tu ne m'en tiendras pas rigueur...

Après les mensonges, voilà qu'il me lèche le fion, pensa Ori à cet instant. De plus, les paroles de son invité meurtrissaient à nouveau toutes les portes closes de son être. Lui-même s'était senti supérieur au commissaire et cela avait failli lui coûter cher, très cher. Que devait-il lui répondre ? Celui-ci se sentait en danger, devait-il conforter cette hypothèse ou tout au contraire le rassurer ? La vraie question était : qui était-il vraiment et qui était cet imposteur ? Fatigué et à bout de forces, une fissure se créa, faisant exploser les barricades d'une des portes et lui donnant ainsi la réponse à sa question. L'amertume et la désolation prirent soudainement le dessus sur la colère, le poussant à répondre de manière équivoque.

— *Oui, certainement, si tu le dis.*

Le Surhomme sombra sur ces dernières paroles, Mike quant à lui n'eut pas le temps d'argumenter, il fut contraint de libérer la voie pour laisser la place au néant…

*****

Le véhicule fut retrouvé quelques minutes plus tard, le pare-chocs avant droit meurtri et la roue perpendiculaire au trottoir. Plusieurs patrouilles mobiles quadrillaient le secteur dans d'incessantes rondes et nombre d'entre eux effectuaient déjà des recherches approfondies à pied. En inspectant la sportive, plus particulièrement le siège conducteur, Alain fut surpris de ne trouver qu'une ridicule tache de sang, pas plus large qu'une pièce d'un euro.

— Ici Treffert, vous êtes sûr de l'avoir touché deux fois ?

— Aucun doute, commissaire, épaule avant gauche et cuisse arrière droite, pourquoi ?

— Pour rien.

Le Cerveau s'adressa à l'Homme des Cavernes, sachant que celui-ci avait eu le temps d'arriver en haut avant qu'on leur signale le départ inopiné du tueur.

— C'était comment sur les toits, tu as vu quoi ?

— J'ai trouvé ces jumelles en mille morceaux et de belles traînées de sang, sur le toit et dans la cage d'escalier. Pourquoi ?

— Regarde le siège conducteur.

Johnson n'eut pas besoin que son chef lui fasse un dessin et fut à son tour, tout aussi étonné que son supérieur précédemment.

— Vous en pensez quoi ?

— Rien de plus que toi, il avait sûrement un gilet pare-balles et la cuisse n'était peut-être qu'une écorchure en fin de compte. Rentrons, on ne le retrouvera pas ce soir.

La mine suspicieuse du Barbare le fit sourire intérieurement, car lui non plus n'était pas convaincu par son hypothèse, fondée de bric et de broc. En repartant, Treffert dut faire un petit écart pour éviter de heurter une poubelle qui débordait sur la chaussée. Il était tard encore ce soir et comme à son habitude, il allait bientôt déguster son whisky, bien mérité pour cette journée de plus achevée…

— On a un utilitaire blanc qui vient de rentrer dans le garage du numéro vingt-trois, numéro de plaque : AK-582-KA.

— OK, je m'occupe de l'identification.

Alain, installé depuis plusieurs heures avec son coéquipier dans une voiture banalisée, prit son portable et appela le central.

— Il nous faut la totale sur une plaque.

— C'est la quatrième de la journée, Treffert ! J'ai d'autres chats à fouetter !

— Je sais bien, tu es un homme débordé derrière son bureau. C'est bien la quatrième fois et si tu as envie de faire les dix prochaines, tu as intérêt à ne pas me chier dans les bottes, sinon j'irai régler ce problème avec le commissaire.

Son interlocuteur, sachant que le chef l'avait à la bonne, se radoucit comme une tarte à la crème.

— C'est quoi le numéro ?

— AK-582-KA.

— Je te rappelle dans cinq minutes.

L'arrière-train complètement endolori par son propre poids, il attendait patiemment le résultat en se demandant si celui-ci faisait toujours partie intégrante de son corps.

— C'est un véhicule de fonction attribué à un certain Edward Brice, il est agent de maintenance dans une grosse boîte de portail automatique.

— Appelle le patron de l'entreprise et demande-lui s'ils ont cette résidence en entretien.

— OK, à tout de suite.

Pendant que les secondes semblaient devenir aussi longues que des minutes, il sentait des fourmis partir du bas de ses reins et descendre le long de ses cuisses toutes menues, les rendant plus molles que de coutume. Son talkie-walkie vibra de nouveau, suivi de très près par son portable.

— Un coupé noir vient de sortir du garage vingt-trois, numéro de plaque AD-226-XB.

— OK. Allô, j'ai une autre plaque pour toi, AD-226-XB. Tu as réussi à joindre le patron ?

— Oui, ils ont bien ce bâtiment en entretien.

Alain répondit avec amertume.

— Bon, OK.

Son interlocuteur savoura goulûment ce petit moment de désolation en provenance de cet arriviste arrogant et plein de certitudes.

— Je n'ai pas fini, inspecteur. Edward Brice est en congé depuis plus d'une semaine déjà.

Malgré la rage qui le submergea soudainement, il ne perdit pas une seconde de plus. Il s'occuperait de ce troufion plus tard et mettrait tout en œuvre pour qu'il finisse sa carrière à la circulation. Il prit son talkie-walkie, réglé sur une fréquence communiquant avec tous les autres policiers présents sur les lieux et affectés à l'enquête.

— Ici, Treffert. Code rouge, je répète, code rouge. Patrouille deux et trois en surveillance devant le garage, l'utilitaire blanc et son conducteur ne doivent pas ressortir du bâtiment. Patrouille quatre devant l'entrée de l'immeuble, tout homme sortant doit être contrôlé, son nom est Edward Brice. De notre côté, nous montons directement à l'appartement. Snipers, attendez les ordres.

Lorsqu'ils étaient arrivés au domicile de la cible potentielle, la victime était déjà froide et inerte, flottant littéralement dans un bain de sang. La mâchoire d'Alain fut à deux doigts de se décrocher quand son regard se porta sur le nouvel indice…

*****

Il se sentait bousculé de tous les côtés, comme embarqué par le tumulte d'une marée humaine assistant à un concert ou manifestant contre le gouvernement. Un bruit assourdissant, produit par une machine efficace et soumise à l'homme, lui fit retrouver ses esprits bien plus rapidement qu'il ne l'aurait souhaité. L'odeur insoutenable qui fut enregistrée par son odorat, à ce moment-là, acheva son macabre retour dans une répugnante réalité. Jeté sans vergogne dans un camion de poubelle, Ori aperçut deux éboueurs rire aux éclats, ne se préoccupant aucunement de ce qui pouvait se déverser dedans. Il profita de cet interlude inespéré pour s'enfouir encore plus profondément sous les sacs. Une fois la tournée terminée, le tout fut vidé dans les immondices de la société, aux abords de la ville ou des cités.

Activant frénétiquement ses bras et ses jambes, le Surhomme se débattit pour déblayer le terrain, aussi difficilement que s'il s'était retrouvé dans un sable mouvant. Une fois ce dur labeur achevé, il rentra en direction de ses appartements. Par chance, la fièvre avait diminuée, mais la fatigue persistait et la faim consumait les moindres ressources de son corps encore disponibles, plus efficacement que la chaleur fournie par un bout de bois crépiterait dans une brûlante cheminée…

*****

En ouvrant les yeux, il vit sa femme debout, en train de s'habiller pour emmener les enfants à l'école. En d'autres circonstances, il l'aurait attrapé par les hanches et lui aurait fait l'amour avant qu'elle n'attaque sa journée mais le cœur n'y était malheureusement pas. Il se redressa sereinement avec la volonté d'un homme qui sait ce qu'il doit faire pour protéger sa famille et survivre.

— Ma chérie, préparez vos affaires, vous partez au plus vite chez ta mère.

Prise par surprise, autrement moins agréable que si son homme avait mis sa précédente pensée à exécution, Jane eut du mal à saisir où son homme voulait en venir.

— Quoi ? Qu'est-ce que tu me racontes, mon bébé ?

Mike tenta d'être le plus limpide possible.

— J'ai encore rêvé de lui cette nuit, il nous a menacé tous les cinq ! La prochaine fois que je rêverai de lui, non, que je m'immiscerai dans son esprit, il vous tuera. Fais-moi confiance, je dois vous mettre à l'abri.

Elle attendit quelques secondes, le temps d'assimiler les mots de son mari.

— Comment pourrait-il savoir où nous sommes ?

— Il peut lire dans mes pensées à chaque fois que je suis en lui, c'est pour ça que je ne peux pas venir avec vous.

Hormis ses enfants, elle l'aimait plus que tout au monde et cet amour sans limites engendrait une confiance sans pareil. Jane se devait de suivre et d'aider sa moitié en toutes circonstances.

— D'accord, nous allons partir chez ma mère. Mais tu dois venir avec nous.

— Hors de question, s'il vous arrivait quelque chose par ma faute, je ne me le pardonnerais jamais.

— Tu m'as bien dit qu'il lisait dans tes pensées, non ? N'attendant pas de réponse à cette évidente question, Jane poursuivit.

— Comment l'empêcheras-tu de savoir où nous sommes, ou comment te sentiras-tu s'il nous arrivait malheur alors que tu n'étais pas là pour nous défendre ?

Que serait-il à ce jour sans elle ? Sa femme avait, une nouvelle fois, raison sur toute la ligne et il ne put que baisser les armes.

— OK, tu as gagné femme, nous partons ensemble chez belle-maman. Réveille les enfants, s'il te plaît.

Plus fière et se sentant plus primée qu'une volaille ayant survécu à un chasseur, Jane lança les préparatifs de ce voyage imprévu qui chamboulerait à coup sûr, leur train de vie quotidien. Moins d'une heure plus tard, ils se retrouvaient sur la route du pèlerinage, censée mener à la rédemption. Dany et Alycia à l'arrière se félicitant en de nombreux chuchotements, d'avoir loupé une pompeuse journée de scolarité…

*****

Prenant son double-crème matinal, à la terrasse d'un café, il ne cessait de ressasser cet échec cuisant. Ils l'avaient eu à portée de main et ils n'avaient pas su saisir leurs chances. Il ne pouvait pas en vouloir à son équipe car tout cela était de sa faute, s'il avait eu totalement confiance en son instinct inné, il aurait déployé beaucoup plus de forces sur le terrain. Il fut un temps où sa confiance était à son paroxysme, un temps où il fonçait tête baissée sans peur aucune des conséquences. Cette époque-là lui paraissait bien loin à présent, engloutie par des regrets au goût amer et les innombrables soirées d'apéros en solo. Il vivait continuellement dans le passé et dans la crainte du futur, cette vieille page de sa vie ne serait jamais tournée, il le savait au plus profond de son cœur. Tout avait foutu le camp dans la lecture du dernier indice laissé par le tueur : f. treffert, f. treffert, f. treffert, f. treffert…

Celui-ci ne cessait de le passer en boucle dans sa tête, comme un vieux walkman lisant un CD rayé.

— À toutes les unités, ce fils de chien ne doit pas sortir du bâtiment, abattez-le si nécessaire, c'est un ordre.

Il allait prendre son portable pour demander des renforts mais celui-ci vibra au même moment, c'était le troufion.

— Quoi ?

— Le coupé noir est le véhicule personnel d'Edward Brice, inspecteur.

Le monde entier sembla s'écrouler autour de lui, aussi facilement qu'un vulgaire château de cartes. Il sortit de l'appartement en trombe et descendit les escaliers quatre à quatre, sans crainte de la chute ou de la foulure. Il ne voyait même pas les marches, son esprit étant trop surmené et à l'extrême limite de l'implosion. Il se retrouva rapidement dans sa bagnole banalisée, faisant crisser les pneus de celle-ci lors du démarrage et accrochant le pare-chocs arrière d'un véhicule en stationnement. En arrivant devant chez lui, il vit le coupé noir garé sur le côté et les deux policiers assignés à la protection rapprochée de sa famille dans leur véhicule, chacun cueilli d'une balle dans la tête sans avoir eu le temps d'opposer la moindre résistance. Il fit rapidement le vide dans son esprit, tentant d'être aussi professionnel que dans une enquête annexe, ce qui lui donnerait tous les atouts pour sauver sa femme. Arme au poing, il monta les trois marches du perron et se retrouva dans le hall donnant sur le salon. Il vit l'homme allongé sur sa femme, en train de la baiser violemment dans ce qui semblait être un lac rougeoyant. Sans la moindre sommation, il aligna trois balles d'affilée dans le dos du dément. Celui-ci se cabra et redressa la nuque sous l'impact des coups de feu, offrant une boîte crânienne aussi irrésistible qu'un bon magret de canard. Alain envoya une rafale au milieu de celle-ci, faisant gicler à la sortie, hémoglobine et morceaux de cervelles à plusieurs mètres de là. Un sang encore chaud s'échappait de la trachée de sa femme à gros bouillon, maculant abondamment le tapis du salon, son corps tout entier étant animé par des spasmes incontrôlables. Alain rengaina son arme et se rua immédiatement sur elle, posant ses deux mains sur la gorge de celle-ci afin d'endiguer l'hémorragie au maximum. À ce moment-là, il croisa ses yeux emplis d'effroi et jamais il n'avait lu une telle peur, une telle soumission ou une telle conscience de l'inévitable, une telle certitude absolue de sa propre mort imminente dans ce dernier regard qui était pour lui. Au comble de l'impuissance et de la terreur, il sentit la dernière étincelle de vie de sa femme se dérober entre ses mains…

Accompagné de ses vieux démons irascibles, le Cerveau régla la note et parti en direction du commissariat…

Chapitre 6
Coup pour coup

Sur le ventre et la tête sur le côté, de la bave dégoulinait de sa bouche sur le canapé, dans un mince filet qui s'asséchait. Il changea de position pour se mettre sur le dos, décollant par le même temps ses lèvres du tissu souillé. Quelque chose le gênait derrière le mollet, grattant et écorchant sa peau à chaque léger déplacement de sa jambe. L'infâme odeur envahit de nouveau ses narines et il fut contraint de s'éveiller pour éradiquer ce poison tenace sur sa peau. En se levant, il entendit le son d'une pièce de monnaie ricocher sur le sol, achevant son itinéraire sous le canapé. Il se pencha et ramassa avec stupéfaction la balle, désormais momifiée, qui s'était encastrée dans l'os de sa cuisse la veille. Son corps, en pleine régénération, avait lentement éjecté l'intrus comme une vache vêlerait.

À mesure que les fibres musculaires s'étaient reconstruites, celle-ci avait lentement perdu du terrain pour poursuivre son parcours touristique approfondi dans le pantalon d'Ori puis enfin, sous le sofa. Il se dévêtit et enfouit ses habits dans un sac-poubelle, qu'il scella immédiatement avant d'aller se décrasser. La senteur industrielle générée par le gel douche était une agression pour son odorat mais celle-ci, restant plus supportable que celle des ordures, il s'en accommoda malgré tout. Il patienta néanmoins de longues minutes sous l'eau afin de réduire l'effet des produits chimiques, jusqu'à ce que son estomac gronde aussi férocement qu'un lion en cage.

Les écouteurs profondément enfoncés dans les cavités de ses esgourdes, il sortit pour faire quelques emplettes. Le soleil était posé sur l'horizon et semblait vouloir se faire la malle en direction de l'Ouest, lui indiquant de ce fait que la journée était déjà bien avancée. Des sacs remplis de nourriture dans chacune de ses mains, le Surhomme était revenu au plus vite dans sa résidence secondaire pour tenter d'assouvir l'insatiable appétit de la bête. Après un repas qui aurait pu rassasier toute une équipe de football, il se recoucha et s'endormit aussitôt...

*****

— Bonjour trésor, ça me fait plaisir de te voir. Alain l'embrassa affectueusement sur chaque joue et s'installa à table, dans un restaurant bondé du centre-ville.

— Salut, papa. Tu t'es souvenu que tu avais une fille ?

La présence de son père dans sa vie lui avait terriblement manqué tout au long de ces années, laissant une rancœur et une colère qu'elle ne pouvait dissimuler, lorsqu'elle se retrouvait face à son géniteur. Encore aujourd'hui et malgré le fait qu'elle soit devenue une jeune femme, ce manque constituait une profonde blessure qui ne serait jamais suturée. Au décès de sa mère, son père l'avait placé chez tante Lisa. Celle-ci avait fait de son mieux pour s'improviser maman et combler dans le même temps, les incessantes absences du paternel, le tout avec amour, adresse et patience. Elles s'aimaient énormément toutes les deux et partageaient une complicité inébranlable, équivalente aux standards de la meilleure amie, doublé d'une confiance que seul un père ou une mère ne pouvait mériter. Bien souvent, Elana s'était demandé ce qu'elle serait devenue sans tante Lisa, elle aurait certainement vagabondé de foyer en foyer avec des jeunes aussi désespérés qu'elle, pour qui le futur n'augurait rien de bon après un passif aussi destructif.

— Écoute, ma chérie, tu sais bien que je n'ai pas le choix. Je ne veux pas risquer de te mettre en danger, nous en avons parlé des dizaines de fois déjà. Passons à autre chose, s'il te plaît. Parle-moi plutôt de toi... Après la disparition subite de sa femme, Alain avait pris les dispositions nécessaires pour que sa fille soit en sécurité chez sa sœur. Seul son travail lui avait permis de noyer et de surmonter son chagrin. Comme une bouée de sauvetage, il utilisait celui-ci constamment pour garder la tête hors de l'eau, ou tout du moins à flot. Malheureusement, plus les années passaient et plus il mesurait toute l'ampleur de l'impardonnable erreur qu'il avait faite, en abandonnant sa fille.

— Oui papa tu as raison, je te prie de m'excuser, nous sommes déjà arrivés à la conclusion que tu préférais ton travail à moi.

Ces derniers mots étaient sortis de sa bouche par des lèvres toutes tremblantes et de chaudes larmes naissantes au coin de ses yeux avaient embrumé sa vue. Elle tourna la tête afin de reprendre contenance et de ne pas éclater en sanglots, avant de continuer quelques secondes plus tard.

— J'ai un copain depuis plusieurs mois et on est très amoureux. Nous sommes en train de chercher un studio pour aménager ensemble.

Subitement, il regarda sa fille sous un angle différent, réalisant avec amertume et culpabilité que celle-ci était une jeune femme à présent. Décidément, il avait vraiment tout foiré, pensa-t-il, à cet instant.

— Plusieurs mois déjà ? Pourquoi tu ne m'en as pas parlé avant ? demanda Alain avec tendresse. Je t'appelle quand même régulièrement non, reprit-il sur le ton de l'affirmation et non de la question.

— Papa, je ne savais pas comment te le dire. J'avais peur de ta réaction ou pire, de ton inaction.

— Bon, ce n'est rien, ma chérie. Ne t'en fais pas, tu as bien fait. Faisons un marché, je termine l'enquête en cours et après on organise un repas chez tante Lisa tous les quatre. Comme ça, je pourrais faire sa connaissance. Qu'en dis-tu ?

Des larmes, de joie cette fois, apparurent de nouveau dans le blanc de ses yeux.

— C'est une super idée, papa ! Je suis pressée de te le présenter.

Alain se leva de sa chaise et prit sa fille dans ses bras. Celle-ci, ne pouvant plus contenir cet afflux d'émotions, vida toutes les larmes de son corps sur l'épaule de son père. Après avoir déjeuné, ils passèrent le reste de la journée à se promener et à se raconter les grandes lignes de leurs vies quotidiennes ou des anecdotes sans importance, comme une fille et son père le feraient spontanément…

*****

Ils avaient avalé les six cents kilomètres sans halte aucune. Les enfants, à l'arrière, s'étaient endormis après quelques minutes de route. Alycia, installée au milieu, avait la tête posée sur le siège auto de Mathis et Dany avait la sienne sur l'épaule de sa sœur. Durant le trajet, Jane s'était employée à faire parler son époux sur cette mystérieuse histoire afin d'en partager le poids, les conséquences et les aboutissants possibles qui s'offraient à eux. Cela soulagea grandement Mike de sentir sa femme à ses côtés, même si aucune solution raisonnable n'avait pu être évoquée.

— Mais pourquoi tu ne veux pas aller voir la police, enfin ?

— Pour leur dire quoi, ma chérie ? Bonjour, je m'appelle Mike je vois ce que le tueur fait en temps réel, ça vous intéresse ? Non seulement ils vont me prendre pour un dingue mais en prime, je n'ai rien d'important à leur apprendre de plus que ce qu'ils ne savent déjà. J'ai l'impression de voir seulement ce qu'il accepte que je voie.

Jane allait répliquer mais Mike reprit.

— Admettons, par la plus gracieuse et audacieuse des aubaines, que la justice me prenne au sérieux…

À cet instant, sa femme ne put s'empêcher de glousser intérieurement, suite aux mots ou aux répliques extravagantes que son mari pouvait utiliser à certains moments. Celles-ci étant le plus souvent employées, lorsque Mike était complètement dépassé par les évènements. Ils avaient tous deux pour habitude d'en rire gaiement, ce qui avait tendance à minimiser grandement leurs tracas quotidiens. Mais pour l'heure, les circonstances ne s'y prêtant absolument pas, Jane garda cela pour elle et le laissa poursuivre.

— Ça changerait quoi, d'après toi ? lui demanda-t-il sans attendre de réponse, ils n'arrivent pas à mettre la main dessus de toute façon. Cette nuit, il s'est encore échappé, poursuivit-il, alors qu'ils étaient plus d'une quinzaine à le filer…

Au final, fuir ne semblait pas être l'ultime option, mais celle-ci présentait l'avantage de créer une bonne distance entre eux et ce psychopathe. Il avait, d'ailleurs, hâte d'entendre les informations du soir, afin d'en savoir plus sur le déroulement de la situation.

En arrivant, les parents de Jane étaient déjà sur le pas de la porte, ravis de recevoir la visite imprévue de leur fille, accompagnée de leurs petits-enfants. Ils furent accueillis chaleureusement dans leur demeure par des accolades et des bisous interminables. Sept couverts étaient déjà dressés sur la table de la salle à manger, fourchettes et couteaux étant parfaitement placés et semblant être au millimètre près, à égale distance de chacune des assiettes. Mike, interloqué par les prouesses techniques ayant dû être mises en œuvre pour réaliser un tel prodige, se demanda si mamie n'avait pas triché en utilisant un pied à coulisse ou un ruban de couturière. Réalisant que l'un ou l'autre pouvait efficacement faire l'affaire et saluant au passage l'effort déployé pour seulement mettre une table en bonne et due forme, celui-ci porta son attention sur la fumante marmite. Énorme et disposée en plein centre du plateau (ce qui engrangea une nouvelle volée de questions pour Mike : le compas, le laser ou le rapporteur, les trois peut-être, songea-t-il, dérouté.), celle-ci dégageait une odeur irrésistible d'un ragoût qui avait mijoté plusieurs heures et dont seule grand-mère avait encore le secret. Un vieux vin rouge, placé en bout de table et proche de l'assiette du grand-père, avait déjà vu naître Jane et Mike avant d'être emprisonné dans une bouteille de verre. Ceux-ci, comme à chaque fois qu'ils allaient chez eux, furent impressionnés par la qualité de tous ces mets mis à leurs dispositions.

L'ambiance, le vin, un plat succulent et des histoires racontées datant d'une autre époque, suffirent amplement mais que momentanément à leur faire oublier pourquoi ils étaient venus jusqu'ici.

La mine déprimée des deux grands semblait vouloir dire que cet étalage de saveurs n'était pas fait pour les satisfaire et cela consterna leurs parents, juste le temps qu'ils se souviennent de leurs jeunes années. Quant à Mathis, seule la sensation de matière nouvelle entre ses doigts importait, il la jugea très révélatrice et des plus instructive, le goût de celle-ci n'ayant aucun intérêt à ses yeux.

L'après-midi se passa sans ombrage, Jane avait aidé sa mère à débarrasser la table et à faire la vaisselle. Mike et le père avaient siroté un petit calva dans le salon pendant que les enfants réveillaient une maison semblant s'être endormie depuis des lustres. Mike s'était absenté en fin de journée, sous prétexte d'aller acheter des somnifères aux plantes, à la pharmacie du coin.

À l'heure du vingt heures, Jane et celui-ci étaient installés sur le canapé, prostrés devant la télévision en attendant anxieusement le déroulement du journal. Un encart rapide et dépouillé pour le père de famille recherché avait été établi par les commentateurs. L'omission de la tuerie survenue dans la ruelle n'étant qu'un des gros manques de la rédaction. Les médias sans le moindre doute, cherchaient à étouffer l'affaire, comme toutes celles pouvant échapper au contrôle de l'état. Tout cela était pathétique, pensa Mike à ce moment-là. Vers vingt-deux heures, les enfants étant déjà au lit depuis une bonne heure, Jane alla se coucher aussi. Son mari prit ses cachets avant de lui dire qu'il la rejoindrait bientôt...

*****

Johnson frappa à la porte avant d'entrer, faisant inconsciemment et par la même occasion, trembler toutes les cloisons de par sa force gigantesque.

— Désolé de vous déranger chef, on a un certain Jonathan Swimmer qui vient de se présenter à l'accueil, il aurait des informations capitales sur notre tueur.

Le commissaire attendit quelques secondes pour répondre, le temps pour lui de s'assurer que son bureau n'allait pas s'effondrer.

— Il est matinal, ce monsieur. Vérifie son identité et amène-le-moi tout de suite, s'il te plaît. Tu resteras avec nous.

— OK, commissaire.

Avec un peu de chance, la journée allait bien commencer, pensa-t-il, en se frottant les mains l'une contre l'autre. Comme prévu, l'étau se resserrait sur Ori et il n'aurait très bientôt, plus aucune retraite acceptable ou même envisageable. En contrepartie, Alain ne comprenait pas pourquoi celui-ci s'obstinait à rester dans le coin. À sa place, il aurait choisi la discrétion et la délocalisation. Mais qui était-il après tout, pour juger un homme qui avait perdu sa femme et ses trois enfants d'un seul tenant ? À l'heure qu'il est, celui-ci souhaite très probablement qu'on l'arrête, se dit-il, qu'on stoppe son calvaire d'une balle dans la tête. Cela expliquerait rationnellement les raisons de son entêtement et tous les risques que celui-ci avait pris, avant-hier, en établissant le contact. Quelques minutes plus tard, Johnson ouvrit la porte de son bureau en lui faisant un clin d'œil discret, confirmant ainsi l'identité du témoin. En l'apercevant, le Cerveau se demanda si celui-ci arriverait à passer la boiserie de l'entrée ou si les deux chaises disponibles, bon marché, supporteraient ce mastodonte de chair et de gras. Celui-ci, au bas mot, devait bien peser dans les cent vingt ou cent trente kilos. Peut-être devrait-il laisser l'Homme des Cavernes debout, afin que M. Swimmer ait l'opportunité de poser une fesse sur chacune d'elles. Flottant sur un visage gonflé et ravagé par les boutons, des yeux ronds, voilés par des lunettes à double foyer, affichaient un regard apeuré et blafard. Son maillot de corps, trop serré certes mais probablement de la plus grande taille qui puisse exister, laissait sortir une bedaine énorme parsemée de vergetures rouges et violacées, faisant penser au bouquet final d'un feu d'artifice. Sur ses habits démodés apparaissaient les vestiges partiels des différents menus qu'il avait pu engloutir ces derniers jours. Pour couronner le tout, une forte odeur de transpiration envahit la pièce, lorsque celui-ci y pénétra. Le commissaire se présenta et l'invita à s'asseoir, la chaise criant tout son désespoir avant de parvenir à stabiliser toute cette masse débordante.

— Bonjour, M. le commissaire, merci de me recevoir. Je travaille au supermarché de la rue Détente, quartier nord. Je crois que l'homme que vous recherchez vient y faire ses courses depuis deux ou trois jours et celui-ci est même passé à ma caisse. Vous avez fait distribuer son portrait dans notre magasin. Si c'est bien lui, il s'agit aussi du voisin de ma mère, fin, de notre voisin…

Alain et le Barbare furent statufiés à l'entente de ces mots, comme si leurs sangs avaient congelé dans leurs veines en une fraction de seconde, après un passage dans un sas cryogénisé.

— Donnez-moi votre adresse complète, s'il vous plaît ? Numéro de rue, nom du bâtiment, étage et numéro de porte, si celles-ci sont numérotées.

— C'est le 13 rue de la Détente, résidence Le Sunlight au sixième étage. Il n'y a pas de numéro de porte, c'est celle du milieu en sortant de l'ascenseur. Le code pour accéder au bâtiment est le 0675 A. Par contre, comme je vous l'ai dit, je ne suis pas certain que ce soit lui. J'ai longuement hésité avant de venir vous voir car j'ai eu peur des conséquences pour ma mère et moi-même.

Sans savoir pourquoi, le Cerveau nota à ce moment-là que l'indicateur avait une allocution phonique calme, douce et structurée. S'il n'avait écouté que le son de celle-ci, jamais il ne l'aurait attribué à cet homme. Ce qui peina d'autant plus Alain, car il comprenait que ce malheureux n'avait certainement pas toujours été ainsi. De nombreuses déceptions à répétition avaient dû doucement mais sûrement, le mener à ce délabrement physique et psychique avancé, auquel il ne semblait plus possible de remédier.

— Croyez-moi sur parole M. Swimmer, vous avez fait le bon choix et vous pouvez en être fier, de nombreuses vies vont probablement être épargnées grâce à votre bravoure. Treffert avait sciemment appuyé les mots gratifiants de sa phrase afin d'offrir un bref moment de répit à cette âme tourmentée, espérant ainsi lui redonner un peu d'espoir dans ce monde cruel. Après une courte pause, alors qu'Alain regardait son interlocuteur avec un regard empreint de sincérité et de sérénité, il reprit :

— À quelle heure devez-vous commencer le travail aujourd'hui ?

Rasséréné par cette déferlante de compliments, Jonathan répondit avec une certaine fierté non dissimulée, c'est en tous les cas le ressenti qu'eu le commissaire et Johnson à ce moment-là.

— C'est mon jour de repos, je reprends demain à huit heures.

— Très bien, vous resterez dans une de nos voitures, en sécurité, nous pourrions avoir besoin de vous pour l'identifier. Johnson, raccompagne M. Swimmer à côté et reviens avec David et Enrique.

Quinze minutes plus tard, Alain et le Barbare visionnaient toutes les bandes des caméras de sécurité se trouvant dans l'accueil privé du magasin, avec une vue imprenable sur l'entrée de celui-ci. David et Enrique, dans une voiture banalisée aux vitres teintées, patientaient en face du supermarché avec M. Swimmer installé sur les sièges arrière, prenant de ce fait la place de deux personnes. Une trentaine de minutes seulement après les révélations, des snipers étaient déjà embusqués sur différents toits d'immeubles, situés en périphérie du Sunlight, verrouillant ainsi fenêtres de l'appartement et entrée de celui-ci. Cinq agents en civil étaient postés dans la cage d'escalier de l'immeuble en question, au sixième étage, en attente d'instructions supplémentaires. Des patrouilles, quadruplées pour l'occasion, bouclaient le secteur avec des rondes incessantes qui vu d'en haut, s'apparentaient à un tourniquet. Une heure plus tard et sur autorisation du maire, des camions bondés d'hommes de la compagnie républicaine de sécurité et des hélicoptères en stationnement dans les zones prévues à cet effet, étaient déployés aux quatre coins de la ville et prêts à intervenir. L'objectif et les mots d'ordre de l'opération étant, d'arrêter Ori sans causer le moindre préjudice à la population environnante, ou tout du moins en limitant ceux-ci autant que faire se peut. La réussite de cette mission dépendant principalement de l'effet de surprise, le commissaire n'avait eu d'autre alternative que de placer sa plus grande force de frappe, aux alentours ou tapi dans l'ombre…

*****

Des sons merveilleux pour son esprit, composés de rires spontanés et de disputes injustifiées, la ramenait avec légèreté des abysses profonde du sommeil. Elle roula sur la partie opposée du matelas et ressentie une fraîcheur anormale sur les draps, qui lui glaça les os. Elle s'était endormie sans détour et n'avait aucun souvenir des rêves qu'elle avait pu faire. Jane se redressa pour regarder l'heure et fut étonnée, s'en voulant presque d'avoir tant dormi. Inquiète par cette absence de chaleur, elle s'empressa d'enfiler sa robe de chambre pour rejoindre sa famille. Arrivée à l'entrée de la cuisine, elle fut bombardée de cris de joies et d'objets volants non identifiés émanant de la bouche de ses enfants, ceux-ci étant en train de prendre leur petit-déjeuner. Mamie et papi étaient aux petits soins pour que leurs descendances ne manquent de rien, ne se préoccupant aucunement des débordements incessants de ceux-ci. Ses doutes se confirmèrent en apercevant son mari. Il était assis en bout de table, une tasse de café fumante dans une main, l'autre lui servant à tenir sa tête accoudée au bord de celle-ci. Les yeux de Mike étaient cernés de grosses poches, ressemblant étrangement à deux croissants de lune en trois dimensions. Toute couleur chaleureuse d'une personne en bonne santé avait déserté son visage pour laisser place à un teint livide et terne. Il se leva pour embrasser sa femme et une boîte cylindrique, toute en longueur, tomba et roula jusqu'aux pieds de celle-ci. Elle la ramassa et découvrit une boîte de vitamines pratiquement vide, proche d'une fin de carrière pas très envieuse. Le contournant volontairement, elle câlina ses progénitures à tour de rôle et embrassa ses parents.

— Maman, j'ai besoin d'une bonne douche et j'aimerais parler à Mike, je peux vous les laisser un moment ?

— Bien sûr, mon trésor, ne t'en fais pas.

— Merci.

D'un regard peu commode et pas très engageant, Jane l'invita à sa suite. Cette invitation n'en étant pas une, il la suivit comme un chien ayant abusé de la patience de son maître, la queue entre les jambes.

Une fois dans la salle de bains, elle ouvrit le robinet d'eau et laissa glisser volontairement le peignoir qu'elle portait sur ses épaules. Toujours aussi perturbé à la vue de sa femme nue, et ce même après tant d'années passées à ses côtés, Mike voulut néanmoins s'expliquer avant le début du déluge.

— Écoute, ma chérie, je n'ai pas le choix. La seule façon de l'empêcher de savoir où nous sommes c'est que je reste éveillé et je suis convaincu qu'il va bientôt se faire pincer.

Dans un silence imperturbable, elle se retourna et vint à son encontre. Elle se mit sur les genoux et déboutonna son jean avec vivacité. Mike croisa ses yeux, il y aperçut une lueur bestiale et envoûtante. Après un laps de temps étonnamment cours, Jane se releva et prit la parole.

— Rince-toi et va te reposer dans notre chambre, dit-elle de but en blanc, je descends m'occuper des enfants.

Suite à une douche laborieuse et restreinte au strict minimum, Mike plongea dans les bras de Morphée, en pensant qu'il avait hâte d'essuyer une nouvelle tempête de sa femme…

*****

Dix heures tapantes du matin sonnèrent à l'horloge et elle était encore en retard. Chaque jour, elle l'était un peu plus, perdant un temps indéfinissable dans l'affranchissement de corvées basiques pour certains, mais des plus contraignantes pour elle. Avait-elle bien les clés de la maison ? Pour la troisième fois, elle vérifia dans son sac à main si celles-ci s'y trouvaient bien. Sachant qu'elle perdait la tête, elle passait la majeure partie de son temps à ressasser des mouvements et des actions déjà effectuées. Les poubelles, où sont les poubelles ? Ah oui, elles sont devant la porte. Tout est fin prêt, je suis bien couverte car il fait frais le matin, les poubelles sont bien devant la porte, et mes clés, il ne faut surtout pas que je les oublie, où sont-elles ? C'est bon, elles sont bien dans mon sac. Elle ouvrit la porte pour sortir et s'aperçut, avec dépit et amertume qu'elle avait oublié d'enfiler ses chaussures. Une fois ce dur labeur exécuté, qui lui prit plusieurs minutes supplémentaires, elle franchit le pas de la porte avec sa canne et ses déchets. Sans comprendre pourquoi ni comment, son corps bascula en avant et s'étala avec rudesse sur la moquette desservant les appartements. Par réflexe naturel, elle avait vainement tenté de ramener ses avant-bras proches de sa tête, afin d'amortir l'impact de celle-ci contre le sol. Mais son cerveau trop lent à envoyer l'information et ses muscles trop flasques pour réagir lui laissèrent juste le temps d'ouvrir la paume de ses mains pour lâcher appui et poubelle, avant l'inévitable collision. Plusieurs os de sa frêle structure, aussi asséchés que les montagnes sablonneuses du désert, se brisèrent aussi facilement qu'une coupe de champagne tombant sur du carrelage, la faisant d'abord hurler de douleur puis partir dans un coma partiel. Les policiers embusqués entrouvrirent la porte et découvrirent une Mme Swimmer en piteux état. L'un d'eux courut immédiatement pour secourir la malheureuse, un autre en informa le commissaire, un troisième appela les secours et un quatrième resta aux aguets entre le palier et la cage d'escalier. Quant au dernier, il pénétra dans l'appartement, dans le but de s'assurer qu'il n'y avait pas d'autres convives à l'intérieur, désirant se joindre à la fête. Ce faisant, il trébucha lui aussi dans le hall de la pauvresse mais contrairement à celle-ci, se réceptionna habilement dans la position du fœtus, aspirant toute la puissance du choc sur son bras recroquevillé. Encore à terre et le regard porté vers la sortie, il vit, grâce à la réverbération des éclairages du palier, le scintillement d'un fil de pêche tendu a une dizaine de centimètres du sol et de part et d'autre du chambranle, celui-ci glissant indéfiniment dessus comme un électron perdu…

*****

Ses paupières battirent quelques fois, dissipant lentement le voile brumeux du sommeil. Il ne connaissait pas ce véhicule ni les deux hommes installés à l'avant. Le regard se dirigea vers son ventre et il découvrit avec stupeur, une bedaine interminable, striée d'horribles vergetures. Complètement déboussolé, se sentant gras et puant, Mike prit les devants.

— *Que faisons-nous ici, qui sont ces hommes et quelle est cette panse démesurée ?*

Ori avait déjà senti la présence de celui-ci depuis plusieurs secondes, se demandant avec impatience ce qu'il attendait pour prendre la parole. Il était d'humeur aussi joyeuse et joueuse qu'un jeune homme venant de perdre son pucelage. Aussi, sa réponse s'en fit ressentir.

— *Pas trop fort, mon ami, nous sommes en plein cœur d'une enquête policière, ils sont sur le point de mettre la main sur le malade qui te sert d'hôte.*

À ce moment-là, il vit le cadran d'une montre, affichant neuf heures et cinquante-quatre minutes. Ensuite il vit, du coin des yeux, les deux bras du tueur se mettre en mouvement en direction de ses cuisses, faisant apparaître des couleurs dangereusement argentées dans chacune de ses mains. La précédente réponse, enivrée de celui-ci, prit tout son sens dans la tête de Mike.

— *Ne fais pas ça, je t'en supplie, ce sont des innocents. Ils ont certainement une famille tout comme moi et tout comme toi tu en avais une.*

Son humeur se désagrégea sans crier gare. Encore une référence à cette famille perdue et autant de fissures supplémentaires sur les verrous, soigneusement installés par son esprit. L'odeur persistante et nauséabonde de la transpiration se dégageant de ce maillot, lui donnait le vertige. Il ne pouvait supporter une seconde de plus, cet accoutrement dérobé au morveux raté. Pour seule réponse, il planta brutalement ses deux couteaux de combat rapproché, réceptionnés chez le défunt militaire, dans les sièges qui lui faisaient face. La garde de ceux-ci fut profondément intégrée dans le tissu par la dextérité et la rapidité de l'homme qui les maniait. Sa bonne humeur retrouvée, il interloqua son invité, entre deux spasmes d'un fou rire bien entretenu.

— *Ne pas faire quoi ?*

Mike était au bout du rouleau et ne savait plus quoi faire. Le sang imprégnait l'arrière des sièges et gouttait sur la garde des lames. Il vit les deux hommes poignardés, mourir dans une agonie silencieuse et douloureuse. La colère prit le dessus sur la raison.

— *Tu es un monstre ! Tu iras en enfer et tu subiras la honte de ceux que tu aimais. D'où ils sont, ils doivent se demander comment ils ont pu aimer un homme, un papa tel que toi.*

Une forte bourrasque tenta, à nouveau, d'arracher les portes mais le Surhomme n'y prêta aucune attention, ce qui devait arriver arrivera. Toutes ses pensées étaient portées sur la conscience et la mémoire de Mike, déchiffrant morceau par morceau, ses derniers moments vécus.

— *Comment te sens-tu chez ta belle famille, vous êtes bien installés, j'espère ? Crois-tu que Jane me sucerait aussi bien si ta vie était en jeu ?* Ori, bien malgré lui, regretta ses mots à l'instant où il les avait prononcés mais il était trop tard, son impatience et son manque de discernement ayant encore une fois pris le dessus sur la raison.

Les deux hommes observèrent la pointe de ce corps étranger, dépassé de leurs sternums et rougissant crescendo leurs chemises. David regarda, à tour de rôle, Enrique puis le sourire du tueur dans son rétroviseur intérieur, pendant qu'un liquide chaud et doux s'immisçait déjà dans sa gorge, transformant les mots qu'il voulait dire en glougloutements incompréhensibles et en bulles sanguinolentes aux bords de ses lèvres. Lentement, ses yeux perdirent leur éclat vital et devinrent vitreux, avant que sa nuque n'ait plus la force de supporter le poids de sa tête. Comme deux planches clouées sur un rondin de bois, ils restèrent sagement assis, leurs faces pendant mollement sur le côté.

— *Je lui dirais de t'arracher la queue et crois bien qu'elle le f...* Complètement abasourdie et mentalement à bout, par les évènements qui se déroulaient devant ses yeux, Mike avala entièrement la fin de sa phrase. Toute la haine qu'il venait tout juste d'emmagasiner, suite à cette menace contre sa femme, s'envola dans les nymphes oubliées de sa mémoire comme le vent emporterait les feuilles mortes. Choqué par cette barbarie sauvage et sans pitié, il ne désirait plus qu'une seule chose, s'éveiller.

— *C'est bon ça va, ne t'en fais pas, j'irai voir une pute. De toute manière, elle ne pourra jamais m'offrir le plaisir et la jouissance qu'elle te donne, seul l'amour entre deux êtres peut créer un tel miracle.* Cette phrase qu'il venait de prononcer était la goutte d'eau en trop, pour les verrous et les barrières qu'il s'était lui-même créé, une porte céda et s'arracha littéralement de ses gonds. Comme s'il était installé sur un peloton d'exécution, une salve de balles provenant d'un HK47 et perforant à grand brouillon chaque centimètre de son corps, présageait de sa douleur actuelle. Il n'en montra rien et reprit.

— *Nous savons tous deux que je peux te retrouver quand bon me semblera, alors voici ce que je te propose : viens près de moi, seul, et je te fais la promesse que j'épargnerais ta famille. Qu'en dis-tu, mon ami, ma parole te suffit-elle ?*

Décontenancé et perdu au point de ne plus savoir qui il était, Mike décortiqua chacun des mots formulés par son hôte avec une immense appréhension. Celle-ci se dissipa très rapidement, quand il comprit qu'il n'avait pas vraiment le choix et qu'il avait confiance en la parole d'Ori.

— *J'ai confiance en toi, à mon réveil je prends la route pour te rejoindre.*

À l'entente de cet aveu, son pouls s'accéléra intensément mais il ne pouvait s'attarder sur des broutilles, car l'heure tournait. Quelques instants après, le Surhomme sortit prudemment du véhicule et fit un tour d'horizon, laissant sciemment ses écouteurs pendre sur ses épaules afin de conserver tout le bénéfice de son ouïe affûtée. Il inspira un grand bol d'air frais, qui fut accueilli comme une libération pour son odorat et ses poumons. Il longeait innocemment l'avenue, chaque pas l'éloignant un peu plus de ses dernières victimes. Il allait bifurquer sur la droite, dans une rue perpendiculaire, quand un bruit sourd et suspect en direction du supermarché le fit se retourner…

*****

Il n'entendait pas la conversation, mais l'air soucieux qu'il put lire sur son visage en raccrochant lui révéla qu'un élément inattendu venait de compliquer un peu plus leur enquête. Ils étaient à l'accueil du supermarché depuis moins d'une heure mais, pour l'Homme des Cavernes, cela s'apparentait déjà à une éternité. Voyant que son supérieur n'allait pas s'expliquer, il prit la parole et posa sa question avec une grande motivation.

— Que se passe-t-il, chef ?

Le connaissant par cœur et rien qu'à l'intonation de la voix de celui-ci, Alain avait tout de suite compris que Johnson n'en pouvait plus d'attendre ainsi, les bras croisés. Il était fier de cet homme et l'aimait certainement plus qu'il ne le devrait. Comme à chaque fois, en étant seulement lui-même, celui-ci lui redonna le sourire malgré la nouvelle déprimante qu'il venait d'apprendre. Pris dans la spirale de ses pensées, il répondit naturellement et ouvertement devant l'agent de sécurité, assis sur son fauteuil, passant ses journées à surveiller les potentiels voleurs via les nombreuses caméras installées dans le magasin à cet effet.

— Madame Swimmer a chuté sur le palier, elle est dans un état grave.

Le Cerveau n'avait pas encore terminé sa phrase qu'il avait déjà réalisé l'ampleur de sa bourde. Ils avaient tout fait dès le début de l'opération pour ne pas dévoiler leur source de renseignement, émanant de Jonathan, vis-à-vis de ses collègues de travail. Avant même qu'il n'ait le temps d'espérer que ses paroles soient tombées dans l'oreille d'un sourd, l'agent s'exclama :

— La pauvre, ce n'est pas vrai, je le préviens. Celui-ci prit le micro et sa voix résonna dans tout le complexe.

— M. Swimmer est prié de fermer sa caisse et de rejoindre l'accueil du magasin immédiatement.

Alain et le Barbare se dévisagèrent plusieurs secondes afin de trouver toutes les réponses, à ces nouvelles questions émergentes, dans les yeux de l'autre. N'y observant qu'une incompréhension justifiée, le commissaire se retourna et prit les devants.

— M. Swimmer est en repos aujourd'hui, ne vous en faites pas, nous allons l'informer pour sa maman.

— J'ai bu le café avec lui ce matin M. le commissaire, son jour de repos c'est demain, dit-il sur un ton respectueux mais interloqué.

— Tenez, regardez, il arrive…

Le souffle coupé, ils découvrirent le vrai M. Swimmer, à travers la vitre teintée de l'accueil, arrivait rapidement dans leur direction. Plus celui-ci s'approchait et plus la caricature, volontairement accentuée par Ori dans les moindres détails, semblait exagérée et démesurée. Trop, trop, trop, tout avait été trop dans son déguisement, mais la qualité parfaite de celui-ci les avait complètement bluffés. Seule la vision du vrai personnage leur indiqua l'énormité du subterfuge et tout le désastre pouvant découler de leur naïveté…

*****

La veille, il s'était réveillé en milieu de soirée avec une soif de vengeance étouffante et un plan macabre établi dans les moindres détails, durant son sommeil, par son subconscient. Comme une carte magnétique donnant accès à une pièce tenue secrète, sa mémoire lui avait dévoilé un élément de sa vie précédente qui lui permettrait de mettre son plan à exécution et d'étancher cette soif incommensurable. Chaque jour qui passait, une nouvelle page de sa vie semblait s'écrire avec une compréhension grandissante sur ses objectifs et ses aboutissants finals. Son esprit, plus décharné qu'un cadavre entouré de vautours et dénué de la moindre parcelle de conscience, étant l'unique choix de configuration possible pour que l'accomplissement de ses différentes tâches soit rempli avec succès. Il en acceptait leurs tenants et les conséquences qui pourraient en découler, en relevant fièrement le défi. Un défi pour une nouvelle vie, avait-il pensé en cet instant avec convoitise.

Sinistrement vêtu de noir, tel un sombre seigneur ténébreux, son harnais en X sur les épaules et ses deux poignards accrochés sur chacune de ses cuisses, il était sorti par le balcon pour rejoindre l'appartement voisin. La chambre empestait une odeur de pieds encore fumante, d'un homme qui aurait marché toute une journée par monts et par vaux et venant tout juste de se déchausser. Celle-ci était accompagnée d'un soupçon aigre de pisse et d'une bonne pointe de sueur, transformant l'ensemble en un banquet répugnant, ce qui avait eu pour effet de servir de la gerbe à toutes les sauces pour l'homme affûté qu'il était. Ori avait facilement trouvé le portefeuille du poisseux pour en soutirer sa carte d'identité ainsi que quelques vêtements dans une armoire, semblant avoir été cambriolé avant son arrivée. À ce moment-là, il avait d'ailleurs fait mine de chercher, le sourire aux lèvres, un éventuel voleur encore présent dans la pièce. Après une recherche qui s'était avérée infructueuse et un étonnement feint, dessiné sur son visage, il avait quitté l'appartement et s'était rendu sur le toit.

Il avait eu une bonne partie de la ville à traverser pour se rendre à son ancien lieu de travail, un studio de production réputé pour court-métrage à petit budget. La voie des airs n'était pas la plus évidente mais de loin la plus discrète et la plus amusante pour arriver à destination en un temps record. Il s'était élancé de bâtiment en bâtiment, faisant des bonds extraordinaires, certains atteignant une bonne dizaine de mètres. Il atterrissait sur les toits dans une roulade souple et reprenait aussitôt sa course pour atteindre le précipice suivant. Ayant une confiance absolue en ses aptitudes, il ne se donnait pas la peine de quantifier la distance et les risques d'un espace trop long entre deux immeubles. Soudainement, alors qu'il allait bientôt bondir, son cerveau lui indiqua qu'il ne parviendrait pas à passer les quinze mètres le séparant du dernier bloc. Il eut le plus grand mal à stopper cette course effrénée et toute la puissance qu'il s'était apprêté à déployer pour ce dernier saut. Comme un tennisman aguerri, il surfa sur l'étanchéité de la structure, jambe droite en avant et pied gauche en freinage. Son pied avant droit tapa le bord du parapet et il fut à deux doigts d'être emporté dans le gouffre par l'inertie de son buste. Des gouttes de sueur perlaient sur son front et au bas de sa nuque. Son pantalon évasé à l'origine, était proche de la déchirure, tiraillé par des jambes devenues celles d'un bodybuildé survitaminé. Il sentait ses cuisses gonflées, brûlantes et palpitantes, prêtes à imploser sous cet afflux de sang démesuré. Son harnais, habituellement ajusté à la perfection, bâillait largement sur sa poitrine et le bas de son ventre. À ce moment-là, il avait compris que son corps avait instinctivement inversé la vapeur, envoyant toute l'énergie dans la zone sollicitée aussi simplement qu'un sablier qu'on aurait retourné.

Cette nouvelle découverte pourrait décupler ses aptitudes s'il parvenait à l'utiliser quand bon lui semblerait. L'idée de pouvoir transvaser sa force d'un membre à l'autre, en une fraction de seconde, lui offrirait des possibilités sans limites. Il le savait, seule une mise à l'épreuve draconienne lui donnerait la pleine mesure de ses capacités et l'opportunité de les maîtriser. Il enleva la ceinture de son pantalon et la passa à son poignet droit, afin de créer un trou supplémentaire dans le cuir avec le crochet de celle-ci, et la force de sa poigne. Ensuite le Surhomme fit des boucles autour de son X, réduisant à chaque tour la longueur de la ceinture et emprisonnant au fur et à mesure, son bras contre son corps. Enfin, il fit un nœud avec l'aide de ses dents et de sa main gauche, le condamnant aussi efficacement que s'il était cassé. Moins patient qu'un enfant et les yeux pétillants d'une aura féline, il fit demi-tour pour prendre de l'élan. Concentré à l'extrême, il démarra sa course et sentit ses jambes reprendre de leur vigueur sous l'effort demandé ou souhaité. Il prit appui sur le bord du toit et fit un saut majestueux dans les airs, qui s'étala sur plusieurs mètres, avant de commencer à décliner.

Pendant sa chute et à l'approche du bâtiment, il porta toute son attention sur son bras valide, en attendant avec appréhension la métamorphose de celui-ci. Ce qui restait son unique recours, pour espérer contenir ses soixante-quinze kilos, décuplés par la vitesse et la gravité descendante de son corps. Juste avant de s'écraser brutalement sur le béton, il sentit des démangeaisons, irritantes et incommodantes, dans tout son être. Affluant en trombe dans chacune de ses veines, son sang remontait de ses jambes et de son bras condamné pour submerger son bras gauche. Comme des ballons gonflés à l'hélium, celui-ci tripla de volume instantanément, ainsi qu'une partie de ses muscles dorsaux du côté concerné, lui infligeant inévitablement une douleur atroce et insupportable. Il s'agrippa sur une saillie de l'immeuble de son seul bras valide, supportant une vive pression de plusieurs centaines de kilos avec autant de légèreté et de facilité que le poids d'une plume.

La suite de l'opération s'était avérée enfantine pour lui. Ori avait pénétré dans le bâtiment par un conduit de ventilation situé sur le toit et menant dans une pièce du dernier étage. Connaissant les lieux sur le bout des doigts, il avait facilement déjoué les systèmes de sécurité bas de gamme afin de récupérer sans encombre tout le maquillage et les gadgets dont il aurait besoin. Préférant le ménagement de ses forces à la prudence, et n'envisageant aucunement de refaire le même parcours qu'à l'allée en sens inverse, celui-ci ayant été éreintant et semé d'embûches, il était sorti par une fenêtre du deuxième étage, au nez et la barbe des patrouilleurs pour héler un taxi à quelques centaines de mètres de là. De retour chez lui, il s'était reposé jusqu'aux aurores avant de remettre en pratique son talent professionnel pour le maquillage, d'une qualité irréprochable...

Chapitre 7
Course-poursuite

Il ouvrit la porte, à la volée, avec toute sa puissance et toute la rapidité d'une grande masse musculaire lancée à vive allure. Celle-ci balaya l'air environnant et buta contre le béton avec fracas avant de revenir en force à son point de départ, manquant ainsi de s'écraser sur le nez du commissaire, qui tentait vaillamment de suivre la cadence. Une fois dehors et ne se préoccupant aucunement du sort de ses camarades, pourtant postés juste en face de lui, il scruta une foule abondante de milieu de matinée à la recherche du gras-double. Il l'aperçut au coin de la rue, à une cinquantaine de mètres de là. À ce moment-là, leurs regards se croisèrent mais seul Ori, avec sa vue surdéveloppée, put bénéficier de cet instant de défi et apprécier la tension extrême qui en émanait. Immédiatement, le Colosse traversa la chaussée et se lança dans une course effrénée à la poursuite du tueur.

Afin de ne pas écraser le Barbare ou plus probablement, de ne pas abîmer leurs voitures en percutant un tel phénomène, des bruits de pneus crissèrent en tous sens et se répercutèrent dans tout l'arrondissement…

*****

La vitre côté conducteur du véhicule banalisé était baissée, laissant entrevoir ses passagers. Un intense soulagement s'immisça en lui lorsqu'il vit David et Enrique le saluer, le tout agrémenté de francs sourires. Plus téméraire que la force de la nature, il patienta quelques secondes, le temps pour lui de traverser en toute sécurité. À tour de rôle, durant ce court laps de temps, son regard se porta un coup sur la voie puis sur ses acolytes, il fut étonné de les trouver dans la même posture mais n'en tint pas compte. Enfin, il put traverser et alors qu'il se rapprochait d'eux, un doute l'assaillit car ceux-ci n'avaient toujours pas esquissé le moindre geste. L'ascenseur émotionnel fut très percutant et des plus violents pour Alain, quand il découvrit la mise en scène et la sauvagerie de l'homme qui l'avait mise en œuvre. De bons hommes, des êtres loyaux et dévoués à leur métier, de chers amis à ses yeux, étaient à présent morts et outrageusement mutilés. Des hameçons étaient crochetés sur le coin de leurs lèvres, chacun d'eux étant relié par du fil de pêche et fixé par un nouvel hameçon sur le plafond de la voiture. D'autres hameçons étaient ancrés dans leurs mains respectives et tendus de la même façon, afin d'offrir un salut respectable à leur supérieur. Leurs têtes gardaient l'équilibre grâce à un fil passant autour de leurs cous et fixé sur la structure du véhicule, comme deux pendus jugés sans réserve au Moyen Âge. Le moins qu'on pouvait en dire, c'est que ceux-ci avaient rempli leur mission de martyrs à merveille…

*****

Les bouchons s'étendaient sur l'avenue à perte de vue, faisant progresser les conducteurs aussi rapidement que les piétons. Espérant futilement l'amoindrissement de leur frustration, nombre d'entre eux s'usaient la paume de la main sur les klaxons de leur véhicule, créant ainsi une cacophonie, certes irritable pour les uns mais insupportable pour lui. La foule environnante le privant d'une fuite à vive allure, il bondit sur le toit d'une berline et se mit à slalomer de véhicule en véhicule, se réceptionnant un coup sur la jambe droite puis sur la gauche et vice versa. Les passants virent, complètement estomaqués, un homme semblant peser dans les cent vingt kilos, faire des bonds insensés d'une voiture à l'autre et se mouvoir avec une agilité hors du commun, ne laissant même pas une trace d'impact sur les toits ayant servi d'appui…

*****

Tel un rouleau compresseur en train de tasser le goudron frais sur la route, l'Homme des Cavernes dessinait son parcours dans la masse humaine sans aucune difficulté, chaque passant s'écartant de bon cœur devant ce qui semblait être un Berserker en pleine furie.

Sur le capot d'une voiture et bifurquant sur la gauche, il aperçut à nouveau le Surhomme, celui-ci se trouvant à plus d'une centaine de mètres cette fois. Johnson calma ses ardeurs, le temps pour lui d'assimiler un constat évident, sa proie évoluait au moins deux fois plus vite que lui. Porté par son instinct bestial et naturel, il continua sa route parallèlement à celle du tueur…

*****

— À toutes les unités, notre homme est dans le quartier et vient de nous filer entre les doigts, dans la rue Détente. Alain fut contraint de reprendre sa respiration avant de poursuivre.

— CRS, attendez mes ordres. Patrouilles et unités au sol, bloquez-moi tout le secteur. Demande de renfort aérien, localisez-moi cette ordure et ne le lâchez plus d'une semelle. À bout de souffle, le commissaire était perdu et ne savait plus quoi faire. Sans parler de sa piteuse condition physique qui limitait drastiquement sa liberté de mouvement et donc les possibilités de poursuite. Contre toute attente, un regain d'énergie l'envahit lorsqu'il vit le Barbare au bout de la rue. Celui-ci allait avoir besoin de lui, il le savait et il ne permettrait pas qu'il lui arrive malheur à lui aussi…

*****

Après avoir bifurqué, Ori eut la chance de progresser dans une foule moins dense. Durant la course, il envoya valdinguer morceau par morceau son déguisement encombrant et poisseux, laissant ainsi apparaître ses deux épées courtes accrochées à son dos. Il portait une tenue sombre, malléable et élastique. Celle-ci permettait d'effectuer tous les mouvements envisageables, sans risque de déchirure, et lui offrait un confort sans pareil, s'adaptant aisément à des muscles pouvant doubler de volume en une fraction de seconde. Pris dans le feu de l'action, il n'avait pas arraché la totalité de son masque, il en restait sur sa joue et autour de son œil côté droit. Malgré sa grande vitesse de déplacement, les passants qu'il croisait pensaient voir, horrifiés, un homme au visage décharné avec des lambeaux de peau qui flottaient au rythme de sa course.

— *Attention !* Plus par peur et par réflexe spontané de défense que par courtoisie pour son hôte, Mike ne put réprimer cette mise en garde. Il ne supportait plus cette sensation d'incapacité avancée qui lui donnait l'indéfinissable impression d'avoir été implanté dans un légume. Seul l'éveil pouvait le sortir de ce calvaire mais il venait à peine de s'endormir. Sans parler du fait qu'il avait veillé toute la nuit. En prime, il devrait rejoindre ce psychopathe à son réveil, voir ce monstre en chair et en os. Qu'adviendra-t-il quand il se retrouvera face à lui ? Comment allait-il annoncer cette promesse à sa femme, ce pacte conclu avec le diable pour assurer leur propre sécurité ? Celle-ci arriverait-elle à comprendre que sa vie ne serait plus rien sans eux et qu'il la donnerait volontiers, avec le sourire d'un homme comblé sur le visage. Après mûre réflexion, sa couardise prit lentement le dessus et il se demanda si sa condition végétative actuelle n'était pas préférable. Cette lâche pensée ne l'effleura qu'une seconde, il allait le rejoindre dès que possible et il affronterait bravement le suppôt de Satan…

*****

Il n'eut pas le temps de contrer cette attaque inattendue, sa trajectoire fut brutalement coupée par ce qui semblait être un pilier bétonné balancé dans les airs à l'aide d'une grue. Le choc violent, reçu latéralement sous l'aisselle gauche, absorba toute la puissance de son propre corps, pourtant lancé à vive allure dans une direction opposée, et vida ses poumons instantanément. Ils finirent leur vol plané quelques mètres plus loin, perpendiculairement à la collision, sur un goudron rugueux et sans état d'âme. Bénies soit ses deux épées courtes car sans celles-ci, Ori se serait arraché tout l'épiderme dorsal sur l'asphalte, le colorant inexorablement de son sang…

*****

Les deux rues parallèles, l'une parcourue par la proie et l'autre par le chasseur, donnaient sur le même carrefour, se rejoignant en forme d'épine sur celui-ci. Par chance, le chemin emprunté par le chasseur et menant à la pointe était beaucoup plus court. Vu du ciel cela ressemblait à un V, dont l'un des deux segments aurait été, sur une bonne moitié, amputé. Comme un catcheur américain, le Barbare avait plongé sur sa proie sans peur des conséquences, se meurtrissant ainsi les deux coudes sur la chaussée lors de la réception. Il redressa la tête et planta son regard dans celui du tueur avec fierté. Sa masse musculaire le submergeant entièrement, il le tenait et n'avait aucunement l'intention de le lâcher. En voyant le sourire ambigu du surhomme, Johnson réalisa qu'il s'était placé dans une très mauvaise posture, dangereusement défensive…

*****

Son dos n'avait pas encore touché le sol qu'il avait déjà attrapé les poignets de son rival et passé ses jambes autour du bas-ventre de celui-ci, juste au-dessus du bassin. Fermement emprisonné dans sa garde, la force de la nature était à sa merci et le Surhomme quant à lui, pouvait envisager un nombre d'attaques considérables. Il libéra l'étreinte de ses jambes et plaça ses pieds en crochet sous chaque aine de celui-ci, ses cuisses doublant de volume et de puissance instantanément pour l'effort demandé.

Le Colosse sentit son corps quitter terre et se retourner aussi simplement qu'une crêpe dans une poêle. La force et la vitesse d'exécution le stupéfièrent car il n'aurait jamais cru un tel retournement de situation possible, l'action provenant d'un gabarit aussi léger. À son tour, son dos heurta violemment le sol.

Étourdi par le choc et la rapidité de l'attaque, il ne perdit qu'une mince seconde de conscience.

Toujours accroché à ses poignets, se servant de l'inertie du poids qu'il avait lancé dans les airs et de sa souplesse, Ori se mit en position montée sur le Barbare, se retrouvant à cheval sur celui-ci avant qu'il n'ait pu comprendre pourquoi ni comment.

Un premier direct du gauche le cueillit en pleine mâchoire, manquant de le mettre knock-out et de stopper ainsi un combat à peine commencé. Sentant la foudre arriver du bras droit de sa proie, Johnson positionna naturellement son bras gauche en bouclier, au-dessus de sa tête.

Le Surhomme s'adapta à la nouvelle situation en une fraction de seconde et changea de tactique. Cet adversaire était loin d'être à sa hauteur mais faisait partie, sans aucun doute, de l'élite et très peu de combattants serait capable de lui procurer un tel plaisir. Il avait d'ailleurs la ferme intention de savourer ce moment, en le faisant perdurer au maximum, malgré une horloge qui jouait pertinemment et immanquablement contre lui. Son deuxième direct aurait pu franchir la garde du colosse aisément et lui défoncer le crâne mais, en lieu et place de cela, il freina la course de celui-ci pour lui attraper le poignet avec ses deux mains. Dans le même temps, Ori avait redressé sa jambe gauche, se retrouvant en appui sur celle-ci et le pied posé à plat, près de l'épaule droite du chasseur. Sa posture actuelle ayant allégé son propre poids dans la gravité, il fit pivoter ses hanches dans le sens de l'attaque et élança sa jambe droite pour la passer derrière le bras gauche du barbare. Leurs deux corps formant désormais un angle droit parfait, la clé de bras était plus qu'amorcée…

*****

De manière grisante, il ressentait toute la déferlante de puissance, d'agilité et de maîtrise émanant de son hôte. Ce panaché de compétences, pourtant exploité à demi-mesure, les rendait déjà intouchables face à des situations aussi basiques. S'il s'était réellement retrouvé face à un personnage comme Johnson, un homme doté naturellement d'une force supérieure aux autres, il se serait fait démembrer sans ambages. Mike se ressaisit immédiatement en chassant ses idées noires, cette avidité naissante pour le pouvoir, de son esprit.

— *C'est un homme fort et brave comme il en existe peu, ne lui fait pas de mal. Tout du moins, ne le tue pas, s'il te plaît.*

Ori sentit toute l'émotion dans la voix de son invité. Que ça plaise ou non à celui-ci, une vraie complicité était en train de s'immiscer entre eux. Un sentiment d'amertume l'envahit lorsqu'il repensa à l'aboutissement de ce début d'amitié, non prévue dans le programme.

— *Rassure-toi, mon ami, je n'en ai pas l'intention. Je vois beaucoup de contradictions en toi. Un coup, tu me hais et le moment d'après, j'ai l'impression que tu m'aimes. Quand est-il vraiment ?*

Leur conversation fut soudainement, coupée par l'action intempestive qui suivit. Animé par une furieuse colère, le Berserker contracta tous ses muscles pour soulever sa proie et roula d'un demi-tour sur lui-même, transportant dans les airs pas moins de soixante-dix kilos avec la puissance d'un seul de ses bras. Comme s'il avait voulu frapper le sol avec son poing, la force de la nature s'apprêtait à l'envoyer tête la première sur le goudron.

Le Surhomme, abasourdi par cette attaque titanesque, desserra sa prise et se dévissa complètement sur le bras de celui-ci, se retrouvant dos à l'asphalte juste avant l'impact.

Johnson quant à lui, s'étant attendu à ce genre de riposte, s'était redressé sur un genou dans le même mouvement afin de dégainer son 9 mm avec sa main droite. Le canon, se trouvant désormais à seulement quelques centimètres du front du surhomme, fit entendre sa détonation sur-le-champ, finissant d'apeurer des spectateurs déjà aux aguets…

*****

Les sirènes raisonnaient de tous les côtés, supplantées par le bruit assourdissant d'un hélicoptère, qui tournait en rond autour du secteur. La foule se volatilisa comme par magie, désirant échapper à cette guerre et surtout sauver leurs peaux.

Il venait d'entendre le coup de feu. D'ici, il ne voyait pas exactement ce qu'il se passait mais il apercevait des gens qui détalaient dans tous les coins, libérant une zone concentrique définissable par ses yeux. Il n'était plus très loin, pourvu que j'arrive à temps, pensa-t-il, à cet instant. L'équipe aérienne le contacta à ce moment-là.

— Cible en vue, commissaire, en altercation avec un de vos hommes, en attente d'instruction.

— Très bien, aucune action pour le moment. Tout ce que je vous demande c'est de ne pas le perdre de vue.

— Reçu cinq sur cinq.

Ses poumons étaient à la limite de l'embrasement et chaque enjambée supplémentaire était accompagnée d'une quinte de toux irritable, malgré tout Alain tenait bon. Pour rien au monde, il n'abandonnerait son homme, il mourrait pour lui ou avec lui, mais pas sans lui. Accaparé par ses pensées et sa mauvaise condition physique qui le tourmentait sans relâche, il se retrouva tout proche d'eux avant même de s'y être préparé…

La balle quitta la chambre du canon, à plus de mille deux cents kilomètres par heure, accompagnée de nombreuses étincelles produites par les différents frottements. Sa vue et ses réflexes, affûtés bien au-delà du possible, avaient tout enregistré dans les moindres détails. Comme s'il avait mis, par à-coups, une vidéo sur pause puis sur lecture, le Surhomme vit celle-ci arriver au ralenti. Il déplaça sa tête à la vitesse de l'éclair mais pas assez rapidement. Il sentit la balle créer une profonde ligne droite, de sa tempe gauche jusqu'à l'extrémité de son crâne avant de s'écraser sur le goudron, faisant voler celui-ci en éclat sur plusieurs centimètres de diamètre. Venant à peine de quitter le pistolet, la balle était plus chaude qu'un volcan en éruption. Elle cautérisa et cicatrisa la plaie instantanément, lui laissant d'ores et déjà, un souvenir qu'il ne pourrait jamais oublier. Après analyse des dommages subis, il se rendit compte que le vrai problème n'était pas cette vilaine cicatrice, nouvellement acquise. En effet, un filet de sang ruisselait de chacune de ses oreilles, le long de son cou. L'intérieur de sa tête bourdonnait à foison, lui envoyant des ondes de choc douloureuses à répétition. Celles-ci rebondissaient sur l'ossature de son crâne et se répercutaient avec une violence accrue, sur une autre facette de son cerveau, le rendant mou et impuissant. Comme il s'en était douté, l'un de ses sens trop développé lui avait joué un mauvais tour. Lorsque la gâchette avait été comprimée par son rival, ses deux tympans avaient explosé instantanément, ceux-ci ne pouvant supporter un tel degré sonore. Il ressentit ensuite un manque cruel d'équilibre et de coordination dans ses mouvements, lui donnant la désagréable impression d'avoir été bombardé par des grenades incapacitantes.

Profondément touché dans son orgueil, Ori laissa libre cours à sa colère et déverrouilla toutes les brides, sciemment installées par ses soins, de ses capacités. Il termina sa clé et fractura au niveau du coude le bras musculeux du barbare, dans un craquement dégoûtant. Tout de suite, il abandonna l'emprise qu'il avait avec ses jambes sur le bras de celui-ci et plaça ses deux pieds joints sur son thorax. Demandant toute la puissance dont il pouvait disposer, ses cuisses doublèrent de volume et il déploya son corps avec plus de rigidité qu'un arc bandé.

L'Homme des Cavernes fut projeté à plusieurs mètres de hauteur et retomba lourdement sur son dos. La violence du coup, assaini puissamment par sa proie, avait déformé les traits de son visage, le rendant méconnaissable durant l'absorption du choc et le rendant inerte avant même d'avoir touché le sol.

Le Surhomme s'était relevé souplement, dans la foulée. Ses yeux se posèrent sur un invité de marque, seul le corps inconscient de Johnson les séparait l'un de l'autre, et l'arme de celui-ci était braquée dans sa direction…

*****

Des véhicules de police arrivaient dans tous les sens, le cernant petit à petit, de toute part. Privé de son ouïe, le Surhomme sentit pour la première fois de sa vie, de sa nouvelle vie, une vague de panique l'envahir. Autour de lui, tout semblait fonctionner au ralenti, un peu comme si le temps s'était arrêté ou incliné. Cédant la place à de terribles bourdonnements martyrisant sa boîte crânienne sans relâche, avec un malin plaisir. Il n'entendit rien, mais la vit néanmoins fendre l'air. Tournoyant plusieurs fois sur elle-même, à chaque millième de secondes qui s'écoulait, celle-ci happait le dioxygène et le diazote pour les mélanger tous deux dans une spirale infernale. Éjectée par le colt 45 du commissaire, la balle ondulait légèrement avec la friction de l'air, menant un combat acharné contre les forces invisibles et impénétrables de la nature, dans le seul souhait d'atteindre son objectif. Par réflexe, Ori tendit son bras gauche devant lui, paume ouverte, face au projectile mortel qui arrivait. Cela lui parut stupide sur le moment et pourtant, celle-ci fut stoppée à seulement quelques centimètres de sa main. Bloquée dans les airs par une puissance inconnue, elle fit encore une dizaine de tours sur place avant d'entamer une chute libre à la verticale.

L'onde d'énergie, se propageant jusqu'au Cerveau, démembra une par une les parcelles démontables de son flingue, ne lui laissant qu'une crosse vide et inutile dans sa poigne crispée. Hébété et tétanisé, celui-ci observa l'arme dans sa main (qui d'ailleurs à ce moment-là n'en était plus une) ainsi que les morceaux de celle-ci, étalés sur le sol à proximité de ses pieds.

Attisés par une adrénaline bouillante, les feux de l'enfer semblaient s'être immiscés dans son corps pour le consumer de l'intérieur. L'étendue de cette nouvelle aptitude se révéla être plus limpide que de l'eau de source. Les yeux injectés de sang, et chacune des molécules de son être portées à ébullition, Ori tendit le bras droit en direction d'une plaque d'égout circulaire, se trouvant entre lui et Treffert. Comme si elle subissait les caprices d'un tremblement de terre, celle-ci vibra légèrement dans un bruit de couverts qui s'entrechoquent, mais ne s'en offusqua pas plus que ça. Soudainement, un cri de guerre bestial et empli de rage émana du Surhomme, multipliant par mille l'attraction produite sur la plaque. Le regard de chaussée, pesant pas moins de cinquante kilos, se souleva dans les airs à mesure qu'Ori élevait sa main…

*****

Alain, estomaqué par le tour incroyable qui se jouait devant lui, ne pouvait toujours pas esquisser le moindre geste. Tous les fondements de l'humanité défilèrent rapidement dans son esprit, le rendant pas plus grand qu'une punaise face à une telle démonstration de supériorité. Il était aussi soumis et respectueux qu'un apôtre rencontrant enfin son dieu, après une vie entière de croyance et de dévouement à sens unique. Un mouvement en contrebas le sortit partiellement de son état hypnotique actuel, Johnson venant de s'éveiller et tentant avec la plus grande difficulté de se redresser en s'appuyant sur son coude encore valide. Dans le même temps et du coin de l'œil, il aperçut une patrouille de police qui déboulait à toute allure sur sa gauche. Les pièces du puzzle s'emboîtèrent mécaniquement dans sa tête. Cette plaque en suspension, le Barbare arme au poing et prêt à faire feu, ce véhicule de police lancé sur les chapeaux de roues dans leur direction. Puis venait enfin la pièce maîtresse, un dieu injustement perfide, rassemblant ses moutons dans une posture salutaire des plus rassurantes, afin de les mener gaiement à l'abattoir ou au purgatoire.

À seulement quelques centimètres de lui, se trouvait le passage menant aux égouts. La fonte tournoyait sur place, juste au-dessus de sa tête et à une vitesse incroyable, créant un sifflement continu dû aux frottements des particules atmosphériques contre celle-ci. Mais encore une fois, il en fallut plus pour impressionner l'Homme des Cavernes.

— Fais le moindre geste et je t'explose la cervelle, enfoiré !

Une puissante aura transpirant de tout son être, le tueur esquissa un sourire malicieux et empli de fierté pour seule réponse.

— Ne tire pas, cela est inutile, renchérit Alain. Tu peux me croire, ajouta celui-ci d'un ton désespéré.

Après avoir mené un combat acharné et subi une cuisante défaite, Johnson ne comprenait pas le sens des mots de son commissaire car il venait à peine de refaire surface. Mais des années de travail et d'innombrables enquêtes, résolues en commun, lui ont appris qu'il pouvait lui faire confiance.

Brusquement, le Surhomme braqua son bras droit perpendiculairement à son bras gauche, avec une infime inclinaison descendante. Telle une salve de roquette, la plaque d'égout fusa et s'encastra dans le véhicule de police arrivant en sens inverse, encore situé à une vingtaine de mètres de là. Broyant capot et moteur sur son passage, celle-ci créa un choc de forces contradictoires entre elle et la trajectoire du véhicule. Celui-ci partit dans un salto manqué et se retrouva sur le toit en moins d'une seconde, continuant sa route dans une glissade incontrôlée. L'habitacle se déforma affreusement sous le propre poids de la berline, créant des gerbes d'étincelles en raclant le sol et se déchirant contre le goudron rugueux. Les vitres se brisèrent en envoyant des débris de tous les côtés, le crissement de la tôle provoqua un bruit aigu et cassant dans tout le quartier à mesure que celle-ci progressait. Se compactant en harmonie avec l'impact, les hommes à l'intérieur finir en bouillie in identifiable, aussi sûrement que la voiture s'était transformée en décapotable.

Trop absorbé par cette déferlante d'informations incongrues, le Colosse ne prêtait plus la moindre attention au surhomme. Il était pourtant en équilibre sur le fil de sa vie, aux abords d'un gouffre profond, si profondément impénétrable que seules la brume et la noirceur des abysses pouvaient rendre échos à ses yeux. Il observa, impuissant, un tas de tôles froissées de plus d'une tonne, arrivait droit sur lui et prêt à le repasser sur l'asphalte comme un vêtement sur une planche.

L'action ne dura en tout et pour tout que quelques secondes, mais cela suffit à ébranler l'esprit ingénieux du commissaire. Un choix des plus délicat s'imposa à lui, soit il tirait Johnson d'une mort certaine, soit il interceptait le tueur avant la fuite de celui-ci dans les égouts. Avec toutes les patrouilles quadrillant le secteur, l'hélicoptère tournant en boucle juste au-dessus de leurs têtes et les CRS prêts à intervenir, le Surhomme n'avait aucune chance. En le privant de son plan de repli, il le stopperait à coup sûr et dans ce cas-là, éviterait probablement de nombreuses victimes supplémentaires. En contrepartie, il devrait assumer la responsabilité d'avoir sacrifié un coéquipier ainsi qu'un ami, mais aussi affronter la colère et l'anéantissement d'une femme ayant perdu à jamais l'homme de sa vie. Il devrait la convaincre que c'était la meilleure chose à faire, essayer de la persuader que sa mort n'aura pas été vaine et aura sauvé de nombreux innocents. En résumé, Alain devrait la regarder droit dans les yeux et lui dire qu'il avait sciemment choisi de le laisser mourir pour le bien des autres…

Son égoïsme naturel, propice à la race humaine, prit bien entendu largement le dessus. Alain sortit vivement de sa torpeur pour agripper le Barbare sous les aisselles afin de le tirer en arrière et lui éviter un écrasement généralisé, de masse corporelle. Déployant brutalement toutes les forces dont il disposait, son corps frêle parvint à arracher le Barbare du sol au prix d'une future lombalgie aiguë, associée à de nombreuses contusions musculaires. Dans le même temps, Ori bondit dans l'accès circulaire menant aux égouts, avant que le véhicule de police accidenté n'obstrue complètement le trou de celui-ci.

Durant le processus d'intervention, leur regard se croisa une nouvelle fois. Le Cerveau put lire de la démence et de la colère dans les yeux du tueur, mais surtout une fierté inébranlable. Et il savait, une telle assurance combinée à une telle puissance, ne présageait rien de bon pour l'avenir.

Le Surhomme quant à lui, ne nota qu'une immense certitude dans les yeux du commissaire, ainsi qu'une désarmante sollicitude. Comme si celui-ci était déjà convaincu d'avoir gagné la guerre, alors qu'il venait tout juste de perdre une imposante bataille, en y laissant deux de ses meilleurs hommes. Tant de compassion, accompagnée d'un aboutissement sans équivoque, le décontenança dans ses propres certitudes et le ramena dans un état d'esprit d'extrême prudence. Car en aucun cas, il ne devrait sous-estimer son adversaire…

Chapitre 8
Les égouts

Une agréable brise de fraîcheur envahissait les lieux, effleurant la peau de son visage comme une douce caresse et séchant lentement, ses vêtements moites de transpiration. De longs frissons parcouraient tout son corps, ceux-ci hérissaient ses poils et marquaient son épiderme de stigmates minuscules, lui donnant une désagréable sensation de chair de poule.

Fort heureusement et pour son plus grand soulagement, cette nouvelle montée de fièvre était bien moins harassante que la précédente. Celle-ci n'étant pas suffisamment virulente pour le plonger dans les abysses de l'inconscience, il allait pouvoir poursuivre sa fuite en avant et tenter de trouver une échappatoire. Un goutte-à-goutte résonnait de toute part sur les parois des tunnels mais ses tympans, encore tuméfiés, ne pouvaient percevoir le moindre son.

Les pieds dans une eau vaseuse, montant jusqu'à la naissance de ses mollets, il progressait dans une noirceur angoissante et impénétrable malgré son acuité visuelle surdéveloppée. Des rats détalaient dans tous les coins, sur les fines bordures en béton jouxtant les côtés du tunnel, à chacun de ses pas. L'odeur infecte environnante, associée à la fièvre, lui donna rapidement la nausée et acheva de lui saper le moral.

Peut-être était-il en enfer, pensa-t-il. Il était probablement mort et en train d'expier tous ses péchés car tant d'hommes innocents tués de ses propres mains, ne pouvaient rester impunis. Comment peut-on l'appréhender, comment faire la différence ? Seul un homme mort peut savoir ce qu'il y a après, mais s'il existe une suite, comment réaliser à quel moment nous en faisons partie ? Il ne pouvait qu'y être, se répétait-il ostensiblement, je suis là pour régler mes dettes dans des tunnels obscurs et infranchissables. J'errerai indéfiniment dans la noirceur et la puanteur…

— *Ta gueule, putain, trouve-nous plutôt un moyen de sortir de ce trou à rats !*

Il avait pour habitude de savoir se contrôler, d'être maître de ses actions et de ses pensées. L'utilisation spontanée, de ce genre de jargon, prouvait qu'il était complètement dépassé par les évènements. Pire encore, cela lui fit réaliser quelle vie simple et facile il avait mené jusqu'à présent. Plus d'une fois, Mike avait retiré une immense fierté dans sa manière, efficace et équilibré, de résoudre les petits bémols du quotidien. Tout cela lui semblait si ridicule désormais, il n'avait été qu'un mouton suivant le troupeau, comme un robot dans la société, manœuvré par une poigne de fer. Un vrai problème s'opposait à lui aujourd'hui, en la personne d'Ori. Un homme qui n'avait plus rien à perdre, la vie s'étant déjà chargée de lui enlever ce qu'il avait de plus cher au monde. Il était pris, malgré lui, dans les filets d'un tueur redoutable et sans limites. Il le savait, ce problème-là ne se règlerait pas sans dommage ni concession draconienne, il devrait assumer de lourdes conséquences pour assurer la pérennité de sa famille. Parallèlement et avec empathie, il découvrait une autre facette de sa personnalité. Celle-ci était en plein développement et en totale contradiction avec les convictions de sa vie passée car il prenait plaisir à tout cela, un plaisir malsain. Plus que tout, il aimait ressentir cette puissance, se mouvoir en elle sans la moindre retenue et sans la moindre peur…

— *Merci, l'ami. Je trouve ta manière de procéder un peu brutale et vulgaire mais bon sang, c'est sacrément efficace.*

Ori marqua une pause, afin de reprendre complètement ses esprits, avant de poursuivre.

— *Mon Dieu, je serai certainement devenu fou sans toi…*

Mike ne pouvait plus garder contenance. Chaque instant ou action supplémentaire partagé avec ce fou, faisait inexorablement dériver son esprit vers le côté obscur. Il lui en voulait à lui, alors que cette perversion, uniquement personnelle, lui incombait entièrement.

— *Arrête un peu tes conneries, je ne suis pas ton ami. Je ne suis pas là par plaisir et tu le sais très bien, si je suis là, c'est parce que je n'ai pas d'autre choix.*

Il reprit, avec une colère grandissante dans le timbre de sa voix.

— *Et je te prierais de laisser Dieu en dehors de tout ça. Dois-je te rafraîchir la mémoire ?*

Il ne lui laissa pas le temps de répondre et continua, le souffle court.

— *Ton dieu a broyé tes trois enfants et ta femme à l'aide d'une voiture, pour en faire une mixture inidentifiable ! Te souviens-tu maintenant ? Te souviens-tu du choc et de l'horreur, que j'imagine insoutenables, quand tu as découvert cette sauvagerie improvisée spécialement par ton dieu, pour ta chère et tendre famille ?*

Ori se retrouva subitement dans un couloir, d'environ deux mètres de large sur trois mètres de haut et d'une vingtaine de mètres de long, comme coincé dans un rectangle parfait. De nombreuses portes se dessinèrent de chaque côté des cloisons, certaines étant ouvertes et d'autres demeurant closes. Le tout aurait pu faire penser à l'étage d'un hôtel mais l'absence de décorations et les murs d'une intense blancheur rappelaient plutôt celui d'un hôpital. Il voulut faire un pas en avant, pour découvrir ce qui se cachait derrière les portes encore verrouillées mais au même moment, une tempête venue de nulle part et d'une puissance inimaginable se déclencha.

Celle-ci déverrouilla avec fracas, chacune des portes se trouvant sur les côtés et précédemment fermées, semblant rebondir d'une cloison sur l'autre à une vitesse folle. Une fois son œuvre achevée, la tempête le frappa de plein fouet, l'envoyant valdinguer brutalement sur la paroi se trouvant dans son dos. Cloué sur place, à plusieurs centimètres du sol par cette force invisible, il reçut un abominable afflux de souvenirs, enfouis depuis des jours par sa propre conscience. Il revécut le crash, la panique et la consternation lorsqu'il avait longé le camion. L'effroyable réalité, lorsqu'il avait découvert des morceaux de chair et d'os de ses bien-aimés mélangés à de la tôle comprimée, dans un amalgame répugnant. La douleur était de nouveau insoutenable, son cœur battait à tout rompre et des larmes ruisselèrent le long de ses joues, suivant les traits de son visage comme un ruisseau se déverserait dans la mer. Mais inconsciemment, il s'y était préparé et surtout, la dernière porte se trouvant tout au bout du rectangle, en face de lui, l'intrigua au plus haut point. Le cadre de celle-ci était bordé de sculpture en or et rayonnait d'une vive lumière dans tout le périmètre. Les gravures, en trois dimensions, représentaient des épées courbées s'entrelaçant comme des serpents et semblaient être reliées entre elles par de massives chaînes. Au milieu du plus petit segment du cadre, en haut de la porte, apparaissait un visage empli d'émotions. Celui-ci changeait à chaque battement de paupières, dans une multitude d'expressions. Tantôt il paraissait serein et proche de la quintessence, tantôt il paraissait angoissé et animé par une rage indescriptible. La fois d'après, ses traits affichaient une tristesse éloquente puis contrastaient complètement avec une joie enivrante... La tempête cessa en un battement de cœur, délestant son corps de sa puissante étreinte. Lorsqu'il toucha le sol, d'un blanc immaculé, il se retrouva brusquement dans les bas-fonds, les pieds dans une eau vaseuse et croupissante. Le Surhomme se rasséréna quelque peu avant de répondre à son invité.

— *La haine, dont tu fais preuve à mon encontre, répond plus sûrement à mes questions que le propre son de ta voix. Une grande partie de ton être est galvanisée, non, obnubilé par cette force qui nous a unis pour le pire. L'infime partie de toi restante ne supporte pas le désastre qui en découle, toute cette sauvagerie, tous ses morts en vain et tous ses trépas à venir...*

Ori marqua une pause, perturbé par une lointaine résonance. Son ouïe n'étant pas encore opérationnelle, il ne pouvait s'agir d'un bruit extérieur. Néanmoins, il continua en gardant l'esprit en alerte.

— *Pour répondre à ta question, la réponse est non ! Je n'ai pas oublié la tragique fin de mes enfants, l'éradication instantanée de ma propre chair et de mon propre sang. Non, je n'ai pas oublié la beauté la tendresse de ses câlins, la prestance de sa présence et l'amour invétéré que j'avais pour elle...*

Tentant de déchiffrer cet écho, de plus en plus présent et gênant dans son esprit, l'hôte laissa un blanc de quelques secondes pour étudier cette étrange sensation avant de poursuivre.

— Enfin oui, tu as raison, nous ne sommes pas amis. Même si cela me rassure de le penser, de croire qu'il en est ainsi. Je ne peux m'octroyer ce genre de dû qui devrait être mutuellement partagé et réciproque, par mon simple bon vouloir. Quoi qu'il advienne, il faut que tu saches une chose importante, je n'ai pas choisi ça... Il se reprit :

— Je n'ai jamais ni souhaité ni désiré t'embarquer dans cette aventure. Il faut que tu comprennes que si tu es à mes côtés, ce n'est pas à cause de moi mais malgré moi et surtout, que j'en suis profondément désolé...

L'invité fut touché par ces révélations qui, il n'en doutait pas une seconde, étaient des plus sincères. Il s'en voulut immédiatement d'avoir été aussi dur et impartial avec celui-ci mais le mal était fait. La récente perversion de son esprit, vers l'anarchie et la bestialité, l'avait momentanément privé de discernement dans sa réflexion. Il était hors de question pour lui de laisser cette facette de sa personnalité prendre le dessus sur ce qu'il avait été, des années durant. Il devait se rattraper, tant bien que mal, et il allait le prouver tout de suite en se confiant pleinement au surhomme.

— Écoute, c'est moi qui te dois des excuses. J'ai tellement peur de perdre ma famille que j'en oublie que tu as perdu la tienne. Mais il n'y a pas que ça, tu as raison sur toute la ligne. Je prends goût à cette puiss...

Tout d'un coup, l'esprit de Mike s'embruma, lui faisant perdre totalement le fil de ses pensées, il ne savait plus où il en était. Il voulait pourtant se souvenir, mais chacune des idées, à laquelle il tentait de s'accrocher, s'évaporait vainement dans un brouillard de plus en plus épais. La sensation était comparable à certains matins, au réveil. En ouvrant les yeux, on visualise parfaitement un rêve mais plus on émerge du sommeil et plus celui-ci s'enfouit dans les méandres de notre subconscient, pour finir par être complètement inaccessible...

Dans le même temps, Ori, toujours accaparé par cette étrange résonance, comprit enfin la provenance de cet écho insistant.

— *Mike, écoute-moi très attentivement, tu m'entends ?*

L'esprit vacillant, celui-ci réussit à articuler.

— *Ouiiii...*

— *Tu m'as fait une promesse, t'en souviens-tu ?*

N'ayant aucune réponse immédiate, Ori reformula sa question en haussant le ton.

— *Tu m'as fait une promesse, mon Ami, t'en souviens-tu ?*

Pris dans la spirale infernale de ses propres pensées, Mike n'arrivait plus à leur échapper. Seule la voix de son hôte, du moins l'un des termes utilisé par celui-ci, parvint à le sortir de cette tornade, lui conférant ainsi la force nécessaire pour répondre.

— *Je dois te rejoindre à mon réveil...*

*****

Le quartier affichait une mine, anarchiquement unique, des plus impressionnantes. De mémoire d'homme, aucun n'eut souvenance d'une telle débâcle, d'un tel chaos.

En quelques minutes seulement, tout le secteur avait été bouclé par les forces de l'ordre. Des déviations, improvisées et inadaptées, avaient été mises en place de toute part, provoquant des kilomètres de bouchons aux alentours et se répercutant sur d'autres secteurs de la ville. Les hélicoptères se croisaient et se recroisaient interminablement, fendant l'air en irritant les tympans à l'écoute, tel un bourdon voletant sans cesse à proximité d'une oreille.

Sur la terre ferme, des sirènes de toutes sortes, pompiers, policiers et ambulanciers résonnaient dans chaque ruelle, dans chaque recoin du quartier, se mélangeant à celui des hélicos dans un bruit permanent de fin du monde.

Les passants formaient une masse compacte devant les barrières de sécurité, le long des rues présentant de l'intérêt, sur des mètres et des mètres. Les habitants, présents dans les immeubles jouxtant les rues, étaient tous pendus à leurs balcons, foudroyés par une curiosité intarissable, comme si toute leur vie n'avait eu lieu d'être que pour ce grand moment. Même les conducteurs, bloqués par les bouchons, descendaient de leur véhicule afin d'attiser leur curiosité et enfler davantage ce bourrelet déconvenue.

À moitié broyé, par ce qu'il venait de se passer et toute cette pression environnante, le Cerveau raccrocha son portable, sa communication avec le central étant terminée.

— Alors ? demanda Johnson sur le ton de la colère, son bras gauche pendant mollement sur le côté.

Treffert l'observa des pieds à la tête avant de répondre, ne pouvant contenir une esquisse de sourire aux coins de ses lèvres.

— Alors, tu devrais être en route pour l'hôpital, non ? Ton bras semble être sur le point de se décrocher, reprit celui-ci.

Cette boutade détendit l'atmosphère une fraction de seconde, un temps suffisant pour que le Barbare fasse profiter la foule de son rire rocailleux, aux allocutions caverneuses.

— J'irai plus tard, les secours ont de quoi s'occuper pour l'instant. Comment ça se passe dans les égouts ?

Ils durent s'écarter quelque peu pour s'entendre, les pompiers étant en train de découper, à coup de disqueuse gigantesque, la tôle du véhicule de police obstruant la bouche d'égout (dans laquelle Ori avait pris la fuite) afin d'extraire les corps des deux agents, du moins ce qu'il en restait. Dans le même temps, une dépanneuse, ayant reçu des ordres très stricts sur sa rapidité d'intervention, dégagea le véhicule à l'aide de son treuil. Les secours, abasourdis, tentaient de suivre le mouvement avec leur disqueuse pesant une tonne. Sans les deux cadavres compressés et méconnaissables à l'intérieur de la voiture, la scène aurait été des plus comiques.

— Moins bien que je ne l'eusse imaginé au premier abord, répondit le commissaire. Entre les émissaires, les collecteurs principaux et secondaires, je n'ai pas tout compris mais j'ai néanmoins retenu l'essentiel. Mille quatre cents kilomètres d'égouts s'étendent sous nos pieds, tous reliés d'une manière ou d'une autre et suffisamment grands pour qu'un troll puisse passer… Le commissaire fut interrompu par un secouriste tendant une longue écharpe à Johnson, ou plutôt, la jetant. Passant en coup de vent, celui-ci semblait avoir mieux à faire qu'un bras ballant. L'Homme des Cavernes inclina la tête en direction d'Alain pour que celui-ci poursuive et commença à isoler son bras.

— Il ne prendra pas le risque de revenir dans les parages, il sait pertinemment qu'on quadrille tout le secteur. Il n'a qu'une seule option pour s'écarter de notre joug, le tunnel principal mesurant plus d'un kilomètre et demi, par lequel il est entré. Celui-ci est coupé net par un grand local de maintenance, de forme rectangulaire, d'environ trente mètres sur quinze. Ce nouveau réseau, en forme de II romain, dessert cinq tunnels. Quatre sur ses extrémités et le tunnel principal, celui-ci se poursuivant après le local technique. Seul deux de ses tunnels mènent sur une sortie directe. Les autres embranchements sont plus complexes qu'une toile d'araignée, s'il parvient à traverser ce réseau, nous ne pourrons plus mettre la main dessus.

Voyant son acolyte, son dernier acolyte faisant partie de ses amis, pensa-t-il avec tristesse, s'échiner vainement pour maintenir son bras en place d'une seule main, il vint à sa rescousse. Il lui passa l'écharpe autour du cou et fit un nœud derrière, comme un parent attacherait un bavoir à son bébé.

— Je suis un père pour toi, déclara Alain avec un sourire.

Le regard sauvage, acéré comme des griffes de faucon en provenance du Barbare, fit comprendre à Treffert que le sujet était clos. Dans les yeux de celui-ci se lisait une émotion au comble du désarroi. Johnson réalisa soudainement et avec effroi qu'il avait complètement oublié ses amis, trop accaparé qu'il était dans cette quête.

— Merci, chef, dit-il avec une véritable gratitude. Comment vont-ils ?

Les yeux brumeux de son chef lui donnèrent immédiatement la mesure. Alain, sachant pertinemment que ce genre de réponse n'était pas suffisante pour son ami, lui répondit clairement.

— Ils sont morts tous les deux. Il les a lâchement poignardés dans le dos.

Le commissaire ne jugea pas utile de lui raconter la scène mise en place par ce psychopathe. Sa haine envers le tueur devant déjà être bien assez grande. Il reprit pendant que des CRS pénétraient dans les égouts, le Cerveau ayant déjà donné toutes les directives nécessaires, au début de la traque.

— Néanmoins, un détail important m'a sauté aux yeux, les égouts sont en permanence plongés dans l'obscurité la plus totale, ils ne sont allumés qu'en cas de besoin. Cette obscurité va nous être très utile, j'ai demandé au central de créer un itinéraire pour notre proie, j'espère que celui-ci le mènera droit dans la gueule du loup.

L'Homme des Cavernes appréciait ce plan à sa juste valeur. Affronter cet homme, ce surhomme impitoyable aux capacités extraordinaires, dans un lieu aussi confiné que les égouts, se solderait par un bain de sang. Une traque pour le pousser à sortir était de loin la meilleure option, malgré tout, ce plan s'appuyait sur trop de suggestions à son goût. Il en fit part à son supérieur.

— En admettant qu'il se retrouve dans votre II romanesque, il ne sera pas assez stupide pour suivre le premier tracé allumé.

— Non, en effet, c'est pour cela que nous allons en créer plusieurs. Il afficha un sourire malicieux avant de poursuivre.

— Je comprends parfaitement tes réserves mais nous n'avons guère le choix, puis tous les chemins mènent à Rome, paraît-il… Son téléphone vibra à ce moment-là, c'était le central, la mise à exécution de la battue était prête.

— Je dois partir, va à l'hôpital, faire plâtrer ton bras.

— Je viens avec vous.

— C'est un ordre, Jon ! dit-il autoritairement. Garde ton portable sur toi, je te tiendrais au courant quand on l'aura chopé.

Le Barbare allait protester, mais Alain ne lui en laissa pas le temps, il avait déjà tourné les talons et empoigné son talkie-walkie.

— OK, se dit le Colosse en rejoignant les secours les plus proches, mais je reviendrai…

*****

— Bébé… Bébé… Bébé… À chaque instant, la résonance des sons se clarifiait dans son esprit, cela n'étant apparemment pas suffisant pour l'émergence de celui-ci. Secoué comme un prunier, Mike se redressa brutalement, manquant de mettre un coup de boule à Jane. Celle-ci s'écarta juste à temps pour éviter le choc frontal et nasal.

— Putain, t'es pas bien ou quoi ? T'as failli me péter le nez ! Elle était en colère, très en colère et cet état de fait sorti Mike de sa torpeur immédiatement.

— Désolé ma chérie, mais t'as vu comme tu m'as réveillé aussi ?

Les yeux grandissants et flamboyants de sa bien-aimée lui indiquèrent, solennellement, qu'il s'agissait d'une mauvaise réponse.

— Ça fait dix minutes que j'essaie de te réveiller, dit-elle avec un regard brûlant. Quand je suis revenue dans la chambre, tu étais trempé de sueur et tu gesticulais dans tous les sens, je ne t'avais jamais vu comme ça. Elle marqua une pause pour observer l'air benêt de son mari. Un air qu'il prenait chaque fois qu'une conversation le dépassait. Ce qu'il n'avait toujours pas compris, après plusieurs années de vie commune, c'est que cette mimique décuplait la colère de celle-ci sans retenue aucune.

— La prochaine fois, je te jette un seau d'eau sur la tronche, reprit-elle sans équivoque.

Mike sortit trop vite du lit, il chancela dangereusement en avant et fut contraint de se retenir sur la table de chevet, afin de ne pas s'écraser sur le sol devant sa femme. Malgré tout, il devait prendre la route sur-le-champ, il avait pris des engagements irrévocables. Faire accepter cette idée saugrenue à Jane semblait être beaucoup plus risqué, pensa-t-il, surtout dans l'état psychique actuel de celle-ci.

— Je dois partir, maintenant. Je t'appellerais à mon arrivée.

Il marqua une pause afin que sa femme digère en douceur la première information avant de balancer la suivante qui, selon son expérience à son sujet, rendrait le tout très indigeste pour elle.

— Je vais le rejoindre, c'est le seul moyen pour moi de vous mettre à l'abri du danger, définitivement.

Elle sentit une colère noire la submerger. Animée par son cœur, celle-ci affluait dans tout son être, exorbitant ses yeux de leurs cavités et transformant sa peau, habituellement lisse et soyeuse, en veines palpitantes. Son corps, ressemblant désormais à une carte routière, Jane se ressaisit et calma sa foudre naturelle. Elle connaissait parfaitement son homme, elle savait reconnaître une situation, quasiment inébranlable. Elle tenta donc la seule chance qui lui restait de le retenir auprès d'eux.

— Je t'en supplie, bébé, dis-moi que c'est une blague.

Il allait répondre mais elle continua.

— Que faisons-nous ici, chez mes parents ?

Encore une fois, il voulut s'exprimer mais elle le prit de court.

— Tu veux que je te rappelle la raison de notre présence en ces lieux ? Tu veux que je te rappelle que je t'ai suivie dans un délire ahurissant, un délire que peu de femmes auraient choisi d'accepter ? Jane nota qu'il ne faisait plus mine de vouloir s'exprimer, cela la conforta dans sa démarche. Elle poursuivit donc, la voix emplie d'émotion.

— Nous sommes ici pour toi parce que tu nous l'as demandé. Parce que j'ai fait le choix de croire en mon homme, comme je l'ai toujours fait depuis des années.

Se faisant prendre à son propre jeu, des larmes coulèrent le long de ses joues. Elle en tira parti, cela ne pouvait que renforcer son objectif final, se dit-elle à cet instant.

— Et maintenant, tu m'annonces que ton choix à toi c'est de nous abandonner ici, pour rejoindre ce tueur. Un homme aux pouvoirs surnaturels et qui n'a plus rien à perdre, un homme qui est devenu une bête sauvage.

Elle marqua volontairement une pause, avant de terminer.

— Tu n'as pas le droit de nous infliger une telle épreuve, nous ne méritons pas ça !

Entre la fatigue, éreintante, et un stress qui ne cessait de croître, sa tension nerveuse venait d'atteindre un point culminant. Mike se sentait tiraillé entre deux eaux, perdu au beau milieu d'un océan, avec deux échappatoires envisageables. Face à lui, dans une posture peu probable, se tenait un requin carnassier, lui tendant un aileron plus coupant qu'une lame de rasoir. En se retournant, il apercevait une sirène sauvage et machiavélique, les bras croisés et le visage fermé comme une huître. Ces deux options, peu ragoûtantes, firent voleter son esprit vers une troisième possibilité. Qu'adviendrait-il, s'il fuyait dans une autre direction, les laissant s'entre-tuer à coups de dent et de regard éclair ? Au final, cette dernière opportunité semblait être la plus louable, c'est vrai après tout, se dit-il, quel homme sur terre pourrait survivre à la colère de sa femme ? Même un père de famille dévasté comme Ori, s'inclinerait devant tant de suprématies et finirait par ployer le genou… Son esprit divaguait complètement, il s'en rendit compte lorsqu'il aperçut le visage cramoisi de Jane. Se ressaisissant, il prit son courage à deux mains et répondit dans la même veine que celle-ci précédemment.

— Tu t'imagines que ce n'est pas dur pour moi ? Qu'il ne me soit pas difficile, non, terrible et injuste de devoir abandonner ceux que j'aime pour le rejoindre ?

Ce fut à Jane de ressentir une rongeante culpabilité et Mike, bien entendu, le lut sur les traits de son visage. Il savait du coup qu'il venait à son tour de marquer un point important, voire déterminant, dans cette négociation qui ne pouvait avoir qu'une seule issue. Sentant l'atmosphère de la chambre s'alourdir prestement, celui-ci reprit avec sincérité.

— Tu n'as aucune raison de t'inquiéter, ma chérie, tout se passera bien.

Il soupira avant de continuer.

— Tu veux que je te dise ce qui me paraît le plus fou ?

Elle hocha la tête, l'intimant à poursuivre.

— Les différentes péripéties que nous avons été contraints de traverser ensemble, lui et moi ces derniers jours, ont créé des liens surprenants et inattendus. Tu peux me croire pourtant, j'ai bien essayé de le haïr pour ce qu'il est devenu. Un être sans aucune pitié, donnant la mort gratuitement et même parfois, avec amusement. À ce moment-là, il se rappela honteusement qu'une partie de lui avait pris un réel plaisir à tout ça. Jane était la seule à qui il pouvait tout dire mais pas ça, personne ne peut comprendre cela à moins de l'avoir vécu. Il fit l'impasse sur ses pensées personnelles et poursuivit.

— Je ne crains pas de partir le rejoindre. Si j'ai la boule au ventre, en ce moment, c'est parce que j'ai peur que tu ne comprennes pas pourquoi j'y vais… J'ai confiance en lui ma chérie, chacune de nos conversations me rappelle qui il a été, un père prévenant et un homme aimant. Toi, tu oublies tout ça, dit-il sur un ton de reproche. Il contourna le lit pour accéder au placard de la chambre et commença à préparer quelques affaires tout en continuant son discours avec passion.

— Tu oublies qu'il était comme moi, un homme que tu aurais pu aimer, que tu aurais pu chérir. Il se peut même qu'il ait été un mari et un père plus clairvoyant que je ne le serais jamais.

Depuis quand avait-elle oublié ce que ce père de famille avait enduré… Dès le début, se souvint-elle avec dégoût. Avant même que son mari soit concerné par cette horrible histoire, elle avait dénigré cet homme pour ce qu'il était devenu, en oubliant ce qu'il avait pu être. Comme des milliers de personnes regardant les informations ce soir-là, elle l'avait jugé coupable et l'avait éjecté de la société à coups de savates, sans commune mesure ni possible réinsertion dans celle-ci. Cette nouvelle vision des choses l'amena à une autre question. Qui était le véritable monstre dans ce genre d'affaires, un homme seul contre tous, ayant tout perdu et au bord du désespoir ? Ou une communauté entière d'êtres humains, prête à sacrifier sans détour et sans regret l'un des leurs, pour peu qu'il se soit écarté des clous...

Jane, larmoyante, ressentait à présent le vrai goût de la culpabilité. Les arguments de son mari étant des plus pertinents, une fierté croissante à son encontre, provenant du tréfonds de son cœur, prit le dessus sur la honte et les remords.

— Bien, répondit-elle, tu as confiance en lui et sache que nous on a confiance en toi.

Mike cessa de préparer ses affaires pour se tourner vers sa femme.

— Je suis de tout cœur avec toi mon bébé, mais reviens-nous en un seul morceau, promis ? Elle se rapprocha et ils s'enlacèrent tendrement. Après plusieurs secondes d'étreinte langoureuse, Mike desserra celle-ci et s'écarta légèrement pour la regarder du haut de ses immenses yeux. Le bleu profond de ceux-ci semblant ondoyer et contraster comme les vagues d'un océan, elle s'engouffra dedans avec volupté.

Jane se souvint, elle avait fait patienter Mike de nombreux jours avant de passer à l'acte, à l'aboutissement inévitable de deux êtres se désirant intensément. Elle ne lui avait toujours pas dit et ne le ferait sans doute jamais mais lors de leur première rencontre, elle avait ardemment désiré qu'il la prenne sauvagement et sans ménagement, sur l'une des tables bondées de ce café… Le son de sa voix la sauva in extremis d'une noyade emplie d'excitation et de gourmandise à foison.

— C'est promis, ma chérie. Crois-moi, je ne me fais aucun souci pour ça.

— OK, je t'attends en bas, je vais m'assurer que nos petits monstres n'ont pas achevé mes parents.

Elle l'embrassa sur des lèvres au sourire inachevé et sortit de la chambre. Mike termina rapidement ses emplettes et descendit à sa suite. Ses trois enfants étaient agenouillés autour de la table basse du salon, dessinant, non gribouillant avec des crayons et se menant une guerre sans merci pour une couleur accaparée par un tiers. Grand-mère, sagement installée sur le canapé faisant face à eux, tentait de sauver les meubles. Au vu de l'état alarmant de la table en bois, celle-ci n'y parvenait que partiellement, pensa-t-il. Leur grand-père était avachi sur un fauteuil, dans le coin gauche du salon, à deux pas des artistes en pleine action. Muni d'une paire de lunettes doubles verres, renforcées et impénétrables à l'œil nu, celui-ci lisait un livre à la couverture archaïque. En observant plus attentivement, Mike s'aperçut qu'il s'était endormi, malgré la cohue environnante produite par la guerre des couleurs. Qui sait, il y a peut-être du bon à vieillir, se dit-il…

— Paapaaa ! Crièrent les enfants d'une seule et même voix, lorsqu'ils aperçurent leur père à l'entrée du salon. Fort heureusement pour Mike et grâce à une expérience basée sur de nombreux loupés, il sut capter ce moment euphorique en plein vol car pour les deux garçons, l'interlude ne dura qu'une fraction de seconde. Dany et Mathis devaient penser que leur œuvre d'art respective, serait certainement beaucoup plus rentable sur le long terme, qu'une vision banale du paternel. Alycia, plus maligne et plus observatrice, engagea une vraie conversation pour en savoir plus, tout en se repenchant sur son dessin.

— Tu vas où papa ?

En effet, celui-ci portait son sac de sport en bandoulière.

— On ne peut rien te cacher à ce que je vois, dit-il avec fierté. J'ai des problèmes de travail à régler, je reviendrais dans quelques jours, poursuivit-il.

Celle-ci leva le nez de son dessin pour le regarder d'un air suspicieux et interrogateur. Les yeux voilés de son père, accompagné de son petit sourire contrit lui apprirent facilement qu'il mentait, mais elle savait qu'il n'en dirait pas plus et qu'il n'était pas utile d'insister...

— Ah, d'accord. Bon travail alors... dit-elle sur un ton ironique.

— Merci, mon bébé de ma vie, répondit celui-ci en se rapprochant d'eux, pour les câliner tous les trois avant de partir.

Jane, s'affairant déjà à préparer le repas de midi, débarqua de la cuisine à ce moment-là. Elle observa son mari étreindre leurs enfants avec amour, ce qui lui donna quelques forces pour affronter le départ de celui-ci. Elle aurait le droit de craquer après, pensa-t-elle. Elle pourrait fondre en larme, toute seule dans la cuisine mais pour l'heure, son homme avait besoin de partir le cœur léger. Il avait besoin d'être sûr qu'elle était avec lui, ce qui le rendrait bien plus fort et bien plus confiant, dans les futurs choix qu'il allait devoir faire. Enfin, il arrivait près d'elle. D'un regard intense, qui se passait de mots, elle lui donna toute son approbation et toute son énergie. Ils s'embrassèrent succinctement, pour ne pas rendre la tâche plus difficile qu'elle ne l'était déjà, et Mike grimpa dans la voiture, plus revigoré que jamais par la force de leur amour...

*****

La clarté du jour illuminait et réchauffait son visage par intermittence, filtrée par les barreaux d'un énième caniveau. Encore un cul-de-sac, se dit-il, révolté. Il tourna les talons et repartit en sens inverse. Il avait parcouru une grande distance mais n'avait, au final, pas beaucoup progressé car tous les embranchements qu'il avait empruntés jusqu'à présent s'étaient soldés par des impasses. Tel un labyrinthe, ceux-ci le ramenaient invariablement dans le tunnel principal, par lequel il avait accédé aux égouts. Les chausses remplies d'eau croupissante, il effectuait chaque pas avec une haine grandissante, submergé par des visions d'horreur incontrôlables et insoutenables. Il était pourtant si proche du bonheur et de la sérénité, visualisant clairement les repas familiaux, les balades en forêt ou les étreintes charnelles sur un coin de canapé… Mais chacun de ces souvenirs, auxquels il tentait de s'accrocher, se disloquait en éclaboussures de sang ou dans un bruit déchirant de tôle froissée et de vitres brisées. Maintenant il en était sûr, il avait tout perdu et n'avait par conséquent, plus aucune raison d'exister. Pourquoi continuer dans ce cas ? pensa-t-il… Pourquoi poursuivre un chemin empli d'embûche avec pour seul goût dans la bouche, la souffrance, l'amertume et la tristesse des jours passés ? Son seul chagrin justifiait-il tous ces morts et toutes les peines qui en découlent ?

Serait-ce son instinct de survie qui prenait, contre toute attente, le dessus sur la raison ? Ses nouveaux pouvoirs, lui permettant d'accéder à de nombreux horizons inexplorés, ne lui avaient peut-être pas été attribués par hasard, avait-il encore un rôle à jouer dans ce monde éphémère ? Ori n'avait aucune réponse à toutes ces questions. Il ne savait pas pourquoi il poursuivait ni pourquoi il causait tant de souffrances autour de lui, mais il était convaincu d'une chose, sa route ne pouvait s'achever ainsi. Déambulant de nouveau dans la noirceur profonde du boyau principal, l'éclairage électrique se mit subitement en fonction, inondant les égouts d'une lueur maussade et créant d'angoissantes ombres sur les parois de celui-ci. Sa vue hyper développée, sollicitée au maximum pour l'occasion, fut violemment assaillie par de vieux néons suintants et grésillants, le rendant aveugle momentanément. Privé provisoirement de ses yeux, il fut contraint de se concentrer sur ses autres sens. À ce moment-là, il perçut au loin d'infimes clapotements synchronisés qui s'apparentaient étrangement à des bruits de pas. Il fit volte-face en bénissant cet afflux soudain de lumière qui non seulement lui avait fait réaliser qu'il recouvrait son ouïe, mais surtout, qu'il était pourchassé par une dizaine d'hommes. Il resta quelques secondes sans bouger, le temps pour lui de réfléchir à la situation. Il pouvait attendre là, leur tendre une embuscade et les tuer les uns après les autres, sans trop de difficultés. Mais qu'adviendrait-il après s'il s'amusait à perdre du temps et de l'énergie inutilement ? Combien de temps encore pourrait-il combattre des bataillons entiers avant de tomber lui-même de fatigue ? Entre ses actions précédentes et la régénération constante de ses tympans, il avait déjà dépensé beaucoup trop de réserve. Le peu qu'il lui restait devait être utilisé à bon escient, s'il espérait s'en sortir vivant. Plus je perdrais du temps et plus ce satané commissaire pourra s'organiser, je dois trouver une issue au plus vite, songea-t-il. Sa vision désormais accoutumée à l'éclairage, il reprit sa fuite en avant, au pas de course. Quelques instants plus tard, après avoir franchi une longue courbe serrée, il déboucha sur une intersection, perpendiculaire au tunnel principal. Le Surhomme ne le savait pas encore, mais il se trouvait en plein milieu du réseau en forme de II...

*****

Au nombre de dix, les policiers progressaient la peur au ventre, un pas après l'autre. Leur mission était de contrôler toutes les impasses desservies par le boyau principal jusqu'au réseau piégé, afin de s'assurer que le tueur ne se terrait pas dans l'une d'elles. À chaque intersection, cinq hommes partaient en reconnaissance dans celui-ci, quant aux cinq restants, ils assuraient leurs arrières dans une attente terrorisante et inéluctable. Dues à un manque d'entretien des vieux néons, usés prématurément par l'humidité constante des lieux, de nombreuses parties des tunnels annexes étaient plongées dans le noir. Lorsqu'ils traversaient, à tâtons et sur le qui-vive, ces tronçons plongés dans la pénombre, les agents maudissaient leurs supérieurs et leurs directives incompréhensibles. Ceux-ci avaient été formels sur deux points, aucune lampe torche ne devait être emportée pour cette mission et le contact, dans la mesure du possible, devait être évité à tout prix. Autant ils comprenaient parfaitement la deuxième partie car eux-mêmes ne ressentaient aucun désir d'affrontement avec ce psychopathe, autant la première partie leur semblait des plus ridicules. À la suite de ces laborieuses reconnaissances, agrémentées de rats courants, de gouttes à gouttes apeurants et d'orgueil trépidant, ils arrivèrent enfin au point de contrôle. L'un d'eux prit son talkie-walkie, communiquant le plus discrètement possible.

— Commissaire, ici patrouille de reconnaissance, le colibri est dans la cage, je répète, le colibri est dans la cage.

Attente de plusieurs secondes avant la réponse.

— Ici Treffert. Tenez votre position en retrait du réseau, dans le tunnel principal, si ça bouge vous me le faites savoir.

Les hommes se retirèrent et établirent leur camp de fortune à quelques mètres de là, dans deux renfoncements conséquents et situés face à face, perpendiculairement au tunnel. Ceux-ci semblaient avoir été étudiés à cet effet, pensa l'un d'eux. La prochaine fois, je prendrai les cartes et les chaises dépliantes, se dit-il.

— C'est fait, commissaire, nous sommes à couvert. En attente d'instructions supplémentaires, fin de transmission.

Fin de transmission. Cette réplique, ancestrale, lui soutira un sourire nostalgique. Mélange de fierté pour la relève et d'amertume pour ses jeunes années passées. Depuis quand n'avait-il pas formulé ces mots ? Trop longtemps, pensa Alain…

L'heure pour lui était venue de savoir si oui ou non, il avait fait les bons choix dans cette bataille…

*****

Il était dos au mur, à l'angle du boyau par lequel il était parvenu au réseau. Réverbérée par les néons, son ombre ondulait lentement, suivant le rythme capricieux et audacieux des eaux. Celle-ci s'étendait dans le passage du tunnel, communiquant ainsi avec précision, sa position à l'ennemi. Il n'était pas dupe, il voyait bien son ombre s'étaler lamentablement mais il s'en moquait comme le dernier de ses soucis.

En quelques minutes à peine, il avait imprimé dans sa tête toutes les échappatoires possibles, desservies par le réseau en forme de II. Contraint pour ce faire, de contourner entièrement le local technique, il était tombé sur une porte en fer donnant accès à celui-ci. Il avait tenté d'y accéder mais en vain, la rouille l'ayant, aux fils d'années sans utilisation et d'humidité constante des lieux, entièrement solidifiée avec l'armature du cadre. Il ne s'y était pas attardé plus que ça car une porte comme celle-ci, donnant accès à un vieux local de maintenance et condamnée naturellement par la force du temps qui s'écoule, ne devait pas présenter grand intérêt.

Sur sa gauche, droit devant, il y avait un premier tunnel plongé dans le noir. Toujours sur sa gauche, en longeant le local jusqu'au bout, se tenait le second embranchement aux néons désactivés. Les deux autres extrémités se trouvant sur sa droite, ainsi que le boyau principal se poursuivant après le local, étant quant à eux envahies de lumens sautillants et bienveillants.

Quel plan grossier et indigne de moi, avait-il pensé au premier abord. Le piège s'étendait très certainement sur les trois itinéraires éclairés, devant communiquer d'une façon ou d'une autre. Quand bien même, s'ils aboutissaient sur trois destinations bien distinctes, il avait dû toutes les encercler. Mais quel autre choix avait eu le commissaire, après tout. Celui-ci aurait pu envoyer de nombreuses troupes dans les tunnels, pour l'intercepter tant bien que mal. Bien sûr, il l'aurait eu à l'usure, mais au prix de combien de pertes humaines ? Cela avait dû être inconcevable pour lui. Il était, à coup sûr, parti du principe qu'Ori ne pourrait pas progresser dans le noir. Ce faisant, il avait isolé par l'obscurité la plus totale les accès impossibles à gérer depuis l'extérieur, ceux-ci devant s'étendre sur des distances in quantifiables et donnant probablement sur plusieurs dizaines de sorties.

Les policiers dans son dos quant à eux, situés à une bonne vingtaine de pas et murmurant innocemment de sottes blagues campagnardes, ne devaient être que des rabatteurs devant le pousser dans l'antre aux multiples pièges. Sa théorie se tenait parfaitement et en tout point, de plus, la configuration du secteur n'offrait que peu d'alternatives en fin de compte. Néanmoins, il l'avait déjà sous-estimé une fois ce qui avait manqué de lui coûter la vie, terminant une cavalcade infernale délabrée et à moitié mort, dans les immondices de la ville. Rien que d'y repenser, il sentit un goût amer de bile dans la bouche. Il ne devrait plus le prendre à la légère dorénavant, car avec le commissaire, la moindre erreur pouvait coûter cher. Il avait besoin d'une certitude supp...

Un arrêt soudain des murmures accompagnés de clapotements désordonnés dans son dos le sortit de ses pensées. L'équipe de reconnaissance l'avait repéré, ce qui lui donna une malicieuse idée, apte à conforter considérablement sa théorie...

*****

L'un des policiers, adossé sur le bord d'un des deux renfoncements, aperçut une ombre virevolter sur les eaux, au bout du boyau principal. Avec maints mouvements, insonores et rapidement exécutés, comme on le lui avait appris récemment à l'école de police, il alerta ses confrères. Ceux-ci se mirent en formation de combat tant bien que mal, dans cet espace confiné à l'extrême leur servant de quartiers provisoires. Ces renfoncements étant rectilignes et ne mesurant pas plus d'un mètre de large, seuls deux hommes pouvaient s'y adosser de chaque côté. Les autres étaient positionnés sur la longueur du bivouac de fortune, eux aussi dos au mur et le buste en avant, en direction du danger.

Lorsque le dénonciateur, fraîchement sorti de l'école de police, voulut observer à nouveau le bout du tunnel, il découvrit avec stupeur qu'il ne s'agissait plus de l'ombre du tueur mais de son propriétaire.

L'homme en question se maintenait dans une posture droite, rigide et imperturbable. La tête baissée en direction des eaux troubles, comme un grand témoignage de respect à autrui, et les bras le long du corps. Celui-ci n'esquissait pas le moindre mouvement. Telle une statue de marbre, seule son ombre continuait de se mouvoir sur les remous des eaux et les parois des égouts. Il n'était pourtant pas plus grand, ni plus costaud que la moyenne, mais il dégageait malgré tout une aura de puissance terrifiante et écrasante. Celle-ci s'immisça dans les entrailles du jeune apprenti comme une évidence, dévoilant ses instincts primaires et le ramenant à des leçons mille fois répétées, celles de l'école de la vie.

— Putain les gars, il est là, dit-il sur un ton de panique alarmante. Il n'eut d'autres réparties de ses comparses, que des yeux emplis d'impuissance, exhibant une peur accrue des moins rassurantes. Seul son voisin de renfoncement affichait des yeux flamboyants, remplis de certitudes. D'un naturel assuré, dû principalement à sa corpulence hors du commun, il céda jovialement sa place pour celle du dénonciateur. Celui-ci n'y vu, cordialement, aucune objection…

*****

D'un seul mouvement fluide et synchronisé, Ori enfourcha ses deux épées courtes, croisées en X dans son dos, puis les projeta en direction du bivouac comme des couteaux de lancer. Ses membres supérieurs ayant doublés de volume, inconsciemment, pour l'effort demandé, les lames partirent avec plus de force et de rapidité qu'il ne l'aurait souhaité. Les deux bras tendus droit devant lui suite au lancé, les paumes ouvertes et la tête toujours basse, il dut se concentrer au maximum de ses capacités nouvellement acquises pour conserver un lien télépathique avec l'acier de ses épées. Le lien entre lui et elles devenant trop fort, il rentra dans un état second des plus déroutants. Il appréhendait clairement la vitesse de celles-ci, il ressentit la puissance qu'elles exerçaient en pourfendant l'air, ainsi que le bruit intense de frictions qu'il en résultait. Dans un instant de panique irrépressible, il comprit qu'il n'était plus lui mais elles, que son esprit n'était plus dans un être de chair et de sang mais fondu dans de l'acier brut. Au bord de la nausée et de la perte de soi, il arriva enfin au bout de son calvaire. Il ouvrit subitement ses bras en éventail, formant ainsi un T avec son propre corps, et les épées courtes bifurquèrent instantanément en angles droits extérieurs, suivant chacune l'un des membres supérieurs du surhomme. Celles-ci pénétrèrent la chair comme dans du beurre, broyant cartilage et os dans un bruit écœurant, qui résonna plusieurs secondes dans les profondeurs des égouts…

*****

La pointe de l'épée brillait d'étincelance et d'excellence au bord de son œil, ses cils l'effleurant à chaque battement de paupière. Son cœur palpitait déjà la chamade à tout rompre, lorsque celle-ci s'extirpa brusquement, laissant son sauveur s'effondrer mollement dans les eaux poisseuses. La lame avait pénétré le biceps gauche de celui-ci, ressortant à peine de son épaule droite, stoppée par la garde de l'épée et son imposante stature.

Toute sa vie, il avait lutté contre ce genre de personnage, des hommes naturellement et injustement plus aboutis que lui. Il

156

n'aurait jamais envisagé cela mais aujourd'hui, notre jeune apprenti devait la vie à l'un d'eux. Son second d'en face n'eut pas la même chance, car les deux tombèrent dans une gerbe de sang lors de l'extraction de l'autre épée.

Toujours abasourdi par sa providence, il vit les autres battre en retraite tout en tirant à vue dans le boyau principal. Il ne se donna même pas la peine d'ouvrir le feu. Il longea le mur, dans la direction opposée au tueur, et détala aussi vite que ses courtes jambes le lui permettaient...

*****

Les lames s'extraire, sans âme ni conscience, aussi rapidement qu'elles avaient pu s'immiscer. Elles se braquèrent, l'une à côté de l'autre, et repartirent la pointe en avant en direction de leur maître. Les bras croisés sur ses épaules, en forme de X, celui-ci attendait leur venue sans même savoir comment il allait les réceptionner. Elles parcoururent la distance du tunnel, les séparant, en une fraction de seconde. La réverbération des néons sur leurs pointes dégageait une lueur flamboyante et aveuglante pour des yeux surdéveloppés comme les siens, le contraignant à abaisser mécaniquement ses paupières. À la réouverture de celles-ci, il constata qu'il allait se faire embrocher par ses propres armes. Sans réfléchir et travaillant à l'instinct, il élança son buste en arrière, laissant les épées tranchantes comme des lames de rasoir faire de son t-shirt un débardeur à la mode. Ses deux mains, plus agiles et plus rapides que les pattes d'un écureuil en pleine frayeur, saisirent les pommeaux des épées en pleine course. Ses bras avaient de nouveau doublé de volume pour l'occasion mais l'inertie de son poids, dans l'atmosphère naturelle de la terre, ne représentait qu'une goutte d'eau face à la fulgurance des lames. Ori fut complètement dépassé par leurs puissances, s'envolant avec celles-ci sur plusieurs mètres, avant de finir dans l'eau. Détrempé jusqu'à l'os, la densité des eaux lui offrit malgré tout un certain réconfort. Le monde semblait moins alarmant dans l'immensité de celles-ci, ses sens étant réduits au strict minimum. Il vit de nombreux projectiles passer au-dessus des eaux, se mouvant comme des serpents et terminant leurs courses dans le local technique en éparpillant des morceaux de bétons qui coulaient tout autour de lui.

Toujours en apnée contrôlée, il roula plusieurs fois sur lui-même afin de s'écarter du déluge, provenant du boyau principal. Une fois à l'abri des balles hasardeuses, il se releva souplement et rengaina ses lames. Il découvrit avec un ego assurément démesuré que les survivants avaient pris leurs jambes à leur cou, sans demander leurs restes. En quelques foulées rapides et inaudibles, il rejoignit un bivouac, désormais endeuillé. De larges traînées pourpres émanaient des cadavres, lézardant les eaux ternes des égouts de leurs vives couleurs et s'étirant à perte de vue en suivant le fil du courant. Sans plus attendre, le tueur procéda à une fouille minutieuse des trois morts. Le fruit de celle-ci, étant en parfaite corrélation avec sa théorie, Ori fit demi-tour et pénétra le cœur sûr, dans l'un des tunnels plongés dans le noir…

*****

Les lames avaient soudainement surgi du néant, clouant sur place tout ce qui se trouvait sur leurs passages, avant de disparaître aussi vite qu'elles étaient apparues. Tel était le rapport, macabre et unanime, des sept agents de police ayant refait surface, celui-ci ne laissant aucun doute quant aux sorts des hommes se trouvant dans leurs trajectoires. La procédure aurait exigé l'envoi d'une équipe de secours mais, à seulement onze heures tapantes du matin, Alain avait estimé qu'il y avait eu suffisamment de morts pour la journée... Installé aux premières loges dans une voiture banalisée, celui-ci sentait sa patience, ses convictions et ses choix, s'effriter comme une feuille morte portée par le vent. L'attente était l'un des aspects les plus éprouvants du métier, pensa-t-il, les secondes semblaient devenir des minutes et les minutes s'éternisaient comme des heures. Pour ne rien arranger, de lourds nuages assombrirent le décor et une fine bruine se fit bientôt entendre sur la carrosserie du véhicule, dégageant une inimitable odeur de pluie s'écrasant sur le goudron. Ce soudain changement de climat bafoua un peu plus son moral, augmentant inexorablement de lancinantes et suffocantes incertitudes. Les nerfs à vif, en cette fin de matinée, Alain ressentait déjà le besoin d'un bon whisky glacé. Il imaginait le liquide brûlant ruisseler le long de sa gorge, envoyant de nombreuses vagues salvatrices dans un cerveau au bord du précipice. La bouche inondée d'une salive alléchante, le commissaire refit surface, lorsqu'un filet de celle-ci s'échappa de ses lèvres. Il s'essuya d'un revers de main mal assuré, en se demandant comment il avait fait pour descendre aussi bas. Suite à la mort tragique de sa femme, il avait commencé à plonger son désespoir dans l'alcool, sans aucune retenue. S'enivrant chaque soir d'un soupçon de délivrance et se rappelant amèrement chaque matin qu'il délaissait sa propre fille pour ce fade substitut.

Elana, Elana, Elana, son prénom résonnait dans son esprit inlassablement... Les larmes aux yeux, il se rassura tant bien que mal en pensant au fait qu'il la verrait ce soir et que rien n'était encore perdu, entre elle et lui. Celle-ci avait organisé ce dîner pour lui présenter son petit ami. En y repensant, un léger sourire se dessina sur son visage car il savait pertinemment comment cette rencontre se déroulerait. Il allait paraître rude et intraitable au premier abord, mais il se radoucirait comme un soleil de printemps pointant sur l'horizon, devant les énormes yeux pétillants d'amour de sa fille. Ces dernières pensées le rassérénèrent quelque peu, lui redonnant une confiance inespérée. Une efficace décharge de douleur, provenant de ses lombaires, l'intima à se replacer correctement dans le siège du véhicule avant d'entreprendre il l'espérait, une dernière phase de persévérance mentale…

*****

Observant une canalisation, ressemblant comme deux gouttes d'eau aux nombreuses autres précédemment aperçues, il ne savait plus. Était-il déjà passé par là ? Ou tournait-il tout simplement en rond, dans un réseau plus abouti qu'un nid de fourmis ? Son acuité visuelle surdéveloppée étant sollicitée constamment, il sentait ses dernières forces s'amoindrir de manière inquiétante. En dessous de la ceinture, ses jambes semblaient peser des tonnes, lui donnant l'impression de traîner d'énormes boulets à chacun de ses pas. Perdu et à bout de forces, dans ce complexe aux multiples facettes, il commençait à se demander s'il avait fait le bon choix. Le commissaire l'avait-il sciemment poussé dans les impasses obscures des égouts, afin qu'il s'échine à la tâche jusqu'à ce qu'il tombe ou meurt de fatigue. Cette pensée ne cessait de croître en Ori, envahissant son esprit de doutes et de craintes bien fondées. Celle-ci, associé à une extrême lassitude, le plongeait petit à petit dans un état léthargique, au bord de la désolation et de l'abandon ultime de soi. Seul ce bruit lancinant de ferrailles qui s'entrechoquent, incohérent et intermittent, parvenait à le sortir de sa torpeur. À maintes reprises, il avait essayé de l'identifier mais, selon le tunnel qu'il empruntait, tantôt celui-ci semblait se rapprocher, tantôt il semblait s'éloigner, se morfondant en écho lointain. Clack... Clack... Clack... Clack... Clack... Clack... Clack... Clack... Que cela pouvait-il bien être ? Guidé par cette unique voie, le Surhomme s'accrocha à elle comme un naufragé à une bouée de sauvetage. Il ne se donnait même plus la peine d'observer la configuration des tunnels, son seul but étant désormais, la localisation de ce bruit providentiel.

Suite à de nombreuses minutes d'errances dans le tissu tendu des égouts, le son se matérialisa subitement en révélation, dévoilant comme une évidence sa vraie nature. Un sourire aux commissures des lèvres, le tueur resta immobile quelques secondes, attendant patiemment le prochain claquement de tôle, qui lui donnerait probablement la dernière route à suivre. Clack... Clack... C'est là, pensa-t-il. Il longea le tunnel se trouvant sur sa gauche, tout d'un coup transformé en allée princière par son esprit délabré. Celui-ci n'était plus un boyau sombre à l'odeur pestilentielle, débordant de rats énormes et de cafards répugnants, mais un chemin aux allures féeriques, paraissant mener dans une nouvelle contrée. Pieds nus, il foulait désormais une herbe épaisse et soyeuse au toucher, d'un vert intensément profond. De grands, de massifs chênes bordaient la route de chaque côté, entrelaçant leurs branches feuillues dans une harmonie et un respect irréprochable de l'autre. Des fleurs de toutes sortes, perdant leurs fragiles pétales sous l'étreinte du vent, chatouillaient l'écorce des arbres de leurs fines racines en libérant un parfum envoûtant.

Au bout du chemin, il se retrouva devant un pic montagneux aux aspérités lisses comme du métal et d'une hauteur vertigineuse, semblant infranchissable à ses yeux. Il escalada pourtant celui-ci avec une facilité déconcertante, gravissant les échelons un par un sans la moindre difficulté. Sentant l'ascension toucher à sa fin, il jeta un coup d'œil en arrière pour observer le panorama. Vu d'en haut, malgré le gouffre qui les éloignait, les immenses chênes paraissaient être plus majestueux que jamais. Transpirant de vie à travers chacune de leurs feuilles, ceux-ci révélaient comme une évidence l'emprise et la place naturelle qu'ils avaient sur le monde. Résistant durement, à l'envie irrépressible de lâcher prise pour se jeter dans ces êtres supérieurs, Ori entreprit de gravir la dernière parcelle le séparant encore de la délivrance. La roche de celle-ci débordant amplement du pic montagneux, il fut contraint dans un ultime effort de la contourner horizontalement sur plusieurs pieds, à la seule force de ses bras. Enfin arrivé au bord du précipice, une fine pluie se fit sentir sur tout son corps, surplombée par une odeur oppressante de pots d'échappement. Il était enfin dehors…

Chapitre 9
Fierté déplacée

Son cerveau flottait dans un bocal de verre, translucide et circulaire. Les innombrables terminaisons nerveuses, décharnées pour l'occasion, se reliant à celui-ci et le constituant, vagabondaient dans un liquide gluant, mélange de conservateurs chimiques, au rythme capricieux des vibrations ambiantes. Son corps physique n'avait plus la moindre réaction ni la moindre existence, dans cette dimension qui fut la sienne. Celui-ci semblait être coupé du monde et de toute attache avec son esprit, le laissant voguer dans une angoissante léthargie, proche d'une latente torture. Après avoir essuyé un combat de tous les diables, semblant avoir duré une éternité, il parvint enfin à entrouvrir ses paupières. Telle une contre-attaque sans précédent, celles-ci se refermèrent instantanément sur le haut de ses pommettes, le replongeant dans les limbes d'un lourd sommeil, hérissé d'une lancinante agonie.

Il s'éveilla à nouveau, des minutes, des heures ou peut-être même des jours plus tard, il n'en avait aucune idée. Disposant d'une discipline de fer et d'un mental fondu dans de l'acier brut, il réussit à ouvrir grand ses yeux, les maintenant ainsi au prix d'un effort harassant. Ce faisant, il découvrit à travers un voile de brume épais et vaseux, un décor insaisissable. Chancelant et tournoyant dans tous les sens, celui-ci lui donna rapidement une nausée irrépressible. Avec une soudaine vigueur, il sentit une matière déconvenue gravir son œsophage et obstruer le fond de sa gorge, envahissant sa bouche d'ingrédients putréfiés. Poursuivant inexorablement leurs chemins vers la sortie la plus propre, débordant par les voies nasales et buccales, les excréments condamnaient désormais son appareil respiratoire dans sa totalité.

L'arrière du crâne lourdement ancré, dans ce qui semblait être un nuage molletonneux, et sa volonté n'étant pas suffisante pour insuffler la plus minuscule étincelle de vie à toute autre partie de son corps, il ne put faire pivoter sa tête sur le côté afin d'évacuer cette surcharge viscérale comme il se doit, sur la blancheur immaculée de ce cumulonimbus métaphoriquement densifié. Son cerveau, clairvoyant et généreux dans l'âme, eu néanmoins la présence d'esprit d'informer son propriétaire, d'un probable trépas à venir par suffocation auto alimentaire. Enorgueilli d'un stress intense, ses yeux se convulsèrent dans tous les sens, perçant la profondeur et la noirceur du voile environnant. Il savait enfin où il était. Ne comprenait pas par quel coup du sort il pouvait s'y trouver mais, l'absence d'air commençant à manquer cruellement dans ses poumons, il était convaincu d'une chose, il allait y rester. Il s'évanouit sur cette dernière pensée…

*****

Absorbés par les pneus de la berline, les kilomètres s'évaporaient sans qu'il ne s'en rende compte, trop accaparé par des peurs devenues obnubilantes. La route, les péages et les paysages défilaient devant ses yeux, mais il n'en avait même pas conscience. Craignant plus que tout d'avoir fait le mauvais choix, en décidant d'abandonner sa famille pour rejoindre Ori, Mike ne cessait d'endurer des pensées contradictoires, inlassablement suggérées par son esprit. Faire machine arrière était pourtant inconcevable, pas seulement par besoin instinctif de protéger les siens, mais aussi parce qu'il avait donné sa parole au tueur. Une complicité et une confiance impromptue s'étaient créées entre les deux hommes, reléguant ainsi le terme d'obligation au second rang, face à cette amitié naissante.

Il aperçut au loin, les pourtours de sa destination se dessiner lentement. Les bâtiments ondulaient et se mouvaient dans une macabre danse, semblant utiliser l'instable horizon comme un tapis de remise en forme. De gros nuages noirs et menaçants assombrissaient entièrement l'atmosphère, rendant les lieux lugubres et incertains. D'ici, la ville semblait être animée par une entité supérieure, fraîchement débarquée et encore inconnue jusqu'alors, capable de coloniser toute la race humaine sans la moindre difficulté. Celle-ci nous parquerait en masse dans des abattoirs adaptés, gavant hommes, femmes et enfants pour les engraisser, afin de nous déguster délicatement sur une tranche de toast grillée à souhait.

Après quelques jours de soumission, ce que nous pensions être notre plus grande force des siècles durant, deviendrait notre plus grande faiblesse. Comme un juste retour des choses, celle-ci nous torturerait inlassablement, nous rappelant chaque jour avec dégoût, ce que nous avons fait subir aux autres animaux peuplant la terre et qui pourtant avaient les mêmes droits d'existence que nous.

Après des années d'esclavage et d'auto-torture intellectuelle, notre faible nature psychologique aurait réduit notre cerveau en passoire, nous rendant plus obéissants que des moutons de Panurge.

Après plusieurs décennies d'absolution et de servitude, l'être humain disposerait docilement et de son propre chef, la tendre chair de son cou sur la lame du tranchoir. Des vaches viendraient brouter la mauvaise herbe parsemant l'encolure de nos enclos, nous observant d'un œil triste et dubitatif en pensant, vraisemblablement, qu'elles ne parviendraient jamais à nous comprendre…

Étourdi par ce qui semblait être de possibles prémonitions, Mike faillit manquer la sortie menant à son point de rendez-vous et accessoirement, sa ville natale. Ne voyant pas d'obstacle dans son rétroviseur extérieur, il bifurqua rapidement en manquant de faucher un motard ahuri par cette dangereuse manœuvre, pendant que celui-ci doublait par la droite à plus de deux cents kilomètres par heure. Une guerre de klaxons, inéquitable, et de bras levés se mit en marche une fraction de seconde, la vitesse du motard ne laissant que peu de temps aux investigations physiques. D'un point de vue moral, ceux-ci se maudissaient déjà, ne cessant de pester l'un contre l'autre en oubliant qu'une part de responsabilité incombait à chacun d'eux.

Parcourant des rues et des avenues mille fois empruntées, Mike fut réconforté par le sentiment d'être rentré chez soi, oubliant dans le même temps le fâcheux épisode du deux-roues pour revenir sur des priorités autrement plus importantes. Enfin arrivé, il se gara sur la première place venue et prit son téléphone portable.

— Oui bébé, tu es bien arrivé ?

— Oui ne t'inquiète pas ma chérie, je suis sur place. Je suis un peu crevé mais je pense que le plus dur est fait. Il entendit ses petits monstres se chamailler derrière. Un sourire aux lèvres, il reprit.

— Et vous, comment allez-vous ?

Jane, n'ayant pas compris la question de son mari suite au brouhaha environnant, sermonna énergiquement les enfants, ce qui déclencha un silence lourd et pesant dans la pièce.

— Tu as dit quoi, je n'ai pas compris à cause des enfants ?

Le problème dans ces cas-là, c'est que même Mike n'osait plus l'ouvrir.

— Bébé tu es là ?

— Heu… Oui… Oui, je suis là, désolé. Non je te disais, et vous comment allez-vous ?

— Ben comme tu le vois tout va bien. Je n'ai pas compris, tu es sur place déjà mais où ? Ne me dis pas que tu as pris le temps de te reposer pour communiquer avec lui, avant même de m'avoir appelé pour me dire que tu étais bien arrivé !

Cette réplique, logique et bien fondée, jeta un froid dans le corps de Mike, en effet, il n'avait pas dormi. La dernière fois qu'il avait été contraint d'abandonner Ori, celui-ci se trouvait dans les égouts, en très mauvaise posture. Par quel diable pouvait-il savoir que le tueur était ici et pas ailleurs, la proximité aurait-elle amplifié le lien les unissant ? Tout à ses réflexions, il prit le parti d'alléger Jane de ses inquiétudes.

— Je suis en ville ma chérie, c'est ce que je voulais dire. Je vais me reposer un peu et après je le rejoindrais.

Sa femme émit un soupir d'anxiété prolongé, pour seule réponse. Mike continua.

— Fais-moi confiance, tout ira bien, je te tiens au courant après ma sieste. Je t'aime, je vous aime fort…

— D'accord bébé. On t'aime plus fort encore, le sais-tu ?

Un sourire s'élargissant jusqu'aux oreilles, il répondit.

— Dans ce cas, je suis l'homme le plus chanceux de la terre.

Comme à chaque fois, Jane sentit le jeu s'installer entre eux. Un jeu qui les mènerait sur un terrain dangereux, celui de la séduction et d'un ardent désir sexuel. Préférant lui laisser ses capacités mentales opérationnelles pour la suite des évènements, elle y mit fin directement.

— Tâche de ne pas l'oublier alors. Fais attention à toi, j'attends de tes nouvelles au plus vite.

— Je t'appelle dès que possible, gros bisous à vous.

— Pleins de bisous à toi mon cœur.

Mike raccrocha la boule au ventre et le cœur lourd. Il allongea le siège de son véhicule et tenta de se reposer…

*****

Elle posa le plateau sur la table basse, un assortiment d'amuse-bouche divers, et s'installa à ses côtés. Elle l'observa longuement, espérant inconsciemment des excuses ou une quelconque réaction de sa part. Jamais elle ne l'avait vu dans un tel état psychique, le monde entier semblait s'être dérobé sous ses pieds, engouffrant son immense courage et toutes ses certitudes de sa béante gueule. Celui-ci l'avait rejeté avec indélicatesse et brusquerie, à la limite de la violence, lorsqu'elle avait tenté de le réconforter. Coupant ainsi cours à toute autre négociation, en la blessant profondément. C'était à lui de revenir en définitive, accompagné de regrets bien argumentés et d'un magnifique bouquet, l'échec n'excuse pas tout, pensa-t-elle.

Visionnant un match de football américain, un verre empli de whisky glace dans la main droite, celui-ci ne lui prêtait même pas attention, ce qui renforça sa précédente conviction. Il ingurgita une nouvelle gorgée avec difficulté, l'alcool brut déformant les traits de son visage lors de son passage dans son gosier, en repensant à son passé. Il avait lui-même pratiqué le rugby durant de nombreuses années, balayant ses adversaires comme des feuilles mortes, grâce à sa force titanesque et son impressionnante corpulence. Seulement adolescent, son physique égalait déjà les figures emblématiques du football américain de l'époque, qui eux-mêmes faisaient passer le reste de son équipe pour des gringalets. Johnson n'avait jamais rien perdu dans sa vie, sa vaillance ou son imposante stature, parvenant toujours à prendre le dessus dans les moments critiques.

C'est justement cette absence de défaite, tout au long de ces années vécues, qui rendait l'échec cuisant du jour encore plus pénible à accepter pour lui. Touché irrationnellement dans son orgueil, il sentait la colère et la noirceur, enfouies dans le cœur de chaque homme, prendre le dessus sur la raison. Avachi sur ce maudit canapé, sa femme aimante et dévouée toujours à ses côtés, il ne rêvait que de victoire vengeresse. Le combat défilait indéfiniment dans son esprit, relatant avec précision chaque mouvement et chaque phase prédominante, ou tangible de celui-ci. Il ne cessait d'imaginer des actions et des alternatives différentes, employées ou parvenues au moment adéquat, qui aurait pu lui donner l'avantage dans cette bataille aux allures de rixe mortelle. Son égocentrisme avancé lui faisait oublier l'essentiel, car d'une part ils n'avaient pas combattu à armes égales mais surtout, il avait beaucoup de chance de se retrouver ici et maintenant avec seulement un bras dans le plâtre, auréolé d'une fierté quelque peu amoindrie.

Consciente de la bénédiction qui leur a été accordée, l'homme de sa vie étant revenu en un seul morceau, sa fierté féminine lui semblait bien inappropriée désormais. Elle rangea minutieusement ce dossier non classé (parmi de nombreux autres) dans un coin de sa tête, afin de pouvoir le ressortir efficacement le jour opportun et le lui lancer en pleine figure, avant de tenter une nouvelle approche. Voyant les malheureux glaçons, rabougris et très prochainement inexistants racler le fond de son verre, elle enjamba les guibolles croisées du barbare pour lui soutirer celui-ci. Elle revint quelques secondes plus tard avec un verre rempli, au maximum de ses capacités, de whisky et de glaçons rajeunis. Lorsqu'elle lui remit le breuvage dans la main, un élixir bienfaiteur depuis des générations, celui-ci grommela un merci peu ragoûtant. Elle leva les yeux au ciel, d'un air maternel désespéré, s'assit de nouveau sur la banquette et prit la parole.

— Tu comptes bouder toute la soirée ?

Celui-ci, restant figé devant l'écran de télévision et ne présentant aucun signe de réponse à venir, elle poursuivit.

— Moi je trouve que tu as été très courageux aujourd'hui, comme à chaque fois que tu combats les Vilains. Elle avait volontairement appuyé son intonation sur ce dernier mot, s'agissant d'une boutade partagée entre eux depuis le début de leur rencontre. Dès les prémices de leur histoire, elle l'avait vu comme un superhéros affrontant les vilains. Un Conan surpuissant et survolté, capable de tout dévaster sur son passage, pour secourir une paysanne sur le point d'être violée ou un marmot maltraité par son daron. Combien de fois, avant leurs premiers ébats sexuels, s'était-elle mise dans la peau de cette paysanne ? L'imaginant dégonder une porte de grange d'un seul coup de pied, pour l'arracher des griffes indécentes de ce mal en train. Le découvrant seulement vêtu d'un pagne, les muscles saillants et scintillant de sueur, son buste gonflant et ses abdominaux se contractant au rythme d'une respiration haletante…

Sentant un chaleureux liquide inonder le fond de sa culotte, elle revint, un petit sourire en coin, à son objectif principal.

— Du coup, je ne comprends pas pourquoi tu te mets dans des états pareils ?

Étant loin d'avoir digéré cette défaite, le Barbare n'avait toujours pas le cœur à la discussion, préférant ressasser une bataille dans laquelle il ne sortirait jamais vainqueur. Néanmoins, il ressentait une culpabilité non négligeable, suite à la manière dont il avait rabroué cette dernière quelques heures plus tôt. Il lui répondit donc par respect et comme un aveu déguisé de ses regrets, mais ne put absoudre la haine grandissante dans son être qui saccada chacun de ses mots.

— C'est bien ça le problème ! Tu ne peux pas comprendre !

Très lucide dans sa démarche, elle nota clairement la colère dans le timbre de sa voix. Bien sûr, il ne s'agissait pas de la réplique rêvée et inattendue, mais au vu de sa précédente tentative, cela s'apparentait à un début des plus prometteur.

— Pourquoi ne pas m'expliquer dans ce cas ? dit-elle avec tendresse et douceur.

— C'est personnel, articula-t-il avec obligation et désinvolture.

Tombant des nues, à l'entente d'une telle absurdité, elle en oublia ses bonnes résolutions et trancha dans le vif du sujet.

— Ça fait cinq ans que nous partageons tous nos soucis, cinq ans qu'on s'épaule mutuellement... Le souffle court elle continua.

— Cinq années qu'on dort dans le même lit et que tu me baises quand t'en as envie. Tout en rassemblant quelques affaires, elle poursuivit.

— Je vais chez ma sœur, fais-moi signe quand t'auras décuvé.

Sur ce, elle partit sans se retourner. Elle n'eut pas le temps de claquer la porte d'entrée, que l'esprit de Jon se morfondit à nouveau sur des idées noires, laissant libre cours à la folie de celui-ci...

171

*****

Déployant des ondes métalliquement cassantes, le vieux carillon résonna dans toute la maison, dépoussiérant celui-ci par la même occasion. Elle bondit du fauteuil au premier son de cloche, avec toute la fougue de sa candeur, pour aller accueillir le dernier invité.

Il avait tout d'abord pensé décliner cette invitation impromptue. La perte soudaine de ses proches coéquipiers, ainsi que tous les autres policiers morts dans l'exercice de leurs fonctions, l'ayant privé de toutes joies pour la décennie à venir.

Harassé par des montagnes de paperasses, croulant sous le poids de la tristesse et de la culpabilité, Alain n'y tenait plus. Il s'était imaginé rentrer chez lui de bonne heure, s'isolant dans un fauteuil dépravé en dégustant son alcool préféré et en potassant des regrets inaccessibles. Pourtant, l'insistance de sa fille et les nombreux trépas du jour, lui rappelant intensément que la vie ne tenait qu'à un fil, il avait fini par accepter.

— Coucou, papa, ça va ? dit-elle avec un sourire resplendissant.

Ébahi devant la femme, pleine de prestance et d'assurance qu'elle devenait, tout autant étourdie par sa beauté et son charme naturel, Alain répondit fièrement à sa fille.

— Bonsoir trésor. Tu es magnifique…

Sentant un rouge intense, parsemer l'épiderme fragile et juvénile de ses joues, elle passa immédiatement à autre chose.

— C'est gentil. Mais qu'est-ce que c'est que tout ça ? Viens, je te débarrasse.

En effet, il n'était pas venu les mains vides et s'en retrouvait du coup plutôt chargé.

— Alors, ces fleurs sont pour toi.

Il lui tendit un bouquet de fleurs, chatoyant de couleurs inimaginables, semblant provenir d'une autre galaxie. S'ornementant de milles pétales aux formes incongrues, celui-ci dégageait des arômes délicats aux senteurs enivrantes, éveillant en elle des sensations et des pétillements jusqu'alors inconnus.

De nombreux papillons aux ailes d'anges fines et fragiles, voletant désormais dans les yeux de sa fille, il attendit quelques secondes avant de poursuivre, savourant l'émerveillement de celle-ci.

— Celui-ci est pour ma chère sœur, dit-il d'un ton taquin.

Lui tendant cette fois-ci un bouquet purement industriel, commercialisé par milliers et apparemment conçu par un ogre des cavernes, elle mima une moue entendue qui les fit tous deux rire de bons cœurs.

— Et ça, reprit-il avec un sourire lourd de sens, c'est pour ton petit copain et moi. Sachant que sa sœur, à son grand désarroi, ne stockait jamais la moindre goutte d'alcool dans son buffet, Alain avait pris les devants en ramenant une bonne bouteille de vieux whisky.

Connaissant parfaitement son penchant pour cette drogue destructrice, Elana répondit du tac au tac, mais toujours sur la même longueur d'onde, celle du pardon et de la fête.

— C'est plutôt pour toi oui !

Un nouveau fou rire se déclencha entre eux, instantanément interrompu par une voix de mégère, provenant de la salle à manger.

— Vous comptez dîner sur le perron ? beugla tante Lisa avec hargne et autorité.

Réalisant qu'ils étaient encore sur le pas de la porte, depuis cinq bonnes minutes, et qu'elle avait abandonné son petit copain aux griffes acérées de sa mère adoptive, Elana mit honteusement sa main devant sa bouche. Écarquillant dans le même temps ces grands yeux noisette, leurs éclats redoublèrent de fraîcheur et d'intensité. C'est ainsi qu'ils pénétrèrent dans la demeure, la joie, la bonne humeur et la confiance en un avenir meilleur.

— Salut sœurette, comment vas-tu ?

Perfectionnant dans les moindres détails le dressage de la table, celle-ci se retourna en croisant ses bras avec défiance, la mine sévère. Ces hallucinantes mamelles, recouvrant la quasi-totalité de ses avant-bras, Alain ne put contenir un gloussement déconvenue.

— Très bien merci, répondit-elle, les yeux rivés sur la bouteille, sans même se donner la peine de lui renvoyer la question.

— Je peux savoir ce qui te fait rire comme une baudruche ? reprit-elle fermement.

Sentant le vent tourner et la foudre arriver, dû à une entrée mal négociée, Alain se recroquevilla dans son pull-over à col roulé. Héroïne dans l'âme, sa fille bien-aimée arriva à point nommé, avec un énorme et sublime bouquet dans les mains, créant ainsi la diversion rêvée pour Alain. Ayant amalgamé les deux compositions avec brio, elle déposa le vase au centre de la table et s'adressa à sa mère adoptive, tout en faisant un clin d'œil discret à son paternel.

— Regarde ce qu'il nous a apporté… Voyant que cette habile manœuvre n'allait pas être suffisante pour l'absolution de son créateur, Elana changea de stratégie.

— Papa, je te présente Matthew.

Celui-ci se leva gauchement et précipitamment, manquant d'emporter avec lui la table basse, pour honorer comme il se doit son futur beau-père. Il espérait tout du moins, pouvoir un jour user de ce titre.

— Bonsoir Monsieur, je suis enchanté de vous rencontrer, dit-il comme une leçon apprise par cœur, en tendant sa main droite.

Cela bien sûr ne passa pas inaperçu aux yeux d'Alain, ce qui le fit sourire intérieurement, même si son faciès resta de marbre. Comme un roi l'aurait fait en des temps jadis, il examina soigneusement le prétendant de sa fille, les doigts crispés sur le pommeau glacé de son épée, dans l'éventualité ou l'opportunité de le raccourcir d'une large tête.

De bonne taille mais plutôt mince, Matthew avait un visage finement sculpté, aux contours lisses et précis. Arborant un regard pétillant de jeunesse et dévoilant avec un sourire naïvement dévastateur, des dents étincelantes, celui-ci inspirait une confiance indéniable. Son instinct lui faisant rarement défaut, Alain dû se rendre à l'évidence, le gamin avait une bonne bouille. Tout en acceptant la poigne, frêle et menue du jeune homme, celui-ci répondit.

— Bonsoir, tu peux m'appeler Alain si tu veux.

Telle une lourde herse hérissée de pointes affûtées, protégeant l'accès d'un château, nécessitant habituellement de nombreux hommes et d'interminables roulements pour seulement la faire vibrer... S'élèverait comme par enchantement devant la puissance divine, le jeune homme perçut ainsi cette proposition mais ne sut gérer l'afflux d'émotions qui en résulta, ce qui le fit bafouiller.

— Merci monsi... il se reprit rapidement, Alain pardon.

Décidément, le chéri de sa fille lui plaisait de plus en plus, pensa le Cerveau. Celui-ci ayant glorieusement passé les deux premières épreuves, il ne lui restait plus qu'un ultime test à braver et pas des moindres.

— Il n'y a pas de quoi. Que dirais-tu d'un petit whisky ?

Matthew prit longuement le temps de réfléchir à la question avant d'y répondre, se demandant s'il s'agissait d'un piège ou d'une offrande inespérée. Appréciant goulûment l'enivrement que pouvaient procurer ce genre d'alcool et son pouvoir hypocondriaque pour nouer des liens avec des inconnues, il décida de jouer la franchise.

— Ah oui, dit-il, avec plaisir.

Aspergeant de sang sa lame effilée et éclaboussant sa reluisante armure, en produisant un bruit plus craquant que des biscottes, Alain n'aurait nul besoin de sectionner d'autres cervicales aujourd'hui. Le roi embrassa la foule, les trois personnes présentes, d'un regard impérial et victorieux, tout en desserrant l'étreinte sur le manche de sa lame. L'aventureux prétendant ne le saurait jamais, mais cette dernière réplique venait de lui éviter une vision d'horreur des plus traumatisante, pour l'avenir d'un homme. Celle d'un géant tout récemment privé de son chef, les épaules et le buste dégoulinant d'hémoglobine encore chaud et poisseux, dégringolait sur lui comme une masse en se convulsant atrocement. Avant d'être injustement ratatiné, par plusieurs tonnes de chairs devenues flasques et blanchâtres, il se demanderait pourquoi cette immense chose était accoutrée des mêmes vêtements que lui…

— Lisa, vous prenez un verre avec nous ? Lana ? proposa Matthew cordialement.

A priori nota Alain, celui-ci surnommait sa fille ainsi en public. Cela le ramena bien des années auparavant lorsque sa femme, déjà aussi ronde qu'un œuf de diplodocus, et lui se disputaient le choix du meilleur prénom pour leurs futures descendances. À cette époque, Alain défendait dur comme fer le sobriquet d'Elana. Sarah quant à elle, bataillait pour une version plus courte de celui-ci, Lana. Au final, après un dur labeur et

176

moult défis surmontés, il avait eu gain de cause. Ce qu'ils ignoraient tous deux à ce moment-là, c'est que la deuxième version découlait de la première et serait tout autant utilisée que celle-ci. En repensant à ces chamailleries, un savoureux brin de nostalgie s'immisça en lui.

Il comprit à cet instant, qu'en acceptant cette invitation, il n'avait pas fait de meilleur choix dans sa vie depuis une bonne décennie...

*****

Une vexante douleur irradiait de la surface de ses joues, recouvrant celles-ci d'une couleur pourpre. Sous l'afflux de sang battu, des veines saillantes se dessinèrent aux coins de ses tempes et de son front. Il s'éveilla et vit un homme penché au-dessus de lui, armant sa main droite pour lui affliger une nouvelle baffe. Le bras de celui-ci, pourtant lancé de toute sa force et à pleine vitesse, se stoppa net lorsqu'il découvrit l'émergence de son prisonnier. Le tortionnaire se releva bien malgré lui et l'observa avec insistance, d'un regard empreint d'une aura malsaine, avant de tourner les talons pour retourner à des occupations moins gratifiantes.

Une dégoûtante amertume envahissait le fond de son palais, emplissant son nez d'une odeur nauséabonde, insoutenable pour lui. Ori se redressa, la bouche pâteuse, et s'assit sur le bord d'un lit étroitement minuscule, semblant plutôt convenir à un enfant. Le coussin était abondamment taché de gerbe fossilisée, libérant psychologiquement, un nouveau relent à son odorat affûté. En étirant les traits de son faciès, il sentit qu'il en avait encore collé le long de son cou, mais pas autour de ses lèvres ni de son menton. Le bourreau avait dû prendre la peine de lui nettoyer le visage, pensa-t-il, pas par égard pour celui-ci bien entendu, mais afin de ne pas s'en foutre pleins les mains.

Son buste était entièrement capitonné par une camisole de force, les bras croisés devant lui, ne lui offrant aucune possibilité de mouvement. Il se leva et s'aperçut que ses chevilles étaient menottées par d'épais bracelets, reliés entre eux à l'aide d'une grosse chaîne. Solidement accrochés sur une aspérité en acier, scellés dans le béton au centre de la pièce, les maillons assemblés lui permettaient de se déplacer sur une circonférence d'environ trois mètres. Ce qui, au vu de la taille de la cellule, était plus que suffisant pour cartographier en détail les moindres recoins de celle-ci.

Il se leva et se rendit jusqu'à l'entrée de ses quartiers pour observer les alentours, à travers le quadrillage rectiligne des barreaux, afin de trouver des réponses aux nombreuses questions qui le taraudaient. Se faisant, il constata qu'il avait recouvré toute sa vitalité, ce qui le fit s'interroger d'autant plus sur le temps qu'il avait pu passer en ces lieux.

Il se remémora ses derniers souvenirs, avant son arrivée ici, et les nombreux doutes qu'il avait eu quant à la bonne marche à suivre. Il n'avait pas massacré ces trois policiers sans raison, même si la manière dont il avait procédé pour les tuer lui avait procuré un jouissif plaisir, mais bel et bien pour s'assurer que le groupe d'intervention n'était pas équipé de lampe torche. Une fois, ce fait établi, le Surhomme avait parcouru les longs tunnels plongés dans l'obscurité, qui lui avait semblé interminable et semé d'embûches. Il s'était ensuite fié à ce bruit de tôle, claquant par intermittence, qui n'était autre que des véhicules roulant sur une plaque d'égout. À bout de forces et au bord du délire, il avait soulevé lentement celle-ci, conscient que le cas échéant, il aurait pu terminer cette longue route en deux morceaux bien distincts.

Ne voyant pas de voitures à l'horizon, il s'était hissé péniblement sur le goudron puis plus rien, le trou noir… s'était-il évanoui sur le pavé, éreinté par les efforts incommensurables qu'il avait dû déployer pour s'en sortir ? Il avait beau chercher, farfouiller au plus profond de son esprit, il n'en apprit pas plus.

Sentant qu'il ne trouverait pas d'autres indices pour le moment, dans ses souvenirs, il n'insista pas et se concentra plutôt sur son environnement. De son point de vue actuel, il pouvait voir l'ensemble de celui-ci, mis à part les côtés suivant le prolongement de sa cellule. Il était dans un commissariat, probablement celui de Treffert, se dit-il. De nombreux bureaux, délimités par des cloisons en verre opacifié et s'arrêtant à mi-hauteur, s'étalaient sur la majeure partie de la surface. Grouillant dans tous les sens comme des rats de laboratoires, les agents de police s'affairaient à leurs durs labeurs, soit prostrés devant un ordinateur, soit en apportant des documents au bureau voisin. Dans un angle de la salle, il aperçut un garde-fou descendant, lui indiquant que le bâtiment comportait plusieurs niveaux. N'en voyant pas d'autres, il en conclut qu'il se trouvait au dernier étage. La clarté ambiante, étant terne et maussade, supposait que la journée approchait de sa fin, même si un temps nuageux pouvait procurer une sensation identique.

Tentant de déchiffrer au mieux, tout ce qui se passait autour de lui, il avait loupé du regard et à plusieurs reprises, l'homme se trouvant juste en face de lui. Celui-ci était avachi sur son siège, les jambes croisées sur son bureau, feuilletant un vulgaire magazine de propagande. Il s'agissait à la fois de son sauveur et de l'homme à la main lourde, le vertueux donneur de baffe. Selon Ori, ce flic prenait son métier bien trop à cœur, sa mâchoire toujours endolorie par les chocs violents et successifs, constituant une preuve irréfutable sur cet état de fait. Il ne manquerait pas le moment venu de l'en remercier gracieusement et avec tous ses compliments…

*****

Seul dans son appartement, il consommait goulûment le contenu de son verre, comme si c'était le premier de la soirée.

Il avait déjà bu cinq ou six whiskys, entouré des êtres les plus chers à ses yeux, ce dernier avait pourtant une saveur inégalable mais pas inexplicable. Installé confortablement dans son fauteuil, comme tous les soirs, il connaissait et comprenait mieux que personne le pouvoir de cette drogue. Étant officiellement très lucrative pour l'économie, en d'autres termes légalisée, les dangers de celle-ci étaient autorisés mais trop souvent sous-estimés par les plus accablés. L'alcool grignotait vos envies, vos objectifs et vos besoins les plus intimes, semblant être essentiels jusqu'ici mais n'ayant plus la moindre signification aujourd'hui. Elle effilochait lentement votre personnalité, la suçant jusqu'à la moelle, pour enfin l'arracher définitivement de son hôte. Ne devenant que l'ombre de vous-même, celle-ci volait votre présent en brisant votre futur, ne laissant petit à petit, de place que pour le passé.

Alain savait pourquoi ce verre avait une saveur inégalable, tout simplement parce que ce n'était pas le dernier mais bien au contraire, le véritable premier verre de la soirée. En effet depuis de nombreuses années, il avait pour habitude de déguster les whiskys seul dans son fauteuil, à l'abri des regards indiscrets et des jugements non divulgués. Tel était le dicton de cette drogue, pensa-t-il, mieux vaut t'abreuver seulement de moi, que de partager heureux avec eux. Préférant s'égarer dans ses souvenirs, qu'envisager une énième fois le sevrage radical de cette substance, le Cerveau se remémora le piège menant à l'arrestation du surhomme...

*****

Depuis trop longtemps dans la même position, il ne pouvait plus tenir les jumelles à deux mains, devant constamment changer de bras pour soulager l'autre. Ceux-ci n'étaient plus irrigués par son sang mais par des milliards d'insectes, c'est en tout cas ce qu'il ressentait. Agrandissant et déformant les nombreuses veines constituant ses membres supérieurs, les rampants semblaient lui communiquer une lancinante douleur, proche de l'engourdissement, à chacun de leurs passages. Agenouillé sur un toit, les coudes sur le rebord de celui-ci, il avait pour ordre de signaler tout mouvement de cette maudite plaque d'égout. Détrempé jusqu'à l'os par une fine et incessante pluie, l'agent de police craignait d'y laisser un morceau, vital à sa conception biologique naturelle, pour cette mission bancale.

À intervalle irrégulier, variant de zéro à trente secondes environ, le futur manchot apercevait un véhicule de police passait devant ses jumelles. Du haut de son toit, avec pas moins de dix étages le séparant du sol, il parvenait malgré tout à entendre la douce mélodie orchestrée par la plaque d'égout, lorsque les pneus la faisaient vibrer en l'écrasant brutalement.

La route avait été bloquée dans les deux sens par le commissaire, offrant aux voisinages le ridicule spectacle, de force de l'ordre tournant en boucle au milieu de l'avenue, dans le but improbable de tasser de l'acier. Le pire dans tout ça, c'est que certains conducteurs, censés être entraînés et chevronnés dans le domaine de la conduite, réussissaient l'exploit de louper ladite plaque, ce qui constitue la seule source d'amusement de l'imminent manchot. Clignant des yeux à plusieurs reprises, se demandant en premier lieu si c'était la fatigue qui lui jouait des tours ou s'il était en train d'halluciner, l'impotent prit son talkie-walkie en tremblotant.

— Mouvement sur la plaque, je répète, mouvement anormal de la plaque.

Les ondes radio firent voyager le message, au commissaire et à ses confrères, en une fraction de seconde. Traversant pour se faire d'innombrables parasites environnant, celui-ci arriva à bon port avec saccade et grésillements, émoustillant au passage les tympans les plus récents. Les snipers sortirent de leurs torpeurs et mirent en joue la plaque d'égout à l'unisson, comme cinq doigts d'une main formeraient un poing, avec leurs HK417 équipés de fléchettes tranquillisantes...

*****

Aussi bien qu'une porte serait décapsulée de ses gonds, Alain fit un bond dans la voiture banalisée, oubliant tout d'un coup ses douleurs lombaires et l'armature environnante de celle-ci. Cela lui valut une belle bosse sur le haut du crâne mais il n'en avait cure. Situé juste en face de la plaque d'égout, à seulement quelques mètres de celle-ci, le Cerveau vit le Surhomme soulever la lourde taule et sortir langoureusement du tunnel, comme un messie tombé du ciel. Il dut cligner des paupières à plusieurs reprises afin de valider l'information avec certitude, car lui non plus n'en croyait pas ses yeux. Pourtant il ne rêvait pas, la proie était bien là.

Le commissaire avait pris des risques incalculables en échafaudant toute sa stratégie d'attaque, avec seulement quelques minutes d'élaboration, sur les sens surdéveloppés du tueur. Mais quel autre choix avait-il eu... Le sachant fier et imbu de sa personne, il s'était complètement joué de celui-ci, se servant tout bonnement de cette force pour la retourner contre son propriétaire. Il avait tout d'abord poussé Ori à emprunter les passages plongés dans le noir, illuminant pour se faire les tunnels aux aboutissants ingérables par ses troupes d'actions. Cela, bien entendu, n'avait pas été suffisant pour piéger un homme de cet acabit, un tueur de cette trempe, mélangeant si habilement puissance et intelligence. Le Cerveau avait donc imaginé une preuve irréfutable pour sa proie, qui ne laisserait plus le moindre doute quant à la bonne marche à suivre.

Encore un verre à la main, Alain ressentit une immense fierté l'envahir car son traquenard, aux bases fragiles et indubitablement discutables, avait pourtant fonctionné à merveille. Néanmoins, une légère pointe de culpabilité entacha quelque peu sa joyeuseté, à peine acquise.

Pour gagner la guerre, un chef doit prendre des décisions, se dit-il, quitte à sacrifier de vaillants soldats. Ceux-ci sont morts pour la bonne cause et en héros, c'est en tout cas ce qu'il dirait aux familles des défunts ou aux journalistes lors de la prochaine interview. Mais qui allait tirer bénéfice de cette cause en définitive, quelle est la personne qui allait récolter les nombreux lauriers de cette arrestation... À ce moment-là, le commissaire comprit qu'il ne valait pas mieux que ce pauvre père de famille éperdu, bien au contraire. Certes celui-ci tuait sauvagement, sans pitié aucune, mais il le faisait de front et à chaque fois au péril de sa misérable vie. Moi, j'assassine mes hommes par correspondance, pensa-t-il, les envoyant se faire massacrer sur la première ligne de front pendant que je roucoule lâchement et tranquillement, en dehors de la zone de combat.

Oui, c'est vrai, il avait volontairement mis la corde au cou à de valeureux soldats. Les délivrant de cette vie ingrate, en poussant lui-même du plat du pied chacune des bûches sur lesquels ils tentaient de survivre, dans un équilibre instable et précaire. Depuis le début, le Cerveau savait. Il savait que les rabatteurs, lancés dans les égouts à la poursuite du surhomme, tomberaient nez à nez avec celui-ci et n'en réchapperaient pas indemnes. Il savait que l'absence de lampe torche, dans le matériel transporté par l'équipe d'intervention, constituerait une preuve irréfutable pour sa proie. Enfin, il savait que celui-ci se jetterait corps et âme dans la sombre gueule du loup, grâce à ce simple subterfuge. Oui, lui aussi était un tueur, sournois de surcroît. Mais il avait remporté la victoire et rien d'autre, en de telles circonstances, n'avait d'importance à ses yeux. Le corps et l'esprit pétillant à foison, comme si ceux-ci avaient baigné dans une rivière de jouvence, il se délecta de la suite en lapant une gorgée supplémentaire.

Il l'avait ensuite guidé à l'endroit voulu, en exploitant l'ouïe affûtée du tueur. Rien n'avait été pensé au hasard, se rappela-t-il avec luxuriance à ce moment-là. Les véhicules, tournant en boucle sur la plaque, l'avaient fait dans le seul but d'attirer la proie vers cette sortie et nulle part ailleurs, Le quartier étant hermétiquement quadrillé par bon nombre de ses sous-fifres. Les policiers assignés à cette tâche, n'en connaissant ni les tenants ni les aboutissants, avaient pesté âprement et régulièrement envers cette dégradante mission, ou contre un commissaire semblant avoir déraillé complètement. D'ailleurs, le Cerveau ne le saurait jamais, mais la forte résonance, induite par l'acier dans les nombreux tunnels, avait maintes fois trompé les sens du surhomme, manquant de lui faire explorer des contrées autrement plus accueillantes.

— Feu ! ordonna le commissaire…

*****

À peine était-il parvenu à hisser son buste hors des égouts, s'apprêtant à ramper péniblement sur la terre ferme pour extraire le reste de son corps, qu'Ori avait reçu plusieurs fléchettes tranquillisantes dans le dos. Celles-ci s'étaient fichées brutalement au bas de ses reins, autour de ses omoplates ou directement dans sa colonne vertébrale, s'écrasant durement sur son ossature et déchirant au passage bon nombre de ses muscles dorsaux. L'insoutenable douleur emmagasinée par la fréquence, la violence et la puissance des impacts, avait suffi à lui faire perdre pied, avant même que la drogue ait pu prendre effet. Attiré par la gravité terrestre et le poids de ses jambes, il avait tout d'abord glissé lentement en direction du trou, s'éraflant bras et pommettes, sur un rugueux goudron. La cadence s'était accélérée et d'un seul coup, il fut happé dans la gueule du boyau, comme si un monstre l'avait sauvagement tiré en arrière pour en faire son quatre-heures. Il avait chuté lourdement dans les eaux troubles et poisseuses des égouts, ne se rompant par miracle ni le cou ni toutes autres parties de son corps…

*****

Il avait fallu trois policiers bien charpentés pour remonter un Ori indemne à la surface, semblant néanmoins dormir plus profondément qu'un bébé et ce, pour l'éternité. Le Dr Podrick, présent sur demande expresse d'Alain, s'était tout de suite jeté sur lui afin de contrôler son état général. Après s'être assuré de l'intégrité totale du spécimen, il avait fait de nouveaux prélèvements sanguins pour ses recherches.

— Alors, comment va-t-il ? demanda le Cerveau.

— Son corps est en état de choc commissaire, suite à la forte dose d'anesthésiant administré ainsi qu'aux grands nombres de traumatismes physiques subis, tout au long de cette escapade. Le docteur se racla la gorge avant de poursuivre.

— Il serait préférable qu'on le garde en observation à l'hôpital, le temps de s'assurer que son pronostic vital n'est pas engagé.

Alain n'était pas dupe, ce doc en toc n'avait strictement rien à cirer de la santé du patient, qu'elle soit d'ordre physique ou même psychologique. Désirant seulement ébranler le milieu scientifique de par sa trouvaille et ses compétences avancées, ce docteur en herbe n'avait d'yeux que pour la gloire et les honneurs, qu'il pouvait retirer d'une telle opportunité.

— Je ne me fais aucun souci pour lui, répondit-il sèchement. Pour votre propre sécurité et celle de nombreux civils vous entourant, reprit celui-ci, il est préférable qu'il soit maintenu sous bonne garde dans une de mes cellules.

Le visage du cerveau était resté ferme et autoritaire, vis-à-vis de l'herboriste, alors qu'intérieurement la mine déconfite de celui-ci l'avait fait jubiler au plus haut point.

— Bien commissaire, je comprends, avait-il répondu avec résignation, avant de tourner les talons.

Alain l'avait regardé s'éloigner un sachet médical à la main, hermétique et transparent, contenant des échantillons de couleurs pourpres.

Les agents postés en surveillance, autour du tueur et ayant entendu toute la conversation, chargèrent celui-ci sans ménagement aucun à l'arrière d'un fourgon de police, afin de le mener à sa future loge étoilée. Le commissaire avait ensuite pris son téléphone portable.

— Alors chef ? dit du tac au tac le Barbare en décrochant son portable.

Alain fut, comme toujours, émerveillé par la spontanéité et la droiture de Johnson. Jamais celui-ci ne s'était égaré dans des palabres inutiles ou avec de ridicules courbettes pour se faire entendre, vous défroquant lentement mais sûrement. Au lieu de cela, le Colosse était le genre d'homme qui débarquait chez son supérieur en tapant du poing sur le bureau, manquant d'écraser celui-ci et de lui briser les jambes dans le même laps de temps. Vous observant du haut de ses deux mètres par un, avec des yeux coléreux, tout en ramenant ses sourcils broussailleux sur l'arête de son nez, l'Homme des Cavernes finissait par vous rendre plus infime et plus fragile qu'un enfant. Sachant que son interlocuteur allait rapidement perdre patience, il répondit clairement et efficacement à celui-ci, afin d'éviter toute effusion de sang ou tout bruit désappointant d'os craquant.

— On l'a eu. Comme prévu, il ne se réveillera pas avant demain matin. Après un léger blanc, il reprit avec amusement.

— Là, il est en route pour le commissariat, je lui ai réservé notre plus belle chambre si tu vois ce que je veux dire…

Johnson aurait dû être enchanté par cette arrestation, mais il n'avait à l'esprit que regrets, vengeance et croissante animosité envers le tueur. Envers l'homme contre qui il n'avait pas fait un pli, s'était-il rappelé amèrement. Un homme qui l'avait profondément humilié, arrachant d'un seul tenant toute une vie de dignité, durement emmagasinée au fil des années et qui jadis l'enhardissait.

L'orgueilleux barbare, ne souhaitant aucunement faire preuve de faiblesse aux yeux du commissaire, ce qui l'aurait définitivement privé de dignité pour le restant de ses jours, émoustilla les tympans du cerveau de son rire tonitruant, avant de répondre convivialement.

— Rien de tel qu'une chaîne en acier, pour apprivoiser un animal mal dressé.

— Tu l'as dit bouffi.

En des circonstances plus avenantes et plus appropriées, le Colosse avait maintes fois apprécié ce style de réflexions, démodées et hors sujet, régulièrement prononcé par son aîné. Mais au vu de son état d'esprit actuel, celle-ci lui parut impossible à digérer. Comme si un oursin était planté dans son gosier, il était à deux doigts de tout renvoyer, gerbant whisky et glaçons contrefaits sur le canapé. Le Colosse prit néanmoins sur lui, encore une fois, en passant directement aux questions le préoccupant.

— Il ne devrait pas être à l'hosto, sous surveillance médicale ?

— Podrick était lui aussi de cet avis, répondit Alain avec irritation, mais je ne pouvais pas risquer de le laisser hors d'atteinte. Il a vérifié son intégrité physique, prélevé quelques échantillons sanguins, et je lui ai gentiment fait comprendre qu'il devait dégager.

— OK chef, vous avez bien fait...

Il était tard déjà et la journée avait été éreintante, autant physiquement qu'émotionnellement. Alain posa son verre (vide) sur la table basse, afin d'aller se coucher. Envahi par un orgueil malsain, il n'avait à l'esprit que l'arrestation du tueur et l'immense fierté qu'il en retirait. Ce qui malheureusement, et le pire c'est qu'il n'en avait même pas conscience, fit valdinguer les émouvantes retrouvailles avec sa fille aux oubliettes, bien loin dans un coin de sa tête.

Se levant, il repensa à sa conversation avec Johnson et réalisa qu'il n'avait pas eu la décence, professionnelle bien entendu mais surtout amicale, de prendre des nouvelles de celui-ci. À savoir, ce qu'il en était de la blessure à son bras. S'il s'était donné cette peine, s'il avait seulement été un supérieur digne de ce nom ou simplement un véritable ami, il aurait appris que l'Homme des Cavernes souffrait d'une vilaine fracture et ne remettrait plus les pieds dans ces locaux avant plusieurs mois. Sentant sa bonne humeur s'effriter, il chassa cette inconvenante culpabilité comme on chasserait une mouche trop envahissante. Son téléphone portable vibra à ce moment-là, c'était le central. N'étant plus mentalement disposé au travail, il répondit froidement, sans la moindre courtoisie pour cet arriviste.

— J'écoute.

— Bonsoir commissaire, désolé de vous déranger à une heure aussi tardive. Un drame navrant vient d'avoir lieu, l'agent Barilla semble en être l'unique responsable. Il a…

Le Cerveau n'écouta le reste du récit que d'une seule oreille, semblant toujours être emmitouflé d'une couette chaleureuse, principalement constituée de fierté et de whisky glacée. Combien en avait-il ingurgité d'ailleurs… Après un décompte provisoire, sommairement revu à la baisse, il en quantifia tout de même une bonne dizaine. Mais quelle importance cela avait-il après tout, le prochain qui le ferait souffler dans un ballon n'était pas encore né.

— J'arrive tout de suite, répondit-il subitement. Coupant ainsi court à toute future propagande, prestement prêché par son interlocuteur…

Chapitre 10
En chair et en os

Ori avait espéré bénéficier d'un repos révélateur, mais celui-ci ne fut que salvateur, ce qui était toujours bon à prendre, pensa-t-il. À en juger aux lieux désertés par le plus grand nombre, et l'atmosphère lugubre qui y régnait (seuls de rares bureaux étaient intimement éclairés par de ridicules lampes de chevet), la fin de soirée s'annonçait. Il avait dû dormir plusieurs heures, cela ne faisait aucun doute. Comme une providence dans ce monde de brutes se trouvait le vertueux donneur de baffes, parmi les rescapés d'une laborieuse journée, passée pour la plupart à bouquiner.

N'ayant pas encore trouvé de réponses acceptables à de nombreuses interrogations, il héla pompeusement son bienfaiteur, avec toute la courtoisie et tous les égards qui lui sont dus.

— Bien le bonsoir cher pervenche. Auriez-vous l'amabilité, je vous prie, d'éclairer mes lanternes, concernant quelques points de divergences sur ma présence en ces lieux… Qui de surcroît sont fabuleux et très instructifs, reprit-il.

Se retournant dans sa direction, d'un air peu satisfait par le ton ironiquement guindé de son souffre-douleur, le bourreau répondit en utilisant le summum de sa repartie intellectuelle.

— Ta gueule, enfoiré !

Le résultat escompté, dépassant déjà toutes ses espérances, Ori poursuivit sur la même rengaine, sa pseudo-conversation.

— Je vous remercie allègrement mon bon monsieur, pour cette charmante proposition, mais je crains malheureusement de ne point savourer ce pain-là. Sachez pour votre authentique gouverne, que seuls de contraignants paquets sont autorisés à embrasser mes parois intestinales. Néanmoins, continua-t-il mélodieusement, je respecte pleinement ce genre d'acoquinements entre mâles, virilement consentants j'entends.

D'un seul coup, des bottes crissèrent sur un coin de bureau, un fauteuil fut lancé à toute vitesse et un magazine fut projeté dans les airs. Les pages de celui-ci voletèrent en tous sens, comme s'il tentait de prendre son envol ou d'éviter une chute mortelle, ce qui au final bien sûr revenait au même. En deux temps et trois mouvements, le donneur de baffes se retrouva face au tueur. Les traits de celui-ci étaient déformés par la colère, le rendant plus moche que de coutume, et sa posture générale indiquait une confiance absolue en la cage qui les séparait. Ils se jaugèrent, durement et froidement, le temps d'un battement de cœur. Le bourreau sentit une peur irrépressible et une noirceur indéchiffrable, s'emparer de tout son être. Son esprit et son corps dans leurs totalités semblaient être épluchés à vif, comme une simple pomme destinée à une tarte. De lointains souvenirs, oubliés depuis longtemps, refirent surface dans son esprit avec violence, libérant un flux de larmes incontrôlables et intarissables. Les gouttes ruisselaient le long de ses joues et de son menton, inondant lentement son bel uniforme minutieusement repassé de la veille. En moins de quelques secondes, ne contrôlant plus la moindre parcelle de son cerveau, il était passé du flic au voyou, du bourreau à l'esclave ou du lion à la biche. Il comprit à ce moment-là que les barreaux étaient physiquement présents, mais ne représentaient aucunement une entrave à sa perte, à son déclin psychique.

Ori quant à lui, se découvrit un nouveau moyen de persuasion, le flageolement cérébral. Cela le laissa pensif un instant car il n'avait rien fait, ou tout du moins rien en particulier. Seul son regard, plus intense et plus brûlant qu'un immense brasier, s'était fondu dans les yeux de son vis-à-vis, consumant littéralement les barrières mentales de celui-ci. Pourtant se souvint-il, il avait croisé les yeux du colosse et du commissaire dans le même état d'esprit, celui de la force et de la bestialité, ce qui n'avait pas eu le moindre effet sur eux. Il en vint logiquement à la conclusion que seules les personnes faibles de caractère, pouvaient être affublées par ce mal. La faim, commençant à décaper ses entrailles internes et le privant lentement de discernement, le Surhomme tira profit de sa supériorité actuelle.

— Va donc me chercher à bouffer tête de nœud, je crève la dalle !

Ori vit le bouffeur de pâtes, le donneur de baffes, se reprit-il mentalement, sécher d'abondantes larmes d'un revers de main et s'éloigner la queue entre les jambes, comme un chien bien dressé par son maître. Il a l'air d'avoir des origines italiennes après tout, songea-t-il, ce qui donnerait au final : le donneur de baffes aime bouffer des pâtes... Tout à son amusement, il renchérit, afin d'affirmer ou de confirmer son emprise sur le donneur de bouffe.

— Et n'oublie pas que c'est toi qui vas devoir me donner la becquée, un sourire en coin il continua, comme tu peux le constater je suis pieds et poings liés.

Le courageux bourreau, plus honteux que jamais, poursuivit son chemin sans se retourner, n'osant même pas répondre à son prisonnier. Un homme arriva en sens inverse, le bousculant au passage, mais il ne le vit pas ni ne ressentit le moindre contact d'un corps étranger contre le sien. Celui-ci s'en excusa pourtant de vive voix, mais il ne l'entendit pas. Le nouveau venu semblait être inexistant à ses yeux, comme si tous ses sens n'étaient voués qu'à un seul dessein, assouvir la faim vorace du lion.

Mike se sentit quelque peu offusqué par ce manque de courtoisie, mais, ce pauvre policier semblant être au bout du rouleau, il n'en tint pas rigueur. Enchaînant mécaniquement un pied devant l'autre, aussi bien qu'un robot programmé pour un unique objectif, il arriva à destination sans crier gare. Comme une avalanche, déferlant de hautes montagnes et écrasant subitement les bas récifs par sa masse, tel était devenu son état émotionnel. La boule au ventre et les yeux brillants d'éloquence, il démarra pourtant la conversation avec simplicité et humour.

— Bonsoir Ori, comme promis me voici. En chair et en os qui plus est, reprit-il quelques instants plus tard avec un timide sourire.

— Bonsoir mon ami, j'aimerais tant qu'il en soit ainsi.

Mike ne comprit pas les derniers mots de son interlocuteur, de cette réplique étonnante, voire incohérente. Celle-ci l'intrigua plus que de raison, démangeant furieusement sa curiosité et rongeant intensément son désir, d'en découvrir le sens. Préférant le laisser poursuivre, son monologue, il dut néanmoins faire appel à toutes ses forces pour ne pas lui couper la parole.

— Nous avons beaucoup à nous dire. Après un léger blanc, qui parut durer une éternité pour Mike, Ori continua.

— Ou plutôt, j'ai de nombreuses choses à t'avouer…

*****

Les enfants avaient été exécrables toute la journée, mettant la patience de Jane à rude épreuve, en des temps moralement éprouvants pour elle. L'infatigable patience de ses parents n'avait cessé de la surprendre, surtout sa mère en réalité, car son vieux père passait désormais la moitié de sa vie à roupiller sur son fauteuil délabré. Alycia, étant de loin la plus maligne, régissait en tout état de cause la cohésion du groupe. Ce qui avait pour conséquence, en moins de temps qu'il n'en faut pour le dire, de faire basculer une harmonieuse famille dans un chaos intersidéral. Ses deux frères cadets, Dany et Mathis, ne faisant que suivre bêtement l'humeur du jour de celle-ci. De plus, leur père n'étant pas là, ceux-ci redoublaient d'efforts pour s'en donner à cœur joie, pouvant ainsi créer les pires désarrois au sein d'une communauté utopiste et aux premiers abords pacifistes.

Quiconque les garderait une journée, se dit-elle fièrement et avec une pointe d'amusement, finirait par se jeter sous les sabots d'une cavalerie lourde lancée à vive allure, sur le chemin de la victoire. Ou mieux encore, entre les crocs acérés d'une palourde voguant inutilement dans des eaux profondes et peu recommandables, pour des étrangers non accoutumés à ce milieu inhospitalier. Entre des sabots de chevaux et un innocent bigorneau, il n'y avait en théorie pas photo. Pourtant après mûre réflexion, tomber sur l'un comme sur l'autre peut s'avérer être des plus dangereux, voire fatals pour un primate en pleine déprime moral.

Sans la bienveillante présence de sa créatrice, Jane aurait déjà étranglé l'un d'entre eux ou probablement les trois, pensa-t-elle honteusement. Afin d'entériner définitivement toute idée infanticide libératrice, Jane les coucha immédiatement après le souper, sous l'œil éberlué et choqué de sa madré. L'épreuve du sommeil fut difficile et maintes fois compromise, étant donné qu'ils partageaient tous trois la même chambre, mais ils finirent enfin par rendre les armes.

Elle venait tout juste de raccrocher avec son bien aimé. Installée dans le canapé, le clair de lune se reflétant sur la majeure partie de la cheminée, Jane ne pensait qu'à leur dernière conversation. Elle ne parvenait pas à comprendre les motivations de son mari. Ori étant derrière les barreaux, pourquoi dans ce cas s'obstinait-il à courir un tel danger, dans le seul but de le rencontrer en personne… En apprenant cela, Mike aurait dû faire demi-tour à bride abattue, sans demander son reste, afin de rejoindre sa femme et de recouvrer une vie normale avec celle-ci. Avait-elle négligé ou sous-estimé ce puissant lien qui s'était installé entre eux, semblant désormais les réunirent à jamais ? Ce tueur en série, ce forcené endeuillé, pensa-t-elle sans rancune, était-il devenu plus important aux yeux de son mari que sa propre famille…

Tenaillée par une angoisse omniprésente, devenant bientôt étouffante, Jane n'y tenait plus. Elle s'imaginait déjà sur les traces de son homme, afin de reconquérir ce qui jadis lui appartenait. Seuls ses enfants la retenaient car bien entendu, elle ne pouvait se résoudre à les abandonner. Elle avait le sentiment de s'être engouffrée dans une profonde impasse, passant désormais son temps à ressasser de mornes pensées pour unique échappatoire, car elle n'avait aucune porte de sortie. Quand bien même aurait elle eut cette opportunité, la chance de pouvoir opter pour cette délicieuse éventualité, elle n'aurait été qu'un boulet harnaché aux pieds de son mari. Ne constituant qu'une entrave supplémentaire au bon déroulement de l'histoire. Si une fin heureuse était encore possible songea-t-elle, avec un croissant découragement. Jane devait bien se l'avouer, elle était complètement dépassée par les évènements et n'avait pas la moindre alternative pour y remédier.

Sa mère arriva dans le salon et interrompit le fil de ses pensées, la délivrant momentanément de ces éreintantes angoisses.

— Ça va, mon petit cœur, tu veux en parler ? demanda sa créatrice avec un mélange de patience et de douceur, entremêlé d'une profonde inquiétude.

Jane regarda longuement sa mère, les yeux s'emplissant d'émotions, avant de lui répondre. Pour la première fois, depuis qu'elle et sa famille avaient débarqué en urgence chez eux, elle se mit enfin à la place de ses parents. Elle réalisa combien ceux-ci devaient souffrir d'être ainsi tenus au secret, de ne pouvoir comprendre cette délicate situation, paraissant être des plus alarmantes d'un point de vue extérieur. Ils souhaitent simplement m'aider, se dit-elle. Ils veulent seulement se battre pour leur progéniture, comme elle-même se battrait pour sa descendance, quitte à donner joyeusement leurs vies si cela pouvait sauver la sienne. Elle observa son papa, constamment avachi sur son fauteuil fétiche et ronflant plus fort qu'une locomotive. Il paraissait vieux et démodé, venant d'une autre époque, d'un temps révolu. Malgré tout, elle le voyait toujours aussi beau et aussi fort que dans la force de l'âge. Celui-ci n'a pas l'air de se faire trop de souci, pensa-t-elle nostalgiquement, en se remémorant la merveilleuse enfance qu'elle avait eu la chance de passer à ses côtés. N'ayant plus la force de garder tout cela pour elle, Jane fondit soudainement en larmes et se confia enfin à qui de droit.

— J'ai si peur, maman…

*****

Le coup de feu résonna fortement dans ses oreilles, s'ancrant interminablement dans ses tympans affûtés pour communiquer l'information à son cerveau, désormais survolté. Il connaissait la signification de ce son, tout du moins, il imagina facilement ce que celui-ci voulait dire. Étant incapable d'absoudre ou même de supporter la pression mentale exercée malencontreusement par Ori, le donneur de bouffe s'était probablement suicidé avec sa propre arme de service.

Mike se tenait toujours face à lui, impérial, égal à lui-même. Les traits de son visage étaient néanmoins nettement marqués, par la fatigue bien entendu mais aussi par un stress intense, celui-ci étant dans l'attente d'une révélation ne semblant pas être de bon augure.

Le Surhomme quant à lui, avait une nouvelle fois le sang d'un homme sur les mains, à la couleur et à l'odeur indélébile. Celui d'un père, d'un fils, d'un mari ou même d'un anonyme, se dit-il, souhaitant simplement participer à la grande chaîne de l'humanité. Comme prisonnier par un étau de pensées, ses idées dérivaient tantôt sur les crimes infâmes et impardonnables qu'il avait proférés, tantôt sur ceux à venir, auxquels il ne pouvait remédier. Il fit un grand vide dans son esprit, tentant vainement d'éradiquer les erreurs du passé, en limitant tant bien que mal les futurs pots cassés.

Arrivant à l'extrême limite de sa patience, qu'il estima plus que tolérante, Mike ébroua Ori pour que celui-ci s'explique sur ses déroutants mystères. Afin d'apporter plus de poids et plus d'impact à sa demande, il usa sciemment du titre que le Surhomme lui avait maintes fois attribué.

— Je t'écoute, mon Ami, dit-il en se rapprochant plus encore de la cellule du tueur, qu'as-tu donc de si important à m'avouer ?

Ori regarda Mike droit dans les yeux, avec au fond de ceux-ci, une fierté non dissimulée pour cet homme franc et courageux qui avait bravé moult dangers à ses côtés.

— Tu es ma délivrance mais aussi ma pénitence, déclara Ori sans détour. Tu n'imagines pas, tout du moins pas encore, l'insoutenable douleur que j'ai ressenti quand j'ai vu mes enfants et ma femme percuter ce camion. Après une palpable émotion dans le timbre de sa voix, il continua son monologue.

— Le véhicule les suivant de près, de trop près, reprit-il avec amertume, a littéralement fusionné avec notre voiture familiale… Lorsque je suis arrivé sur place, il n'y avait plus rien à identifier et encore moins à espérer pour leurs saluts, car tout n'était que chair, os et ferraille amalgamés. Une partie de moi pourtant, refusait tout simplement d'y croire. C'était comme si mon cerveau et mon esprit dans leur intégralité, constituant à eux seuls mon unique intégrité en ce monde, continuaient d'envisager l'impossible, alors que l'essence même de leurs vies dégoulinait devant mon impuissante existence…

Mike vit les yeux d'Ori s'embrumer, pigmentant ses iris d'un voile rouge et feutré. Ce dernier ne tenta pas de cacher son insoutenable tristesse ni l'immense chagrin qui le submergeait, du fait de ressasser tout cela de vive voix. Bien au contraire, il faisait front fièrement, non seulement face à la douleur mais aussi envers son ami, dévoilant sans vergogne ses sentiments les plus intimes.

— Le choc fut si grand. La colère et la haine que je ressentis m'envahir à ce moment-là fut si puissante, poursuivit Ori avec une certaine amertume dans le timbre de sa voix, que mon être physique se métamorphosa en quelque chose de beaucoup plus abouti. Ne pouvant me résoudre à accepter tout cela, la privation définitive de ce qui était jusqu'à présent ma raison de vivre, je sentis mon énergie vitale croître indéfiniment, m'ouvrant ainsi toutes les portes et tous les champs du possible. Je détenais désormais, en moi, la clé de la vraie nature humaine. Plus rapidement et plus promptement qu'une ampoule s'illuminerait, à la simple pression exercée sur un interrupteur, je découvris que je pouvais maîtriser chaque parcelle de mon cerveau. J'entends par là, le conscient, le subconscient, la mémoire, l'hémisphère gauche, l'hémisphère droit et tout ce que tu voudras ou pourras envisager… Je ressentis tant d'infimes détails, constituant notre fonction cérébrale, et dont moi-même je n'avais pas encore idée, inonder massivement mon esprit, me dévoilant ainsi la véritable destinée de l'humanité…

— En seulement quelques secondes, poursuivit Ori, j'avais le sentiment d'être devenu l'élu des hommes. Un peu comme un dieu déchu, errant sans but dans un monde nouveau, vaste et inconnu. Comprends bien, mon ami, qu'à ce moment-là, j'ai été confronté au choix le plus difficile de ma vie, de toute forme de vie pouvant peupler notre planète. Le problème, majeur et largement compréhensible, étant que je ne pouvais vivre sans ma famille. Je ne me sentais ni la force ni la capacité de supporter jour après jour cette indéchiffrable et inextricable douleur au fond de mon cœur. Comment pouvais-je accepter de poursuivre ma route sans eux, dit-il larmoyant. Deux solutions, en apparence, s'offraient donc à moi. Soit je subsistais avec ce lourd fardeau sur les épaules, laissant ainsi libre cours à ma folie et à toute l'étendue de ma supériorité, soit je privais notre race de cet ultime savoir, en mettant tout simplement fin à mes jours.

Mike, de plus en plus ébranlé et choqué par le discours du surhomme, ne put contenir plus longtemps son profond ressenti sur le débat.

— Je sais déjà quel chemin tu as choisi, dit-il sur le ton de la réprimande et de la colère. Permets-moi de te dire mon cher ami, poursuivit-il ironiquement, et ce tout à fait entre nous, que cela ne justifie en aucun cas la mort de tant d'innocents et encore moins l'anéantissement de tout autant de familles... Brisées odieusement par des actes impardonnables et proférés par un être, enorgueilli d'égocentrisme avancé. Haletant et désormais dégoulinant de sueur, Mike reprit son souffle avant de continuer. Se souvenant soudainement de l'homme à qui il avait affaire, il mit à profit ce court interlude afin de calmer ses ardeurs et sa rancœur.

— Tu n'es pas un dieu mais un homme, tout comme moi, et cela ne t'octroie aucunement droit de vie ou droit de mort sur autrui...

$$*****$$

La pièce dégringola à toute vitesse dans le distributeur, semblant suivre un chemin prédestiné, intangible. Maintes fois empruntés par ses semblables, celui-ci lui permit de rallier la communauté de la monnaie en seulement quelques secondes. C'est tout du moins ce en quoi elle aspirait, avant de se retrouver entassée sur un amas de déchets (ses concitoyennes), la rendant plus inerte et plus inutile que jamais.

Le bruit que produisit celle-ci, lors de son impitoyable et infernale cavalcade, sortit le donneur de bouffe de sa léthargie. Recouvrant lentement sa lucidité, il se demanda, à juste titre, comment il était parvenu jusqu'ici et surtout pourquoi il s'y était rendu. En effet, en presque vingt années de carrière, c'était la première fois qu'il glissait le moindre centime dans cette vieille machine vous offrant en échange un aliment chimiquement saturé et semblant avoir subi une cryogénisation à moins de deux cents degrés. N'ayant absolument aucune souvenance, de sa présence en ce lieu, il mit un point d'honneur sur l'élucidation de cette histoire. Cela faisait partie de son métier après tout. Puis, pour une fois qu'il ne serait pas seulement payé à se masturber, ou pour surveiller des détenus enfermés derrière des grilles d'acier, il n'allait pas s'en priver. Ses derniers souvenirs se résumaient à son camp de base, les fesses ancrées dans son fauteuil et les pieds posés sur le mobilier, rien de plus. Néanmoins, il se souvint avoir été submergé par une grosse colère, d'avoir éjecté son magazine dans les airs et d'avoir manqué de terminer le cul par terre. Pour quelle raison ai-je pu m'emporter à ce point, se demanda-t-il, pou...

Sentant soudainement une étrange chose lui frictionner l'épaule droite, il fit volte-face immédiatement, la main déjà armée sur la crosse de son pistolet et prêt à dégainer.

— Hey, Giuseppe, tu comptes camper devant le distributeur toute la soirée ? s'exclama joyeusement le nouveau venu, la main posée sur l'épaule de celui-ci.

Comme une vision d'horreur, provenant de ses pires cauchemars, le donneur de bouffe se retrouva nez à nez avec Ori. Des lambeaux de vêtements flottaient sur son buste et le long de ses avant-bras, dévoilant des abdominaux sveltes et noueux, parsemés de veines saillantes. Rayonnant de toute sa splendeur, il inondait l'environnement d'une aura intense, de par sa seule présence. Ornementée d'une puissance désarmante, celle-ci semblait être la voie absolue de la raison, suffocante et inextricable. La camisole décharnée, révélant ainsi l'intégralité de sa force brute, associée à un visage de marbre et à un regard impénétrable, achevait de lui conférer la prestance emblématique d'un dieu.

Giuseppe sortit son arme de service et la plaça directement sous le menton du tueur de flics. Il appuya sur la gâchette, sans aucune sommation, libérant ainsi un champ de force des plus destructeurs. Pénétrant par la chair tendre et malléable du cou, la balle ressortit par le haut de la boîte crânienne, en dévastant tout sur son passage. Le donneur de bouffe ne fut pas éclaboussé sur le moment mais après coup, lorsque les restes d'os et de cervelles, enrobés de sang caramélisé, retombèrent en abondance sur son cuir chevelu. Il vit l'homme basculer en arrière, plus droit qu'une planche à repasser, et s'écraser froidement sur le sol. Son flingue n'étant, bien entendu, pas équipé d'un silencieux, la détonation alerta le commissariat dans sa totalité. Les policiers alentour, simples spectateurs du drame, se jetèrent sur lui immédiatement et le plaquèrent ventre contre sol. Il ne fallut que quelques secondes à ses confrères pour le menotter, mains dans le dos, mais cela lui parut durer une éternité. Se retrouvant allongé juste à côté du tueur, presque nez à nez avec celui-ci, l'agent Barilla prit lentement la pleine mesure de son larcin. Il vit le visage du surhomme, même si celui-ci était désormais difficilement identifiable, s'évaporer comme dans un rêve ou dans un vieux souvenir inaccessible. La peau de son faciès semblait se décoller littéralement, lamelle par lamelle, affichant ainsi un exosquelette globuleux et poisseux. Les cellules du mort reprirent contenance et se reconstituèrent subitement, comme si des scientifiques de génie avaient trouvé la clé de l'immortalité en recréant fibres et matières à coups de rayon laser. Giuseppe découvrit avec stupeur et résignation qu'il ne s'agissait pas d'Ori, mais d'un homme qui naviguait sur les mêmes flots que lui, et ce depuis plusieurs décennies…

*****

Ori voyait tout, entendait tout et appréhendait tout, lisant dans Mike aussi facilement que dans un livre. Ressentant, avec tristesse et culpabilité, chacune des émotions se dégageant de sa personne. Malheureusement, pensa-t-il, Mike faisait fausse route complètement et se fourvoyait lamentablement, sur les véritables craintes de celui-ci. Certes, le choix de ce dernier avait dû paraître inacceptable et des plus égoïstes, aux yeux du monde, mais cela n'était en fin de compte qu'une des lourdes conséquences de son insoutenable désespoir. Car en réalité, il avait agi comme le pire des lâches, en décidant d'entériner définitivement tout lien ou souvenir lui remémorant la perte de ses bien-aimés. Mike se permettait de le juger ouvertement et sans tolérance aucune, alors qu'il n'avait pas la moindre idée, de la terrible épreuve à laquelle il avait dû faire face.

Néanmoins, le Surhomme ne pouvait blâmer son ami. En effet, ce genre d'expérience dépravante ne pouvait être comprise ou assimilée que dans une seule et unique éventualité, lorsqu'on s'y retrouvait confronté. Ori poursuivit son discours sans tenir compte des reproches et des jugements non fondés, émis par son vis-à-vis.

— J'ai donc choisi une solution alternative, définitive, en effaçant toute trace ou toute souvenance de ma vie précédente. Je réalise aujourd'hui que cela fut une terrible erreur.

Découvrant l'étonnement de Mike, induit par des yeux éberlués et un visage déformé, le tueur entra plus avant dans le détail, sans laisser le temps à celui-ci de s'interloquer sur le sujet.

— Oui mon ami, cette incroyable capacité fait partie de mon panel de pouvoirs. Je peux moduler mon cerveau à volonté, aussi bien qu'une donzelle réorganiserait constamment un dressing, déjà parfaitement imbriqué et tout juste chamboulé de la veille.

Après une courte pause, nécessaire à l'assimilation de ses dires, il reprit sur la voie de la convalescence.

— En outre, tu as raison sur un point, j'aurais dû utiliser mes pouvoirs à meilleur escient et moins égoïstement, mais surtout moins lâchement.

— Pincez-moi, je rêve, l'interrompit Mike précipitamment. Es-tu en train d'essayer de me faire avaler que ce carnage ne dépendait plus de ta volonté ?

Sentant la tension monter crescendo, Ori répondit calmement et posément afin de dissiper toute haine dans la conversation, risquant inévitablement de devenir non constructive pour la suite.

— J'ai en effet décimé de nombreuses familles. Même s'il est vrai qu'au moment où tout cela s'est produit, je n'étais maître ni de mes actes ni de ma volonté. Car mentalement et moralement, je n'étais devenu qu'un enfant innocent, abandonné dans la nature avec pour seul jouet, une force incommensurable des plus destructive…

Le fil de ses aveux fut interrompu quelques secondes par le brouhaha produit au rez-de-chaussée, suite aux récents méfaits causés par le donneur de bouffe. Faisant tanguer béton et cloison, aussi bien qu'un paquebot serait pris dans le tumulte d'un flot violent, le sol se mit à trembler dangereusement. On aurait pu imaginer qu'une bombe, typée d'attrait nucléaire, avait implosé juste sous leurs pieds. D'un point de vue totalement extérieur, comme pour celui de Mike et d'Ori, cela s'apparenta au déclenchement de la troisième guerre mondiale.

Fort heureusement, non seulement pour eux mais aussi pour des milliers d'innocents, cette débâcle démesurée n'était due qu'à l'arrivée du commissaire. Un commissaire, noterons-nous, a priori très en colère. Passant outre ce début de guerre imminent, qui en fin de compte était loin d'apparaître dans son prochain chapitre, le Surhomme reprit le cours de son histoire.

— Bien entendu, ces états de fait restent impardonnables. Pour la simple et bonne raison qu'à la base, j'ai moi-même pris la décision de laisser libre cours à cette folie, en tentant vainement d'éradiquer l'essentiel de ma vie passée. De l'unique raison pour laquelle j'existais et je subsistais, dans un monde me paraissant désormais apocalyptique. Sache maintenant que si je me donne la peine de te raconter tout cela, ce n'est pas pour obtenir ton pardon, encore moins l'absolution de notre noble et vénérable créateur, mais seulement pour acquérir une compréhension optimale de ta part. Car dis-toi bien que si l'enfer existe, une place de choix m'y est réservée et un vulgaire numéro m'a déjà été attribué, rien ni personne ne pourra m'y faire échapper.

La démarche avenante et conciliante du surhomme sembla porter ses fruits, car Mike affichait désormais une mine sereine et dubitative.

Après s'être frénétiquement gratté le menton, à l'aide d'une épaule recouverte par une épaisse camisole, Ori poursuivit son monologue.

— Pourtant, une profonde partie de mon esprit et je ne saurais te dire s'il s'agissait de mon conscient ou de mon subconscient, dénigra ce choix. L'un de mes désirs les plus intimes qui plus est. En refusant tout bonnement d'accepter l'abandon des êtres qui ont forgé la personne que je suis aujourd'hui et, paradoxalement, la perte ou l'oubli de l'homme que j'ai été.

Mike essayait tant bien que mal de mettre de l'ordre à tout ce fourbi, sans y parvenir le moins du monde. Il prit donc la parole, afin de démanteler le merdier dans lequel il s'était sciemment fourré.

— En résumé, si j'ai bien saisi ta surprenante théorie, tu te serais connecté mentalement à un inconnu. Un homme comme moi, reprit-il, présentant une unité familiale identique à la tienne, et ce, malgré toi. Cette démarche, autre qu'humblement altruiste je dirais, ayant pour seul but le recouvrement intégral de ta mémoire...

Mike, stressé et de nouveau énervé, faisait les cent pas devant la grille de la cellule, aussi précisément que le balancier d'une vieille pendule. Les courts va-et-vient l'ayant momentanément canalisé, il poursuivit.

— En l'occurrence, la souvenance des êtres que tu as aimés et qui, j'en suis sincèrement désolé pour toi, ont trépassé. C'est bien cela n'est-ce pas ? J'ai trouvé le fameux dénouement de ce conte, de l'histoire la plus farfelue et la plus alambiquée qui m'a été donné d'entendre jusqu'à présent.

Ori ne cilla pas d'un pouce, continuant d'accepter les nombreux affronts émis par son ami, sans le moindre battement de cils. Le Surhomme tournait autour du pot depuis de longues minutes déjà, recherchant éperdument une prédisposition psychique favorable et adéquate pour son interlocuteur. Je ne peux lui masquer la réalité plus longtemps, se dit-il, ni continuer de me défiler indéfiniment, en essayant invariablement de me cacher derrière de perturbantes et incohérentes simagrées. Je ne peux continuer de lui mentir ni garder en moi plus longuement le poids d'une telle trahison. Assumant enfin ses responsabilités, ainsi que la reconnaissance qu'il devait et devrait éternellement à Mike, Ori prit son courage à deux mains en déballant le pot aux roses...

*****

La salle destinée aux interrogatoires, pour les innocents présumés, les probables suspects ou les futurs écharpés, était sobre et glaciale. Elle se constituait d'une table métallique rectangulaire, nécessitant plusieurs hommes bien charpentés pour seulement la faire grincer, et de deux chaises en fer scellées à même le sol. S'asseoir convenablement et proprement sur l'une d'elles relevait du défi, purement et simplement. Il fallait tout d'abord plaquer ses cuisses sur le rebord de la table. Enchaîner ensuite par un pas chassé sur le côté, tout en maintenant un équilibre instable non négligeable, et enfin se poser avec volupté sur la chaise tant convoitée. Cette délicate manœuvre mettait malheureusement les genoux, fragiles comme ceux d'Alain à titre d'exemple, à rude épreuve. Mais dans le cas contraire, vous y laissiez forcément une fesse et parfois même les deux, celles-ci se sentant défoncées de l'intérieur et outrageusement dévergondées par de l'acier trempé. Un miroir sans tain et blindé donnait sur une pièce annexe, permettant à de tierces personnes de suivre les divers échanges, afin de s'assurer du bon déroulement de la procédure.

Connaissant les locaux sur le bout des doigts, il pénétra dans la pièce, lugubre et intimidante pour un nouveau venu (surtout si celui-ci était sur le banc des accusés), sans la moindre émotion. Alain prit place sur l'unique chaise encore disponible, froide et aussi dure que du métal, se retrouvant ainsi en face de l'agent Barilla. Celui-ci était blanc comme un linge et semblait être plus livide qu'une vitrine de praline, affichant de ce fait une mine complètement décomposée. Ayant pour habitude de le voir fier et orgueilleux, cela fut la seule surprise pour notre commissaire, lors de son arrivée en ce lieu.

— Putain Giuseppe, que s'est-il passé ? demanda le Cerveau, d'un air paraissant être comme étonné et choqué, par ce qui venait de se produire dans sa seconde demeure. Aux yeux de tous, ce coup de théâtre était une véritable tragédie et ce, à forte raison. En effet, l'un des leurs assassiné par l'un des leurs dans l'enceinte même du commissariat n'était pas chose commune et dépassait allègrement tous les racontars cumulés de l'année. Mais en réalité, Alain ne songeait qu'à aller se pieuter, la perte de l'un de ses hommes dans ses propres locaux, ne le touchant finalement que superficiellement. Il devait néanmoins, afin de faire bonne figure et bonne mesure de sa supériorité hiérarchique, paraître outré et consterné par ce regrettable malentendu. Ce qui a priori, grâce à une longue expérience du métier et un tempérament pittoresquement dénué de pitié, fut le dernier de ses soucis…

Le donneur de bouffe tenait sa tête entre ses mains, les coudes posés sur le bord de la table en acier. Il ne présentait aucun signe de confession intime et encore moins d'ultime coopération, ne faisant fit que d'une morbide capitulation. En découvrant cela, le Cerveau ne put réprimer un mouvement de recul. S'attendant d'un instant à l'autre à être assiégé par un mort-vivant, celui-ci désirant seulement lui arracher la gorge sauvagement. Le visage de Giuseppe avait désormais une teinte cadavérique, pâle et blanchâtre. Son œil droit était sorti de son orbite et pendait lamentablement sur le fil de sa pommette, ne tenant qu'avec l'aide des nerfs optiques encore reliés au cerveau. Sa mâchoire paraissait être exagérément grande, et pour cause… Ses joues semblaient être complètement décharnées de chaque côté, comme s'ils les avaient lui-même bouffés de l'intérieur, dévoilant ainsi une dentition intégrale des incisives aux molaires. De nombreux bouts de chairs sanguinolents étaient coincés dans les interstices de ses dents, démontrant une voracité certaine et avancée pour l'anthropophagie. Ses doigts raclaient incessamment la surface de la table en fer, dans un grincement perçant et intolérable pour tout être humain ordinaire. À ce moment-là, l'un des ongles de sa main droite s'arracha violemment, sous les yeux éberlués du commissaire, qui tentait tant bien que mal de garder son sang-froid...

S'imaginant réellement dans ce genre d'éventualité, Alain envisagea mentalement les moyens efficaces de contrer cette riposte improbable. Si le zombi se jetait soudainement sur lui, il n'aurait ni le temps ni la distance nécessaire pour sortir son colt 45, car ils n'étaient séparés que par la lourde table et celle-ci ne mesurait pas plus d'un mètre de large. De plus, sa chaise était ancrée dans du béton armé, autant dire impossible à bouger, même en cas de mendiant voulant subitement vous déguster. Dans ce cas extrême, le commissaire n'aurait qu'une seule possibilité. Il devrait sauter de son trône, prenant bien soin de s'écarter le plus possible de la cible en furie, ensuite il dégainerait son arme pour lui balancer une balle en pleine tronche. Oui, en effet, mesdames et messieurs, en plein dans le ciboulot. Bien entendu, cette vitale information ne provenait pas de sa galerie d'expérience personnelle, mais des nombreux films ou séries incluant des morts-vivants, qu'il avait eu l'opportunité de visionner lors de ses longues soirées inanimées. Et le plus qu'on puisse retirer de ce genre de séries, c'est que les réalisateurs étaient tous d'accord sur un point, pour exterminer un mangeur d'hommes revenu d'outre-tombe en bonne et due forme, rien de tel qu'un bon défonçage de matière grise. Ce qui d'ailleurs est valable pour tout être nageant, rampant, volant ou marchant... Ces derniers passant le plus clair de leur temps à piétiner les trois formes de vies décrites précédemment, et ce, avec un certain ravissement et un subtil raffinement. Ainsi, il verrait celle-ci imploser et gicler dans tous les sens, l'arrosant au passage de morceaux insondables, tantôt au cœur tendre tantôt plus dur qu'un roc (tout dépend des goûts)...

Alain revint à la raison plus vite que prévu. Étant parti super loin, jusqu'aux confins de son univers, et ne sachant pas encore comment revenir dans le monde réel, il dû son salut à l'agent Barilla...

*****

— Non mon ami poursuivit Ori, c'est pour cela que mon imagination t'a retranscrit selon ma véritable image, c'est pour cela que je t'ai créé toi. Encore une fois, reprit-il avec une culpabilité grandissante, je te prie de me pardonner pour ce que j'ai fait de toi et pour tout ce que tu vas encore devoir subir à cause de moi. Tu n'étais, tu n'es et ne seras jamais qu'un simple ver, s'étant immiscé dans le fruit pourri de mon existence, afin de révéler mûrement mes nombreux péchés.

Tout à fait légitimement, Mike ne parvenait pas à assimiler les propos du tueur, encore moins à les envisager sereinement ou même sérieusement. Son comportement et ses attitudes s'en retrouvèrent notablement affectés. Il passa instantanément de la révolte à la pitié, pour le pauvre et misérable individu qui se tenait devant lui. Un homme qui avait réellement tout perdu, sa propre chair, son propre sang et en prime l'amour de sa vie. Un simple père de famille démuni, recherchant constamment et naïvement une porte de sortie, dans une impasse d'ores et déjà mortifiée à tout jamais. Estimant que celui-ci pâtissait déjà suffisamment et sans équivoque, d'une telle situation, Mike s'exprima en tentant de masquer la profonde pitié qu'Ori lui inspirait. Pour ce faire, il emprunta le chemin de la franche flatterie.

— J'ai moi aussi une chose à te révéler, car tu avais raison sur toute la ligne. Même si je ne parvenais pas à me l'avouer, ni même ne voulais l'accepter, j'ai pris un pied d'enfer à tes côtés, et ce, depuis le jour de notre première connexion. Je ne cautionne aucunement tous les meurtres que tu as commis, dont j'ai malheureusement été le témoin, mais je reste malgré tout fier que tu m'aies choisi, moi. Je suis fier d'avoir eu l'opportunité de participer à l'expérience, la plus grandiose qui soit. Les yeux pétillant de joie et de convoitise, courroucés d'une profonde gratitude envers le Surhomme, Mike poursuivit son discours.

— D'avoir eu la chance de vivre et de découvrir, en temps réel, l'ultime aboutissement de notre race. Sache que je te remercie sincèrement pour tout cela et que d'aucune façon ni d'aucune manière, je n'aurais souhaité qu'il en soit autrement.

Il s'était mentalement préparé à cette éventualité, au fait que Mike n'accepterait pas la vérité, la triste réalité. Au fin fond de son cœur, Ori savait pertinemment qu'une telle annonce ne pouvait être assimilée et digérée, qu'avec violence ou brutalité. Néanmoins, il se donna encore la peine de le ménager, avant d'entamer les hostilités.

— Je suis heureux d'entendre ça, mon ami. Cela me donne le droit d'espérer que tu ne retiendras pas seulement de mauvais souvenirs de nous. Afin d'alléger la sentence et les prochains jugements, que tu voudras m'affliger ou que tu pourras ressentir à mon égard, il est primordial que tu réalises le rôle majeur et décisif que tu as tenu dans cette histoire. Car, c'est grâce à toi et uniquement grâce à ta création, que j'ai pu trouver le chemin de la providence. Que j'ai pu trouver le courage et la force, enfouie depuis trop longtemps au fond de mon être, de stopper cet infâme carnage. Le regard fuyant, il renchérit.

— Je sais que tu aimes ta famille plus que tout et qu'en ce moment même, tu aimerais être avec eux...

Mike ne pouvant plus se permettre d'intervenir dans la discussion, pour la simple et bonne raison qu'il n'y comprenait absolument rien, fit un mouvement de la tête de haut en bas pour unique réponse.

Le Surhomme quant à lui, constatant l'inexistante efficacité de sa stratégie, poursuivit son discours en montant le niveau d'un cran. Un cran qui ne devrait plus permettre la moindre offensive impromptue, ou contre-attaque malvenue, mise en place par son vis-à-vis.

— Pour les rejoindre, il te suffit de penser fortement à eux, fait le maintenant ordonna Ori. Imagine l'enivrante odeur de ta femme, l'intense chaleur que Jane dégage quand tu dors à ses côtés, la douceur et la saveur de sa peau contre la tienne, lorsque tu te frottes à elle...

Mike fut soudainement assailli par de dangereux vertiges, comme épris par un mirage de pensées contradictoires. Il fit battre ses paupières frénétiquement afin, tout simplement, de ne pas tomber dans les pommes. Malheureusement, la cadence et la puissance de ses émotions furent trop écrasantes. Il se sentit sombrer dans les ténèbres, comme aspiré par le sol froid et bétonné, constituant la dalle du commissariat. Lorsqu'il revint à lui, il pensa en premier lieu qu'il était plongé dans un rêve, soyeux et chaleureux. Il était allongé là, en chien de fusil, dans le lit marital de sa propre chambre. Il se retourna et fut immédiatement envoûté, par le doux parfum se dégageant de sa femme. Elle lui tournait le dos, emmitouflé dans une chaude couette, ne laissant apparaître que son profil et une épaule menue. Ses cheveux en bataille, sillonnant une grande partie de son visage, la rendaient plus belle encore, plus énigmatique que jamais. Il lui caressa le bras amoureusement, aussi bien que la première nuit passée à ses côtés, ressentant ainsi l'extrême douceur de sa peau. Cela ne peut être qu'un songe, pensa-t-il, mais tout semblait être si réel, bien trop réel pour n'être qu'un rêve. Il ne le savait pas encore mais il s'agissait en fait, du pire cauchemar de toute sa vie.

Ori se manifesta à ce moment-là, installé sur une chaise les jambes et les bras croisés, dans un recoin sombre à l'autre bout de la pièce.

— Même si tout te pousse à le croire, cette femme n'est pas tienne mon ami et celle-ci ne te sera jamais destinée. Ni à toi ni à quiconque d'ailleurs, reprit-il avec amertume.

Jane, comme perturbée par le bruit de la discussion, choisit cet instant délicat entre les deux hommes pour s'éveiller.

— Que se passe-t-il, mon bébé ? dit-elle en regardant son mari, la bouche pâteuse.

Mike entendit la question de sa femme, mais son attention restait figée sur Ori. Il ne savait plus où il en était et encore moins quoi envisager, pour protéger sa bien-aimée de ce détraqué. Il se pencha à nouveau vers elle, la caressant de plus belle, afin de la rassurer en lui expliquant que tout allait bien se passer. Soudainement, il sentit la peau de celle-ci s'effriter sous ses doigts, aussi bien qu'une feuille de papier carbonisée. Pris dans le tourment d'une irrépressible panique, Mike accentua la force de sa poigne sur le bras de Jane, découvrant avec horreur que celui-ci se désintégrait juste sous son nez. À ce moment-là, il croisa à nouveau les yeux de sa femme, désormais exorbités par l'angoisse, pouvant y lire une désarmante incompréhension ainsi qu'une peur irrépressible. Une déroutante hantise, pour cette mort atroce et injustifiée, qui pourtant lui était destinée. Ne parvenant plus à supporter son impuissance, cette vision insoutenable et indéchiffrable, Mike se jeta sur Jane pour l'enlacer dans ses bras. La réduisant ainsi, littéralement et bien malgré lui, à néant. Le visage métamorphosé par la haine, par une intarissable souffrance, il bondit du lit et sortit de la chambre aussi vite que ses jambes le lui permettaient. Avec un immense soulagement, il vit Mathis au bout du couloir. Celui-ci, étincelant de joie, de vigueur et de naïveté, courut effrontément vers son papa. À peine quelques mètres les séparaient l'un de l'autre, ce fut pourtant les plus longs et les plus douloureux, les ayant jamais séparés. Aux yeux de Mike, la scène parut durer une éternité, comme si celle-ci provenait d'un autre temps, d'une dimension alternative. Après quelques foulées, la jambe droite de son fils se déroba subitement, lui faisant de ce fait perdre définitivement, un équilibre déjà précaire à la base. Mathis tenta instinctivement d'amortir la chute avec son bras droit, mais celui-ci lui fit aussi faux bond. Seuls sa tête et son buste, encore entièrement constitués, terminèrent leurs courses honorablement. S'éparpillant, invraisemblablement, dans un nuage de poussière et en une multitude de cendres aux pieds de Mike. Observant le désastre à travers ses doigts, tremblants et toujours dans l'attente de réceptionner sa descendance, il découvrit qu'à son tour, certains d'entre eux commençaient à se réduire en cendre. De lourdes et abondantes larmes, aussi grosses que des petits pois, se pulvérisaient dans la paume de ses mains, éclaboussant délicatement les restes de son enfant. Refusant catégoriquement cette dernière sentence, la privation d'une exaltante vengeance, il hurla de rage comme un dément. Empreint d'une aura malsaine, limite maléfique et étonnamment bénéfique, ses doigts reprirent contenance petit à petit. Haletant et au bord de la nausée, il abaissa longuement ses paupières, afin d'échapper physiquement à ce massacre. Mike ressentit à nouveau cette sensation de vide et de vertiges incontrôlables, comme s'il s'engouffrait inéluctablement, dans un implacable sable mouvant. Lorsqu'il refit surface, il était de retour dans le commissariat, devant la cellule du tueur. Il agrippa fermement et fortement, à s'en casser les jointures, les barreaux en acier avec ses deux mains. Sans mot dire, il invectiva son ennemi juré de par un regard foudroyant, embrasé par la colère.

Ori, pleurant lui aussi toutes les larmes de son corps, vit le reflet de son ancienne vie se volatiliser dans une épaisse fumée, étrangement opaque et noirâtre.

— Adieu mon ami, dit-il chaleureusement, nous nous retrouverons sûrement en enfer…

Comme s'il s'agissait d'un vent violent ou même d'une mini tornade, la fumée se dissipa soudainement et brutalement, d'un seul coup. Elle fit voleter de nombreux papiers et les pages de nombreux magazines alentour, avant de se dilapider totalement. Cela, bien entendu, ne manqua pas d'interpeller le Surhomme ni les policiers encore en faction, toujours accoutrés sur leurs postes de travail. Ce qui le surprit réellement, ce sont les empreintes indélébiles, laissées par Mike sur les barreaux de la cellule. Le fer semblait avoir été chauffé à blanc par les doigts de celui-ci, aussi habilement qu'un émérite forgeron. Une idée saugrenue lui traversa alors l'esprit, mais il la chassa promptement.

Avait-il le pouvoir de créer une entité adjacente, une véritable calamité vivante…

*****

— Ori ! hurla soudainement Giuseppe.

La seule entente de ce mot, de cette soi-disant nomination, fit frissonner Alain de la tête aux pieds, hérissant de ce fait tous les poils de son épiderme. Le doc en herbe avait pourtant été clair sur le sujet, le tueur de flics ne devait pas se réveiller avant demain matin. Épris par une soudaine impulsivité, tout bonnement névrotique et non réfléchie, le Cerveau tenta de se libérer de son trône comme s'il s'agissait d'une simple chaise de cuisine. Ce qui eut pour conséquence, un retour brutal et instantané dans la précédente position, avec en prime un fessier inévitablement rodé et une colonne vertébrale dorénavant ébranlée. Il s'y attela donc de nouveau, mais cette fois-ci avec un profond respect et une grande parcimonie, pour cet immuable mobilier forgé dans de l'acier. Parvenant à s'extirper de cet infernal engrenage, Alain sortit de la pièce sur les chapeaux de roues. Longea le couloir sur deux béquilles et gravit enfin les escaliers menant aux cellules, sur les rotules.

Ori était assis sur son matelas de fortune, provisoire, le dos courbé et la tête penchée en direction du sol. Celui-ci semblait être accaparé par de troublantes pensées. En découvrant cela, le commissaire marqua un temps d'arrêt, n'osant plus formuler la moindre question ou faire preuve de la moindre agressivité à l'encontre de son prisonnier. Se rappelant néanmoins, les nombreux dommages collatéraux que celui-ci avait créés, il s'adressa à lui par obligation, déglutissant au préalable péniblement.

— Que s'est-il passé entre toi et Giuseppe ?

Le Surhomme tourna instinctivement la tête en direction de son interlocuteur. Le Cerveau quant à lui, profita de cette attention pour pointer du doigt le bureau concerné, tout en prenant bien soin de reformuler sa question.

— Qu'as-tu fait à l'agent établi sur ce poste, réponds ?

Ori se leva et fit face, en seulement deux pas, au commissaire. Il toisa celui-ci quelques secondes, avant de divulguer une réponse emplie d'amertume et de regrets, semblant provenir du tréfonds de son cœur.

— Je ne sais pas vraiment commissaire. Il s'est tiré une balle dans la tête n'est-ce pas ?

— Non pas dans la sienne mais dans celle d'un confrère, annonça Alain d'un ton acerbe. Et vu qu'a priori tout cela t'intéresse, reprit-il sèchement, sache aussi qu'il s'agissait de l'un de ses amis les plus proches, et ce, depuis sa plus tendre enfance. Ils allaient régulièrement pêcher ensemble le dimanche, ils ont partagé d'innombrables soirées entre amis ou même en famille.

Ori ne cacha pas son étonnement et cela se vit sur son visage, quant au fait que le commissaire puisse connaître aussi bien la vie de ses soldats, en dehors de leurs lieux de travail. Cela, flattant une fois de plus son orgueil, le Cerveau clarifia fièrement le sujet sans que celui-ci ait besoin de lui poser la question.

— Un bon commandant doit tout connaître sur ses hommes, autant sur le terrain que dans leurs propres couches nuptiales. Cela permet, entre autres, d'éviter les mauvaises combinaisons d'équipes. Tu vois sûrement où je veux en venir Ori, l'avantage avec un ami c'est qu'en théorie, on peut avoir confiance en lui. À présent, par ta faute et je ne sais par quel coup du sort, Giuseppe va finir le reste de ses jours en prison avec une éternelle culpabilité sur la conscience.

Après un long soupir, lourd de sens, Ori poursuivit dans la même rengaine que précédemment, et s'expliqua plus clairement.

— Croyez-moi ou non commissaire, mais j'en suis désolé. J'ai simplement suggéré à cet homme, l'agent Giuseppe, d'aller me chercher à bouffer. Je l'ai apparemment dominé mentalement, comme qui dirait hypnotisé malgré moi. La suite vous la connaissez.

Les yeux d'Ori étaient rouge vif et de chaudes larmes ruisselaient le long de ses joues. Ce qui stupéfia Alain, car il n'avait jamais envisagé celui-ci avoir une once de remords et encore moins le courage de pleurer en public. Il jaugea longuement le tueur, plus particulièrement l'expression se dégageant de son faciès, afin de savoir si celui-ci était sincère, ou n'essayait pas de le duper avec une consternante impétuosité. Pourquoi pleurait-il ? Pour la perte de sa famille, pour les nombreuses vies qu'il avait dérobées ou brisées, dont celle bien entendu de Giuseppe... Qui sait, peut-être même pour les deux, pensa-t-il. Mais quelle importance cela avait-il après tout, il ne s'agissait que d'une vulgaire proie au final, et celle-ci était parquée derrière les barreaux de sa cellule. Sans laisser le temps au Cerveau de s'exprimer, le tueur reprit franchement la parole.

— Je vous prie aussi par avance de m'excuser une nouvelle fois...

Avant même qu'Ori est pu terminer sa phrase, Alain afficha d'emblée un visage dubitatif, ne comprenant pas ou celui-ci voulait en venir. Il écouta la suite avec aigreur.

— ... pour ce que je dois faire maintenant...

Chapitre 11
Un nouveau départ

Ori s'arracha violemment de l'emprise de la camisole, avec une force fulgurante et à une vitesse, des plus exaspérantes pour toute personne normalement constituée. L'épaisse chemise immobilisante, étant désormais en lambeaux, parsemait son buste et ses avant-bras de nombreux morceaux épars, comme si celle-ci avait voulu donner un dernier petit clin d'œil à Giuseppe. Dans le même laps de temps et en s'appuyant sur la souplesse du même mouvement, il passa son bras droit entre deux barreaux afin d'empoigner le commissaire par le col.

Alain fut épris de stupéfaction par cette soudaine agression, une attaque sauvage mais surtout impensable. Certainement aussi engourdi, par cette interminable journée qui avait une nouvelle fois mué en une infernale nuitée, et très probablement abruti par de nombreux whiskys, il n'avait toujours pas esquissé le moindre geste lorsque son front s'empala brutalement sur la grille de la cellule. À moitié assommé par le choc, il s'agrippa tant bien que mal à l'un des barreaux de celle-ci, en chancelant et vacillant dangereusement dans tous les sens, mais eu néanmoins le sentiment de partir en arrière.

Étant de nature pragmatique, il analysa rapidement et efficacement la situation, malgré un mal de crâne déjà omniprésent ainsi que de désappointants étourdissements, dans le but improbable d'y déceler une échappatoire digne de ce nom ou tout du moins, pas trop bidon. En effet, notre commissaire se devait de faire bonne figure, a fortiori dans son commissariat. La première chose qu'il put constater, c'est que son manque d'équilibre n'était pas seulement dû au coup de massue qu'il avait reçu sur la tête, mais aussi à la porte de la cellule qui s'était ouverte comme une fleur, lorsqu'il s'était soutenu à celle-ci. Sa main droite ne palpant qu'un étui vide, la seconde chose qu'il put constater c'est qu'Ori le braquait déjà avec son propre revolver, annihilant de ce fait définitivement, tout espoir de convalescence vis-à-vis de ses hommes. Toujours grâce à l'aide d'un état d'esprit pragmatique et sans commune mesure, Alain réalisa un dernier point qui lui remonta grandement le moral, il était encore en vie. Ce qui, au vu des prouesses surhumaines du tueur, ne pouvait être qu'une simple coïncidence. Soit celui-ci avait besoin de lui vivant, soit le Surhomme estimait qu'il ne représentait pas le moindre danger à son égard. Aux chiottes, ma fierté, pensa-t-il à ce moment-là, je m'accommoderais fort bien d'un cas comme de l'autre.

Ori prit la parole, le sortant quelque peu de cette lancinante béatitude.

— Ce n'est pas ce que je souhaite commissaire, mais si vous tentez quoique ce soit d'irresponsable, non seulement ce sera voué à l'échec mais sachez aussi que dans ce cas-là… Après avoir volontairement marqué une pause, strictement psychologique, il poursuivit.

— Je n'hésiterais pas une seule seconde à vous envoyer une balle entre les deux yeux.

Se traduisant par un regard bas et fuyant, à la limite de la révérence, l'effet escompté semblait être au rendez-vous. Le

Surhomme profita de cet avantage mental pour lui faire part de ses exigences.

— Venez vers moi et tournez-vous.

Alain n'ayant d'autres alternatives, que l'obéissance et la servitude absolue, s'exécuta sans rechigner à la tâche. Il se retrouva ainsi contre le torse d'Ori, le canon froid et dur de son flingue collé sur la tempe, face aux nombreux bureaux qui pour la plupart semblaient avoir été désertés.

Ayant préalablement, tout comme la grille de la cellule, déverrouillé le cadenas de ses chaînes, le tueur intima l'otage d'avancer d'une forte poussée dans le bas des reins. Tout en le tenant fermement de son bras gauche, ils progressèrent l'un dans l'autre, presque intimement, de manière grossière et pittoresque. Les trois policiers présents à l'étage réalisèrent seulement, à ce moment-là, qu'il se tramait quelque chose de pas très catholique dans leurs dos. Et surtout, qu'ils allaient devoir pour une fois, exercer ce pour quoi ils étaient réellement payés. Tous trois, avec trop peu d'enthousiasme au goût d'Alain, pointèrent leurs pistolets de service dans la direction de l'inséparable duo. L'un d'eux, d'une voix tremblotante et hésitante, forte mais pas percutante pour un sou, somma le détenu de baisser son arme.

Le Cerveau, s'en voulant terriblement d'avoir été aussi naïf et imbu de lui-même à l'encontre d'une telle proie, prit la parole en déchargeant une grande partie de sa colère et de sa frustration sur eux.

— Espèces d'imbéciles que vous êtes, vous ne voyez pas ce qui se passe, baissez vos armes et laissez nous passer.

Ceux-ci s'exécutèrent immédiatement, de bon cœur et avec un évident soulagement. Ce sont mes gars, ça, quelle bande de bons à rien, pensa le commissaire. En cet instant précis, la prestance et la vaillance de Johnson lui manquèrent atrocement.

Certes, même lui aurait passé la main, même lui aurait été contraint de baisser les armes, mais jamais au grand jamais il ne se serait lâchement couché. Le Barbare, face à une telle situation, aurait eu le visage déformé par la haine, par un lourd sentiment d'impuissance et d'injustice. Tapi dans l'ombre et les yeux emprunts d'une aura bestiale, il serait resté aux aguets, prêt à bondir comme une bête féroce à la moindre occasion...

*****

Il avait lutté comme un beau diable, affrontant à chaque reprise tempêtes de souffrance et convois de solitude. Errant sans fin dans le même scénario, un chemin parsemé de tombes et de croix, il n'avait cessé de courir contre la montre. Déployant pour ce faire toute sa détermination, l'intégralité de ses forces et la montée en puissance de sa haine, il parvint enfin à surmonter cette redoutable épreuve.

Les toutes premières fois, Mike était resté éperdument dans le lit, ne trouvant pas la force de quitter sa femme. Il enfouissait interminablement ses mains, désormais plus noires que du charbon, dans les cendres de Jane afin de redonner matière à celle-ci. Réalisant bien vite qu'il se retrouvait face à un puzzle macabre et surtout inexécutable, il passa à l'étape suivante. Appréhendant celle-ci plus que tout, il se dirigea cette fois-ci dans le couloir à tâtons.

Lorsqu'il arriva dans celui-ci, Mathis était déjà réduit en cendre à ses pieds, juste à la sortie de la chambre. Il reprit une énième fois la scène depuis le début, passant outre sa femme encore intacte dans leur lit, et alla directement vers son cadet. Cela lui offrit un instant des plus magiques qui soit. S'accroupissant auprès de son fils, il eut la chance de l'étreindre une ultime fois, de lui dire à quel point il l'aimait. Bien entendu et comme convenu, celui-ci se volatilisa entre ses bras impuissants. Ne pouvant plus contenir le flux d'émotions qui le submergeait, Mike se ratatina dans les restes de son fils, en pleurant toutes les larmes de son corps.

Il avait beau devenir plus fort et plus imperméable à la douleur, à chaque épreuve bravement traversée, le plus dur restait encore à venir. En effet, pour avoir l'opportunité d'accéder à la dernière étape, d'affronter vaillamment celle-ci, il fallait à présent qu'il ignore sa femme et son enfant. Pour se faire, il devait tout simplement leur passer devant, sans la moindre attention de sa part. Ne faisant fi d'aucun amour, d'aucune reconnaissance à leur égard, pour toutes les joies et le bonheur que ceux-ci lui ont constamment apporté.

De retour à la case départ, à nouveau, il sauta du lit et fonça vers la porte de la chambre. Étant donné que Jane dormait paisiblement, cela ne fut pas trop dur de la laisser pour compte car il n'avait pas à supporter le poids de jugements lourds et infondés. Pour Mathis, ce fut une tout autre histoire… Déboulant à tout berzingue dans sa direction, Mike dut faire appel à toutes ses ressources pour ne pas craquer. Lancé à vive allure, dans ce couloir morbide et maudit, la scène sembla pourtant durer une éternité. Comme bloqué par un vent infernal, ou assailli par une entité invisible et démoniaque, il passa devant les mains tendues de son fils au ralenti. Il dut faire face au regard innocent et suppliant de son enfant. À des yeux emplis de reproches et d'accusation, pour ce que celui-ci prenait dans sa naïveté juvénile et sa jeunesse infinie, comme de la haute trahison. Un incompréhensible abandon.

Tout bonnement terrifié par sa propre chair et son propre sang, manquant de se liquéfier littéralement aux pieds de celui-ci, Mike trouva néanmoins le courage de se surpasser. Il ouvrit la porte se trouvant sur sa gauche, donnant sur la chambre des grands, sauvagement et la referma tout aussi promptement. Il n'avait pas le temps d'y penser ni même la force de l'envisager, mais le souffle dégagé par la brutale fermeture de la porte avait fait voleter les morceaux de son petit dernier à travers tout le couloir. Haletant et transi de sueur, il resta quelques instants en appui sur le dos de la porte, s'octroyant ainsi un moment de répit bien mérité. Ce furent malheureusement quelques instants de trop. Mike reprit sa respiration et en profita pour observer la pièce plus attentivement. Vues d'ici, les couettes recouvrant Alycia et Dany semblaient être dépourvues de toute forme, de tout relief signifiant qu'une vie pouvait perdurer en dessous de celles-ci. Sachant pertinemment, ce qu'il allait découvrir sous chacune de ces couettes, il ne se donna même pas la peine de poursuivre. Tout comme les fois précédentes, il abaissa ses paupières et se sentit ainsi aspiré dans le passé, par une armée de vieux démons…

*****

Tout en avançant efficacement vers l'escalier, Ori pivotait à tour de rôle en direction de chaque protagoniste le menaçant. Il ne les craignait pas, tant s'en faut, son visage arborant d'ailleurs une expression déterminée et emplie de certitudes. Allié à une étonnante dextérité de déplacement, alors qu'il tenait un homme en joue et devait le guider pas à pas dans les siens, cela était néanmoins bien plus que suffisant pour insuffler une profonde peur dans le cœur des défenseurs. Ce qu'il craignait vraiment à présent, et qui désormais aller constituer sa plus grande faiblesse, c'était d'ôter à nouveau la vie d'un innocent.

Comment ai-je pu proférer tant d'atrocités ? se dit-il. De quel droit me suis-je permis de dénigrer, de briser et de négliger autant de familles, toutes aussi innocentes que le fut la mienne... Le pire dans tout cela, c'est que seul le destin était à blâmer pour le trépas soudain et sans équivoque de ses bien-aimés. Suite à cette logique réflexion, il n'osa ni même ne put concevoir, ce que les victimes de ses actes pouvaient ressentir envers lui, envers la personne qui avait anéanti tout espoir dans leurs vies. Une larme perla au creux de son œil puis roula lentement le long de sa joue, pour finir par tomber sur l'épaule du commissaire, mais personne ne pouvait s'en apercevoir au vu de la distance le séparant des policiers. Le Surhomme se retrouva en bas sans même savoir comment il avait descendu les marches, un peu comme un conducteur trop accaparé par ses pensées, arrivait à destination sans le moindre souvenir des aléas de la route.

— Dites-moi où sont mes effets personnels, demanda le preneur d'otage ? Harnais, épées et pistolets, renchérit-il...

Alain se faisant désirer pour répondre, Ori accentua donc la pression du flingue sur sa tempe, jusqu'à ce que la tête de celui-ci se retrouve perpendiculaire à ses épaules.

Suite à cette torsion soudaine et contre nature, exercée avec la plus grande désinvolture, le commissaire se demanda s'il pourrait un jour remettre sa nuque dans la bonne posture. Une question, a priori sans grande importance, le taraudait depuis un bon moment déjà mais il n'arrivait pas à mettre le doigt dessus. Quelque chose qu'il savait d'inopportun, principalement au vu de la situation actuelle, mais qui ne cessait d'échauffer son esprit acéré. De quoi peut-il bien s'agir ? se demanda le Cerveau, obnubilé par cette ridicule énigme. Accusant une croissante courbure, à l'extrême limite du point de rupture, son cou lui intima de répondre prestement à son fauteur de trouble, de crainte d'un craquement imminent.

— À l'arrière de ma voiture, dit-il avec résignation.

Autant l'accueil de l'étage avait été morne et déprimant, ne reflétant aucunement l'attention particulière qu'il méritait, autant celui du rez-de-chaussée s'avéra être à la hauteur de sa réputation. Ori en retira d'ailleurs une certaine fierté, même si celle-ci était en réalité plutôt déplacée. Les lieux étaient tellement bondés de policiers, arme au poing et prêt à en découdre, qu'il ne se donna même pas la peine d'essayer de les compter. Une bonne dizaine déjà était postée face à lui, formant littéralement un barrage humain dans ce hall exigu, sans parler de ceux qui jouxtaient en masse chacun de ses flancs. L'attraction mentale exercée par sa prise fit malgré tout l'effet d'un coin, fendant net une bûche en deux après avoir encaissé un coup de masse déroutant, maniée par un bûcheron expérimenté et lourdement charpenté. Quoi de plus normal en définitive, il détenait leur chef, quand même. Tout comme le ciment maintiendrait entre elles les briques de leur maison, leur octroyant ainsi un toit sous lequel s'abriter. Alain quant à lui assurait la bonne cohésion du groupe et la pérennité de son armée.

Sans lui, ils n'étaient rien. C'est en tous les cas ce qu'aurait désiré le commissaire, ce qu'il convoitait le plus au monde, dans les tréfonds et les profondeurs obscurs de son âme. Il en était malheureusement encore bien loin, car les deux tiers de ses hommes n'aspiraient qu'à sauver leur peau ou à rentrer chez eux au plus tôt. Alain vit de ses propres yeux, les digues céder les unes après les autres et le barrage s'éventrer de tous les côtés, leur permettant ainsi de le franchir comme si celui-ci n'avait jamais réellement subsisté.

— C'est parfait, lui déclara Ori dans le coin de l'oreille, c'est là que nous allons. Et je vous remercie pour votre coopération, ajouta-t-il ironiquement.

Cela bien entendu ne passa pas inaperçu pour le commissaire mais au point où il en était, c'était le dernier de ses soucis et il n'en avait plus rien à cirer. Ils se retrouvèrent rapidement à proximité de son véhicule. Le Surhomme le fit passer par le côté passager, afin de pouvoir le garder en joue tout au long de la manœuvre, car il eut l'immense honneur d'être installé aux commandes du bolide. Il se demanda à ce moment-là pourquoi celui-ci faisait tant de cinéma, car soyons clairs et honnêtes, même avec une ou deux lieues d'avance, il n'aurait pas risqué de l'affronter seul. Alain démarra le moteur et scruta son malfaiteur avec des yeux interrogateurs, afin de connaître leur destination, ce qui pour se rendre à un endroit défini était la meilleure solution. Le simple fait de scruter Ori, dans l'attente d'une réponse qu'il espérait imminente, lui suffit enfin à découvrir ce qui le taraudait depuis tout à l'heure, le libérant ainsi de ce lourd fardeau. Pourquoi celui-ci persiste-t-il à me vouvoyer ? se demanda-t-il. Cette révélation lui fit psychologiquement un bien fou, même si à bien y réfléchir, elle ne valait pas tout le mal qu'il s'était donné pour la trouver.

— Roulez, commissaire, fut la seule réponse du preneur d'otage.

Son cerveau n'étant jamais rassasié, cette réponse aléatoire souleva une nouvelle énigme à résoudre pour Alain, celui-ci semblant être friand d'information non capitale ou indéfinissable…

*****

Lorsqu'il recouvra son intégrité physique, Mike était à nouveau dans son lit, sa femme ronflant à ses côtés. Sans lui accorder ne serait-ce qu'un petit coup d'œil, il fonça frénétiquement vers la chambre des grands. Ne pouvant se permettre le moindre favoritisme, il passa outre les bras tendus et suppliants de son fils, non sans mal, afin de rejoindre sa fille immédiatement. Mike la câlina langoureusement, presque amoureusement, mais il n'eut que peu de temps. Alycia rendit son dernier souffle sous la tendresse de ses caresses, emportant avec elle un amour intarissable et éternel, celui de son paternel. Ne s'avouant toujours pas vaincu, il était bien au contraire plus déterminé que jamais, il ferma ses yeux et recommença le processus une énième fois. Il embrassa tendrement le front de Dany, avec des lèvres humides et salées par d'incessantes larmes, avant de le laisser rejoindre les autres membres de sa famille, aussi bien qu'un ange gravirait les cieux.

Mike, le dos vautré et l'esprit engourdi, était complètement terrassé par cet immense chagrin. Néanmoins animé par une rage incommensurable, il se releva malgré tout vaillamment, fièrement. Il avait su trouver en lui la force de vaincre la plus grande crainte de tout père, choyant ou aimant simplement ses enfants. Il allait sortir de la chambre, afin de quitter cette demeure aux allures de cimetière, lorsque les tapisseries de la pièce commencèrent à disparaître, suivi de près par les murs et le mobilier. La maison tout entière se mit à vrombir, à trembler dans tous les sens, puis se désintégra à une vitesse ahurissante. Il vit le plafond s'ouvrir en son centre et s'effriter unitairement, aussi bien qu'un verre volerait en éclats en se brisant sur du carrelage. Il aurait dû de ce fait, percevoir un ciel étoilé ou une belle journée ensoleillée, mais ce ne fut pas le cas. Tout ne laissait place qu'à d'impénétrables ténèbres, plus sombres qu'un vieux vinyle. Seulement égaillé par ce qui semblait être, le déchirant et frénétique passage d'ombres fantomatiques. Surveillant avec angoisse le bout de ses doigts, de peur qu'il se désagrège à nouveau, Mike s'aperçut que ceux-ci devenaient flous, masqués par un voile de fumée noire et impalpable. Soudainement, il sentit le sol se dérober sous ses pieds. S'attendant d'un instant à l'autre, à chuter lourdement dans les abîmes de l'infini ou à virevolter dans tous les sens comme un ange serait privé de ses ailes, il se mit instinctivement en position défensive. À sa grande surprise, il ne tomba pas mais se mit malgré lui, à léviter et à tanguer vertigineusement au-dessus du gouffre. La fumée ayant désormais pris intégralement possession de son corps, il n'était plus que l'ombre de lui-même. Celle-ci, selon les mouvements qu'il exécutait, semblait tantôt former un être humain tantôt un démoniaque chérubin. Laissant une traînée de fumée noire derrière lui lors de ses déplacements, il avait à chaque fois le sentiment de perdre une partie de lui-même. Mike comprit à ce moment-là que son corps physique n'avait plus la moindre matière, qu'il n'était plus qu'un esprit, incapable et pitoyable. Il était certes en vie, mais en de telles conditions n'aurait-il pas mieux valu périr avec eux et ainsi où qu'ils soient, rester auprès d'eux...

Trop accaparé par de troublantes réflexions, il ne s'était même pas aperçu que la maison familiale n'était plus. Étant loin d'être partie les mains vides, celle-ci s'offrit le luxe d'emporter avec elle tous les souvenirs, le reliant encore à son ancienne vie. Ou tout du moins la vie qu'il croyait avoir eue, celle qu'il pensait avoir vécue. Au bord d'un précipice mental et psychique, gouverné par sa seule folie, Mike était sur le point de lâcher prise. Entouré par d'envoûtantes ténèbres lui semblant désormais presque accueillantes, il se laissa sciemment dériver et sombrer dans celle-ci. Il était comme emprisonné par la noirceur et la profondeur de ces ténèbres, celles-ci n'octroyant habituellement aucune rémission. Contre toute attente, il en réchappa lorsqu'il entendit le son d'une voix, un timbre de voix qu'il pourrait reconnaître entre mille.

— *Je ne saurais vous dire pourquoi commissaire, tout ce que je sais c'est que ma quête n'est pas terminée, elle ne peut s'achever ainsi.*

Revigoré par sa soif de vengeance, comme sauvé par une intime opportunité d'assouvissement, Mike se reprit en se dressant plus droit qu'un I. Épris par un rire tonitruant et machiavélique, une avide bave débordant de ses lèvres, il se pourlécha métaphoriquement celle-ci avec sa langue. Il y avait de quoi après tout, car il était toujours capable d'investir l'esprit d'Ori...

*****

Ils roulaient depuis bientôt deux heures et ni l'un ni l'autre, n'avaient encore échangé le moindre mot. Plus que quelques kilomètres et ils auraient quitté le département, mais dans quel but...

Le Surhomme songeait à l'interrogation bien fondée du commissaire, quant à leur lieu de destination, car lui-même en fin de compte n'en avait aucune idée. Il observa celui-ci du coin de l'œil. Éreinté par un épuisement des plus alarmants, Alain paraissait bien plus vieux que lors de leur première rencontre, lorsqu'il était sur le toit de l'immeuble. Les poches de fatigue sous ses yeux étaient tellement gonflées et tant fragilisées, par de profondes rides striant ses cernes en épi, qu'on avait le sentiment de pouvoir les éclater aussi facilement qu'une aiguille serait plantée dans un ballon gonflé à l'hélium.

Après les nombreux verres de whisky ingérés et bientôt vingt-quatre heures qu'il était debout, sans parler du fait de rouler en pleine nuit, le Cerveau n'en pouvait clairement plus. S'il continuait de lutter ainsi, contre une inévitable et imminente perte de conscience, ils allaient finir cette course infernale encastrée dans un arbre ou contre un mur de l'une des maisons, bordant la route par intermittence. Il avait beau tenter coûte que coûte de pallier à ce problème, en laissant son esprit vagabonder librement vers d'accueillantes contrées, rien n'y faisait et pire encore, il commençait à piquer du nez. Il ne lui restait plus qu'une seule solution pour parvenir à gagner un peu de temps, pour tenter de repousser l'inéluctable, mettre sa fierté de côté en s'adressant au tueur.

— Tu n'as nulle part où aller et nulle part ou te cacher, car où que tu sois, ils te trouveront. N'ayant pas de retour apparent, le commissaire poursuivit.

— J'espère au moins que tu en as conscience ?

Ori n'était pas vraiment disposé pour ce genre de conversation. Un débat aux allures de plaidoirie paternaliste, prêché par un ancêtre et qui prenait déjà le chemin de la réprimande, alors que celui-ci n'avait même pas encore commencé. Il fit malgré tout l'effort de donner le change afin de ne pas terminer dans le décor, mais aussi et surtout, pour couper court à toute leçon de moral proféré par un accusé.

— Je ne suis pas aussi stupide que j'en ai l'air. Et vous commissaire, êtes-vous conscient des conséquences de vos erreurs, de vos décisions insensées ? Le Surhomme, rapidement submergé par la colère, continua sans lui laisser le temps de répondre.

— Vous avez envoyé vos hommes sans torche dans les égouts, en sachant pertinemment que je tomberais dessus et que je voudrais les fouiller, pour m'assurer de la bonne marche à suivre. Vous êtes loin, très cher commissaire, bien loin de valoir mieux que moi. Je vous saurais donc gré à l'avenir de vous adresser à moi avec les mêmes égards qui vous sont dus.

Alain comprit à ce moment-là qu'il n'avait pas intérêt à continuer sur la même rengaine, qu'il ne pouvait se permettre de traiter Ori comme il avait pu traiter bon nombre de ses sous-fifres. De plus, même si dramatiquement il n'arrivait à retirer aucun regret de ses actes, le preneur d'otage avait raison sur toute la ligne. Si la peine de mort était encore d'actualité, je serais en première ligne de mire, pensa-t-il. Il mit donc de l'eau dans son vin avant de répliquer, littéralement parlant bien sûr car il n'approuvait aucunement cette pratique au sens propre, consistant à diluer un alcool déjà trop léger à son goût.

— Tu as entièrement raison Mike, je te prie donc de m'excuser pour cet égarement moral, déplacé et non justifié.

— Ne m'appelez pas comme ça, Mike n'est plus désormais. Tout ce qui pouvait se rattacher à cette personne est mort et enterré. D'autre part, je ne vous ai jamais demandé de me lécher les bottes ! Vous souhaitez converser, cela ne me pose aucun problème tant que nous le faisons d'homme à homme, sans palabre affligeant ou offusquant.

— Bien, répondit Alain avec emphase, allons donc droit au but. Étant donné que tu as saisi la partie sombre et destructive de ma personnalité, peux-tu m'expliquer pourquoi tu t'obstines à me témoigner tant de respect ?

Ori, ne comprenant pas où le commissaire voulait en venir, le regarda avec une mine interrogative.

Le Cerveau, entre deux virages, s'en aperçut avec étonnement. Il ne se rend même pas compte qu'il me vouvoie, se dit-il. Peut-être ai-je la main mise sur quelque chose de plus important, qu'il n'y paraissait aux premiers abords. Il prit les devants, ragaillardi par une confiance jusque-là inespérée.

— Tu me vouvoies mon gars. Dès le début, cela m'a paru très surprenant, voire désarmant. À présent, tout en sachant que tu m'as percé à jour et l'immense estime que tu as pour moi, cela m'apparaît comme une fausse note inexplicable.

A priori, pensa Ori avec impatience et frustration, avec le commissaire c'est tout ou rien. En premier lieu, celui-ci faisait le maximum pour le brosser dans le sens du poil, et voilà que tout d'un coup il lui sert du « mon gars ». Passant outre cette impardonnable futilité comportementale, il s'attarda plutôt sur l'essentiel de ce qu'il venait d'entendre, car il s'en retrouvait complètement désappointé. En effet, il le vouvoyait, mais même lui n'y avait prêté aucune attention et plus étonnant encore, il ne savait pas pourquoi il maintenait cette forme de politesse envers un homme qui ne valait pas mieux que lui. Après un court instant de réflexion sur le sujet, il répondit à cœur ouvert.

— Je vous l'accorde, commissaire, c'est une question très pertinente, car moi-même je n'en connais pas la raison. Tout ce que je peux vous dire, et c'est grâce à vous que j'ai pu en venir à cette conclusion, c'est que d'un côté j'ai l'impression de vous connaître mais d'un autre, j'ai le sentiment d'avoir affaire à un étranger. Un inconnu méritant toute forme de respect et de convention habituelle, de la part d'un autre inconnu ayant reçu un minimum d'éducation.

Même une douche froide, percutante et électrisante, n'aurait pas autant glacé le sang d'Alain. Se rappelant soudainement que la santé mentale du tueur avait été affectée par le choc, il laissa tomber le sujet avec la plus grande déception. Lui qui pensait avoir soulevé un lièvre, copieux et savoureux, s'était plutôt loupé. Ne sachant plus quoi dire, il estima les facteurs avantageux de survie dont il disposait. Ceux-ci se réduisirent presque instantanément, à un seul. Il avait toujours son petit revolver, R8 à huit coups, harnaché au-dessus de sa cheville droite, du côté extérieur de la jambe. Rien que d'y songer, une suffocante angoisse l'assaillie et la peau de son épiderme devint plus pâle que celle d'un cadavre, comme si le sang circulant habituellement dans son corps, représentant le flux essentiel de sa vaine existence, avait cessé d'irriguer toute partie de son être.

— N'y pensez même pas, commissaire, annonça Ori avec clairvoyance et fermeté.

Abruti et choqué par ce qu'il venait d'entendre, Alain joua la carte de l'ignorance afin de confirmer ses craintes, avant de se trahir bêtement par lui-même.

— De quoi tu parles ? demanda-t-il avec calme et sérénité, ne démontrant ainsi aucunement, l'intense état de stress qui le submergeait.

Le Surhomme, un léger sourire se dessinant aux commissures des lèvres, lui répondit sans détour.

— Vous avez un pistolet attaché sur votre cheville, côté extérieur de la jambe droite. Bien entendu, je vous déconseille âprement de l'utiliser, je pense d'ailleurs que le mieux pour vous serait tout bonnement de l'oublier.

Bien, à défaut de me rassurer, ça a au moins le mérite d'être clair se dit le Cerveau. Mais comment a-t-il pu savoir, non seulement pour l'arme mais aussi et principalement, qu'il pensait à cela à ce moment précis ? Faisant pour l'occasion, tourner ses méninges à deux cents pour cent, il trouva la première réponse en seulement quelques secondes.

— Tu le sais depuis le début, que je dispose d'une arme. Tu t'en es rendu compte quand tu m'as pris en otage dans le commissariat, lorsque mes pas étaient guidés par les tiens.

Ori, ne pouvant que saluer cette belle démonstration de perspicacité, lui adressa un sourire entendu et un hochement de tête bien prononcé, pour seule réponse.

— Ce qui me tracasse le plus, poursuivit l'otage, c'est de comprendre comment tu as pu savoir que j'y pensais à ce moment-là ?

— Oh, je vois, répondit le tueur. C'est très simple commissaire, j'ai entendu les battements de votre cœur s'accélérer de manière inquiétante, battre et vibrer plus fort qu'un son de cloche. J'en ai déduit que vous pensiez à cela, même si bien entendu il aurait pu s'agir de toute autre chose. Disons juste que mon intuition fut la bonne et surtout, que la chance était de mon côté.

— Je ne cesse de te sous-estimer déclara Alain, cela devrait pourtant me servir de leçon, mais j'en paie malgré tous les frais à tous les coups. J'en viens même à penser, que tout cela me plaît. Après un long soupir, lourd de sens, il reprit.

— J'ai beau me pencher sur le sujet, je n'arrive plus à te cerner, Ori. Au départ, tu m'apparaissais comme une bête sanguinaire et dénuée de toute pitié, prête à ôter la vie de nombreux innocents sans sourciller ni même éprouver le moindre regret. À présent, après tout ce que j'ai vu de toi au commissariat et tout ce que tu m'as dévoilé en privé, je t'avoue que je ne sais plus.

— Lorsque j'ai perdu ma famille, le coupa Ori, mon être, mon corps tout entier s'est instantanément déchiré et transformé. Je ne savais plus qui j'étais ni même qui j'avais pu être, les deux seules choses que je ressentais ou que je pouvais appréhender à ce moment-là, étant une haine rédhibitoire ainsi qu'un immense pouvoir. Ne désirant pas trop s'étaler sur certains aspects, le Surhomme fit sciemment abstraction de la partie houleuse et douloureuse, concernant Mike.

— J'ai recouvré petit à petit, ma sainteté d'esprit et ma mémoire, ce qui m'a permis de réaliser toutes les atrocités que j'avais commises. Ori poursuivit avec une émotion palpable dans le timbre de sa voix.

— Quoi que je fasse ou que j'entreprenne à l'avenir, je ne pourrais pas réparer tout le mal que j'ai fait. Aujourd'hui, il ne me reste que le repenti ainsi qu'une promesse que je me suis faite, une promesse que j'honorerais quoiqu'il m'en coûte. Plus jamais au grand jamais, je ne décevrais ceux qui m'ont aimé.

Touché par les propos du tueur, Alain ressentit, malgré tous les morts dont celui-ci était responsable, de la condescendance et de la peine pour cet ancien père de famille. Il prit la parole à son tour.

— Pourquoi fais-tu tout cela alors, pourquoi n'es-tu pas sagement resté en prison ? Je suis navré d'avoir à te le dire, mais c'était le meilleur moyen pour toi de parvenir à régler une partie de ta dette et d'avoir partiellement la chance, d'accéder à ne se serait-ce qu'une infime once de repenti.

— Je ne saurais vous dire pourquoi commissaire, tout ce que je sais c'est que ma quête n'est pas terminée, elle ne peut s'achever ainsi. Je le sens au plus...

*****

Non, non et encore non. Ralentis ta course, concentre-toi, calme-toi. N'étant qu'à quelques mètres de lui, il sortit son 9 mm fixé sur sa hanche, mais le rengaina immédiatement car cela aussi il le savait, ne servirait à rien... Ne mets pas ton bras gauche en bouclier, tu vas te le faire briser. Propose plutôt une soudaine poussée du bassin, violente et fulgurante, afin de le renverser... Voilà, c'est beaucoup mieux comme ça. Même si tu es toujours enlacé par des jambes d'acier, tu as l'avantage de pouvoir prendre de la hauteur et d'utiliser l'apesanteur, propre à chaque être humain vivant sur cette terre... Massacre-le, achève-le tout de suite. Tambourine-le sans cesse avec tes poings, plus gros que des enclumes et guidés par des bras monstrueusement musculeux. Ça ne fonctionne toujours pas, tu n'arrives pas à l'atteindre car il est bien trop rapide, bien trop puissant... Ne perds pas espoir, tu vas trouver la faille, tout le monde en a une. Ce monstre ne peut déroger à cette règle, il ne peut ni s'y soustraire ni la supplanter, il doit en être ainsi... Tu es à nouveau sur le dos, il est sur toi, t'écrasant de tout son poids et prêt à en découdre. Il te dévoile un sourire malicieux, empreint de fierté et de supériorité. Réfléchis encore, réfléchis mieux. Non, surtout pas, ne lui donne pas ton bras. Trop tard, c'est fait, tu ne peux plus reculer à présent, laisse-le en faire ce que bon lui semble. Tu l'entends craquer dans un bruit écœurant. Tu ressens une terrible douleur provenant de ton coude, envoyant interminablement de violentes ondes de choc jusqu'à ton cerveau. Mais tu n'en as cure, bien au contraire. Tu vas tirer profit de cette distraction pour dégainer ton arme et lui faire exploser la tronche, dans une magnifique et jouissive effusion de sang, t'octroyant ainsi le plus beau feu d'artifice de toute ta vie... Putain de merde, ton bras droit est cassé lui aussi, il pend mollement sur l'asphalte, tout comme son confrère peu de temps avant lui. Tu n'es plus désormais qu'une poupée de cire, malmené au gré d'une enfant pourrie gâtée, à l'esprit tortueux et aux griffes acérées. Tu la sens, impuissant, te démembrer morceau après morceau avec une délectation certaine et une malveillance assumée, voire souhaitée. Avant qu'elle ne t'arrache la tête, de ses mains douces et minuscules, avant de ressentir la chair et les tendons de ton cou céder, tu croisas son regard. Ses yeux sont brillants de joie, éloquents de fierté, tu t'en souviendras à jamais et ils n'auront de cesse de te hanter... Non, non et encore non. Tu trembles plus gaiement qu'un vieillard, devant quitter son fauteuil pour aller faire son deuil. Tu sues plus abondamment qu'un gros porc, devant abandonner son doux lit de cambouis pour monter sa truie, et le pire dans tout ça c'est que tu sais pertinemment pourquoi. Tu es effrayé par la dure réalité des choses, tu as peur de constater échec après échec, que toute cette mascarade ne peut qu'empirer. Tu n'en sortiras jamais vainqueur, cela aussi tu le sais, tu commences d'ailleurs à l'accepter, avec lenteur et douleur... Maintenant, tu comprends, appréhendant ainsi la situation sereinement. Tu es aux faits de toutes les possibilités, pour la simple et bonne raison que tu les as toutes exploitées, toutes épuisées. Tu découvres que ta chance est immense, que les battements de ton cœur, gonflant ta poitrine par intermittence, sont intenses et emplis de véhémence. Tu réalises enfin qu'il aurait pu t'inviter à une tout autre danse. Une danse macabre, immanquablement inextricable et des moins pardonnables.

Un son vibrant et récurrent te sort peu à peu de la torpeur, de ce cauchemar tapageur. Oublie tout ça dorénavant, et prend l'ascendant de ta revanche en t'éveillant...

Il jeta un coup d'œil au réveil, il était cinq heures du matin. Pestant contre cet appel intempestif et cet angoissant cauchemar, il attrapa sans ménagement son téléphone portable, presque bouillant d'avoir vibré aussi longtemps.

— Allô, répondit-il d'un ton peu avenant.

— Bonjour inspecteur Barnaber, agent Pierre Menphys, de l'inspection générale de la police nationale. Plus communément appeler la police des polices ou même l'IGPN, reprit-il narquoisement. Bien entendu, c'est comme vous le désirez.

La police des polices n'était que peu appréciée dans le milieu qui était le sien, ce n'était pas le genre d'organisme à qui l'ont souhaitait la bienvenue, mais qu'on aimerait plutôt accueillir d'un bon coup de pied dans le cul. De plus, l'ironie employée par cet agent, plutôt malvenue et déconvenue, acheva de plonger le Barbare dans une profonde colère. Sans parler du fait que celui-ci s'était octroyé le droit de le réveiller aux aurores, sans la moindre once de culpabilité ou d'excuses appropriées, en de telles circonstances. Johnson ne connaissait pas encore cet homme, mais il savait déjà qu'il n'allait pas pouvoir se l'encadrer. Il devait néanmoins rester sur ses gardes, car on ne plaisantait pas avec l'inspection générale de la police. En outre, il ravala sa rage avant de reprendre la parole. Il fit tout du moins le maximum pour la contenir, ce qui a priori, n'allait pas être chose aisée.

— Je sais qui vous êtes et à quoi vous servez, dit-il sèchement. Que voulez-vous ?

Pierre avait le chic pour foutre les gens en rogne. Hormis son fidèle associé, un cow-boy des plus prometteurs qui plus est, très peu de personnes ne parvenaient à l'apprécier. Que ce soit professionnel ou personnel, son entourage avait même tendance à l'éviter. Bien sûr, il savait tout cela. Mais loin de se sentir dénigré ou malmené, par cette incohérente communauté, il s'en délectait bien au contraire et retirait une enivrante fierté de l'homme qu'il était. Il se comparait souvent à un shérif errant, seul être encore capable de rétablir l'ordre, ramenant ainsi paix et prospérité dans son comté en défiant et brisant tous les horsla-loi de l'état. Pierre, alias le Shérif, répondit donc avec entrain et passion, pour ce beau métier qui était le sien.

— J'ai besoin de vous interroger, à propos de Mike Kurly et du commissaire Alain Treffert. Je suis en ce moment même au commissariat.

Le Colosse, ne comprenant pas tout, à vrai dire il ne comprenait absolument rien à la situation, persista sur la voie défensive.

— OK, je passerais faire un saut dans la matinée. Que s'est-il passé ?

Avec des yeux joyeux et un sourire pernicieux, Menphys prit un malin plaisir à démontrer toute la subtilité dont il disposait.

— Je vous prie de m'excuser, car je crains fort que nous nous soyons mal, très mal compris. Laissez-moi vous éclairer inspecteur, reprit-il avec autorité. Il ne s'agit pas d'une invitation pour un petit-déjeuner, agrémenté de croissants croustillants et d'un bon café noir encore fumant. Ni même d'une joviale proposition pour une amicale discussion, mais bel et bien d'un ordre direct, provenant d'une hiérarchie supérieure à la vôtre. Je vous attends donc expressément, et ce dès à présent, sur votre lieu de travail.

Johnson, n'étant pas d'une nature calme et posée, ressentit soudainement le besoin d'étriper cet homme. Un peu comme dans son rêve, pensa-t-il à ce moment-là morceau après morceau. Étonnamment, il se surprit lui-même en enrôlant le rôle de l'impotent.

— Mon bras gauche est plâtré, ce qui fait que je ne peux pas utiliser mon véhicule. Je ne pense pas non plus qu'il y ait des bus à cette heure-ci, poursuivit-il avec réprimande.

— Loin de moi l'idée de vous contraindre à prendre le volant dans une telle situation, renchérit Pierre avec une croissante jubilation dans le timbre de sa voix. Encore moins d'éveiller, à une heure aussi tardive et impromptue, votre petite amie se trouvant juste à vos côtés. C'est d'ailleurs pour cela, tout en ayant pris en compte ces nombreux facteurs, que mon partenaire patiente déjà en bas de chez vous.

En effet, sa femme était juste à côté de lui, elle dormait paisiblement. Elle avait dû rentrer tard dans la nuit et il ne s'en était même pas aperçu, trop abruti par les nombreux whiskys ingérés la veille au soir. Ce type-là n'était pas un charlatan, Johnson en mettrait sa main à couper. Le commissaire et lui devaient être sous le joug d'une enquête interne, ou peut-être même tout le service, depuis plusieurs jours déjà. Il n'était pas dupe, seul Ori pouvait justifier une telle débauche d'énergie. Mais que s'était-il passé, était-il parvenu à s'évader, ou tout cela concernait-il seulement ses extraordinaires aptitudes ? Le mystère restait entier et l'unique moyen d'en savoir plus, il le savait, était d'affronter cet empaffé de première.

— Je descends dans une dizaine de minutes, déclara l'Homme des Cavernes abruptement.

— C'est parfait, répondit gaiement Menphys, j'en fais part à mon coéquipier et m'en vais de ce pas vous réchauffer un bon petit café…

*****

Soudainement et brutalement, une violente décharge de douleur se propagea dans toute la boîte crânienne du surhomme, si intense qu'il ne put terminer sa phrase. La tête lovée entre ses deux mains, il se balançait désormais d'avant en arrière comme s'il était devenu fou, tout en lâchant des grognements emplis de rage et de souffrance impossible à contenir. Il serrait son crâne si fortement, avec toute la puissance surhumaine dont il disposait, que celui-ci allait bientôt imploser sous la pression de ses doigts, réduisant sa cervelle en bouillie et éclaboussant ainsi intégralement, le revêtement intérieur de la voiture.

Lorsque la douleur atteignit son paroxysme, ne pouvant plus supporter l'amplitude inconcevable de celle-ci, Ori hurla de toutes ses forces, non seulement par obligation mais aussi dans l'espoir de réprimer une partie de cette insoutenable souffrance. Il entendait Alain baragouiner à ses côtés mais le son de sa voix ne parvenait pas à franchir les barrières, oppressantes et omniprésentes, de son mal-être actuel. Chacune des phrases, chacun des mots prononcés par celui-ci arrivaient de façon inaudible à son cerveau, comme si ceux-ci étaient passés dans un mixeur ou provenaient d'une langue supérieure. Haletant et transit de sueur, se retrouvant au bord de la capitulation face à cette éradicable douleur, celle-ci se dissipa contre toute attente, lentement mais sûrement. Malgré des vertiges et des tympans encore bourdonnants, suite à ce qu'il venait de subir, le Surhomme recouvra rapidement l'usage de ses autres sens. Il regarda le commissaire. Il voyait la bouche de celui-ci prendre toutes sortes de formes, afin de se faire entendre, mais aucun son ne lui parvenait. Cependant, il réalisa avec la plus grande surprise qu'il pouvait déchiffrer ce que celui-ci s'évertuait à lui dire. Non pas en lisant sur ses lèvres, mais bel et bien dans ses pensées. Il n'avait jusqu'alors pas fait le rapprochement, à présent il en était conscient et mieux encore, il comprenait parfaitement ce nouvel état de fait. Mike détenait une partie de ses pouvoirs, de prime abord, la possibilité de lire dans les pensées d'une personne à proximité. Ori avait lui-même fabriqué cet univers parallèle et de toutes pièces, en recréant inconsciemment sa propre famille, afin de recouvrer la mémoire.

Paradoxalement, il avait dans le même temps créé une véritable conscience, capable d'exister indépendamment de sa volonté et a priori, d'interagir comme bon lui semblait.

— *Bonsoir Mike, je ne m'attendais vraiment pas à ta venue.*

Mike n'était apparemment pas le bienvenu mais il n'en avait cure. Bien au contraire, cela l'enchanta au plus haut point, les avant-goûts de sa vengeance n'en devenant que plus savoureux et plus pernicieux. Il répondit donc avec un zeste d'ironie et une délectation non dissimulée, dans le timbre de sa voix.

— *Bonsoir mon ami, je suis moi aussi heureux de te revoir, façon de parler bien sûr. Alors comme ça, reprit-il, tu es parvenu à te faire la belle, avec en prime notre tendre et chaleureux commissaire...*

Ne s'agissant pas d'une question mais plutôt d'une simple phrase, induisant par sa tournure l'attente d'une réponse, Ori n'y prêta aucune attention, trop préoccupé par des sujets de plus grande importance. Prenant le temps de rassembler tous ses esprits, son instinct lui dicta de faire preuve de compatissance ou pire encore, de prudence et de respect envers l'entité qu'il avait lui-même créé. Pour comprendre ce qu'il se trame, sans ouvrir les hostilités ou déclencher une guerre incongrue, c'est à mon tour de lécher des culs, pensa-t-il.

— *Désolé mon ami, ces dernières heures ont été éreintantes pour moi et elles m'ont mis les nerfs à vif. Je suis ravi que tu sois à nouveau de la partie, même si je t'avoue que j'ai du mal à saisir comment tout cela est possible et quelle en est la signification.* Apercevant du coin de l'œil les gestes éberlués et désordonnés, effectués par son otage, il coupa momentanément sa conversation avec Mike afin de rassurer celui-ci.

— Tout va bien commissaire, ne vous en faites pas, laissez-moi juste quelques minutes de réflexion s'il vous plaît. Nous ferons une halte à la prochaine station-service pour prendre de l'essence. Puis vous avez besoin de repos et moi, ma foi, j'ai besoin de temps pour planifier la suite des évènements.

Alain n'était pas du tout convaincu par l'affirmation du surhomme, quant au fait que celui-ci allait bien, mais il préféra néanmoins rester à l'écart pour l'instant, car plus le temps passait et plus il en venait à penser que cet homme était fou à lier.

Mike n'apprécia guère la complicité qui semblait s'être installée entre Ori et Alain, il en ressentit même une pointe de jalousie, le piquer au vif. Après tous les châtiments qu'Ori lui avait fait subir, avoir un tel sentiment envers celui-ci lui apparaissait comme absurde et honteux, ce qui l'accabla d'autant plus. Ce monstre lui avait arraché toute sa vie, et ce, dans d'atroces circonstances, il n'allait pas en plus lui donner satisfaction, en faisant preuve de faiblesse ou d'affection à l'encontre de ce pleutre. Ravalant frustration et colère, il reprit donc le fil de la discussion sans le moindre étalage de faveurs particulières, préservant ainsi le peu de fierté qui lui restait.

— *Ne m'appelle plus comme ça, je ne suis pas ton ami, je ne l'ai jamais été et je ne le deviendrai jamais.* Une bonne chose de faite, pensa-t-il avant de poursuivre.

— *Maintenant, pour répondre poliment à tes insignifiantes questions, sache que la seule chose que tu dois retenir de moi ou comprendre de ma personne, c'est que je vais tout faire pour te pourrir la vie. Je vais t'étriper petit à petit, dépecer ta chair et ton âme morceau par morceau, jusqu'à ce que tu t'agenouilles devant moi en me suppliant d'arrêter.*

Décidément, pensa Ori, cette conversation prend la même tournure qu'avec Alain précédemment, sauf que cette fois-ci c'est moi le dindon de la farce.

— *Tu ne peux absolument rien contre moi et tu le sais, n'oublie pas que c'est moi qui t'ai créé,* renchérit le Surhomme avec aplomb.

Ne pouvant contenir son hilarité plus longtemps, Mike lui servit un rire aux allocutions glauques et macabres, avant de lui offrir une réponse qui n'allait pas manquer de le faire douter.

— *En es-tu vraiment sur mon ami...*

*****

— Ravie de vous rencontrer inspecteur Barnaber, dit le Shérif en lui serrant la main. Je vous en prie faites comme chez vous, poursuivit-il en désignant la chaise d'acier, vous connaissez la maison mieux que moi après tout.

Le Barbare grogna un soupir, lourd de sens, et s'installa. L'agent Menphys, tout clinquant et bedonnant dans son costard trois pièces taillées sur mesure, s'assit en face de lui. Celui-ci avait un visage banal, plutôt jovial aux premiers abords, mais arborait des yeux vicieux et un malicieux sourire. Une déroutante calvitie dévastait la majeure partie supérieure de son crâne, ne laissant que quelques touffes éparses et grisonnantes, sur le bord de ses tempes. Son acolyte, l'agent qui s'était présenté sous le nom de Dritston Cornelie et qui l'avait conduit jusqu'ici, se tenait debout, les bras et les jambes croisés dans un angle de la pièce. Il est exactement dans la même position que lorsqu'il m'attendait en bas de chez moi, se dit Johnson à ce moment-là, mis à part qu'il était appuyé sur sa voiture et non contre un mur. Accoutré des mêmes vêtements que son mentor, à peu de choses près, les deux faisaient bien la paire, à n'en pas douter. Néanmoins, étant beaucoup plus jeune, Dritston affichait une chevelure dense des plus gominée, qu'il devait certainement imaginer très distinguée. Il portait des lunettes de formes rectangulaires avec des verres opaques, ne laissant rien filtrer sur la forme de ses yeux ou même la direction de son regard, ce qui le rendait énigmatique et mystérieux. Certes, Dritston ne payait pas de mine avec son gabarit maigrelet, inspirant plutôt de la pitié que de la combativité, mais une intense aura semblait pourtant se dégager de sa personne. Cet homme-là était dangereux. Le Colosse l'avait ressenti au premier coup d'œil et encore une fois, il en mettrait bien volontiers sa main à couper ou histoire d'innover, son deuxième bras à briser. En définitive, pensa-t-il, cet excentrique duo n'était pas si différent de celui qu'il formait avec Alain. En effet, hormis des vêtements cousus main qui leur conféraient des airs de bureaucrates aguerris, il y avait dans chacune des équipes un penseur et un tueur. Après avoir constaté que tout comme Menphys l'avait pourtant promis, sa tasse de café encore fumante n'était nulle part en vue, l'Homme des Cavernes prit la parole.

— Je vous écoute monsieur, que me vaut cette charmante invitation ?

— Dites-moi tout ce que vous savez sur Mike Kurly ?

Comme Johnson s'en était douté, c'est bien du surhomme dont il était question.

— C'est un homme qui a perdu toute sa famille dans un tragique accident de voiture. À la suite de ça, il a complètement disjoncté et s'en ai pris à toute la société, nous avons donc tout mis en œuvre pour l'arrêter.

— C'est un compte rendu très pragmatique et des plus condensé que vous me servez là, répondit Pierre sans prendre de gants. S'il pouvait se résumer à cela, croyez bien que ma belle présence en ces lieux n'en deviendrait que fortuite, voir illégitime. De nombreux bruits courent dans l'enceinte même de votre commissariat, reprit-il en souriant à pleines dents, concernant un tueur de flics détenant de surprenantes capacités. De très étonnantes capacités je dois dire, que je qualifierais d'emblée comme des pouvoirs surnaturels.

— Il est vrai qu'au fur et à mesure de l'enquête, nous avons fait face à des choses inexplicables, déclara le Barbare. Mais il me semble qu'il y a encore une grande marge, avant de prétendre que ce pauvre gars est devenu un surhomme suite à la mort de sa famille. Bien sûr, il mentait, il en était conscient et le faisait sciemment. Il avait lui-même pu constater, de ses propres yeux, des choses incroyables et inimaginables. Plus précisément la lévitation de la plaque d'égout, qui devait peser au bas mot pas moins de cinquante kilos, puis l'envoi de celle-ci sur la patrouille de police, arrivant à tout berzingue sur les lieux en renfort. Tant qu'il ne connaîtrait pas précisément la raison pour laquelle il avait été convoqué, il allait devoir faire son maximum pour minimiser ou dédramatiser le déroulement de l'enquête, ainsi que les détails insolites de celle-ci.

— Quoi qu'il en soit, reprit Johnson, le commissaire sera mieux à même de vous répondre à ce sujet.

— Ça, voyez-vous, je n'en doute pas une seule seconde, entonna le Shérif d'une voix grave et portante. Le problème étant que, M. Barnaber, le détenu Mike Kurly a pris la poudre d'escampette, avec pour otage votre commissaire. Pierre profita de cette déroutante annonce, qui devrait apparaître comme des plus troublantes et des plus choquantes pour l'inspecteur, afin de jauger la réaction de son suspect. Car oui, il s'agissait bel et bien d'un suspect potentiel dans cette affaire. La mine déconfite, arborée par l'Homme des Cavernes suite à l'entente de cette véritable bombe, dissipa de nombreuses suspicions dans le cœur de Menphys. Néanmoins, cela étant loin d'être suffisant à ses yeux, Pierre poursuivit son interrogatoire dans le même état d'esprit, persistant d'envisager flics ripoux et bande organisée.

— La question évidente que je me pose à l'heure actuelle et qui, vous pouvez me croire, me taraude déjà depuis un bon moment, est de savoir si M. Treffert est tout simplement un dommage collatéral ou uniquement un complice non scrupuleux.

Le Barbare ne put masquer une stupéfaction grandissante, face à de tels propos, suggérés sans la moindre preuve à l'encontre de son commissaire. À ce moment-là, il repensa au Dr Podrick, ainsi qu'à tous les prélèvements et les radios que celui-ci avait pu effectuer sur le Surhomme. C'était sa seule échappatoire et sa seule chance de rémission, il le sentait au plus profond de son être. Aussi choisit-il de garder cela pour lui, mieux enfoui qu'une perle rare dans les tréfonds d'un aride désert. Pour se faire, il tenta de détourner l'attention de l'agent de l'IGPN, en divulguant ouvertement les liens qui s'étaient créés entre lui et le Cerveau tout au long de ces années de promiscuités.

— Alain n'est ni un pleutre ni un traître. Vous feriez mieux de vous concentrer sur ce tueur en cavale, au lieu de perdre du temps inutilement en salissant intentionnellement et inopinément, un homme de grande valeur.

— Oui, c'est vrai, vous avez peut-être raison en fin de compte. Nous allons nous pencher sur le sujet. Sachez néanmoins que je ne suis pas là pour salir ou déshonorer qui que soit inspecteur. J'essaie seulement de comprendre pourquoi votre commissaire, en toute connaissance de cause, n'a pas informé les services compétents pour ce genre de situation.

L'Homme des Cavernes s'exclama subitement, octroyant ainsi au shérif et à son acolyte, le privilège d'entendre un rire caverneux, qui n'allait pas manquer de bourdonner dans leurs tympans ou de résonner dans la salle pendant encore très longtemps.

— Celle-là, c'est la meilleure, répondit le Colosse narquoisement. En admettant qu'Alain ou moi-même étions persuadés que cet homme détenait des pouvoirs surhumains. Ce qui, je le répète, n'a pas été le cas, à quel genre d'autorité compétente auriez-vous désiré que l'on fasse appel ? Il renchérit sans lui laisser le temps de répondre.

— À vous, peut-être, vous avez déjà lu cela dans vos manuels d'apprentissage ?

Sentant qu'il n'arriverait pas à obtenir plus d'informations, importantes ou navrantes, et qu'une confrontation musclée entre lui et ce bourrin ne mènerait à rien de pertinent, le Shérif rebondit en utilisant une stratégie alternative.

— Nous en avons terminé pour l'instant, M. Barnaber, vous pouvez disposer. Je vous demanderai seulement, si le besoin s'en fait ressentir, de rester facilement joignable jusqu'au dénouement de cette enquête.

— OK, répondit le Colosse, vous savez où me trouver. Sur ce, Johnson se leva, quitta la pièce destinée aux interrogatoires, puis sortit du commissariat. Seul dans la rue, ébloui et submergé par les aurores du soleil levant, il attendait patiemment son bus. Le numéro dix le déposerait à deux pas de chez lui, mais il allait prendre le numéro six, celui qui le mènerait à deux pas de l'hôpital.

Le Shérif observa avec attention l'inspecteur fuir les lieux. Il lança un regard entendu à son cow-boy, l'agent Dritston Cornelie, qui hocha la tête en signe d'assentiment.

— Suis-le et ne le lâche pas d'une semelle, formula Menphys sentencieusement…

Chapitre 12
Vengeance à double tranchant

Une brume épaisse, sans odeur et plus noire que de l'encre, sortit lentement par les pores dilatés de sa peau, recouvrant petit à petit le côté passager dans son intégralité. Alain, terrifié et prit de panique, par ce que l'on pourrait comparer à un fantôme ou à une âme s'évaporant littéralement par le corps d'Ori, failli louper le virage suivant. Toujours aussi optimiste et pragmatique, il pensa à ce moment-là que cette vision d'horreur avait au moins eu le mérite de le sortir de sa langueur. Sentant à plein nez la promiscuité du danger, exercé par cette envoûtante fumée, le Cerveau utilisa ses deux pieds pour écraser le frein de toutes ses forces. Le véhicule dérapa sur de nombreux mètres, les pneus de celle-ci dégageant ainsi une forte odeur de gomme brûlée dans tout l'habitacle, avant de s'immobiliser entièrement. Il eut à peine le temps de reprendre ses esprits, qu'il se sentit investi par une puissante rivière de jouvence, exaltante et tonifiante.

Le Surhomme vit avec amertume, sans la moindre possibilité de contrôle, Mike s'échapper de son être pour s'immiscer dans le corps du commissaire. La soudaineté du freinage contraignit Ori à amortir le choc avec ses mains, en appui sur la boîte à gants, car il ne s'était pas attaché avec la ceinture de sécurité.

Lorsqu'il regarda Alain de nouveau, il fut abasourdi de constater que celui-ci avait physiquement, complètement changé. Les traits significatifs de son visage étaient restés les mêmes, quiconque le connaissant intimement ou suffisamment l'aurait sans aucun doute reconnu, mais chose invraisemblable, il semblait avoir rajeuni d'une bonne vingtaine d'années. Seuls l'iris de ses yeux ainsi que le contour de ceux-ci, dorénavant sombre comme du charbon et dégageant une aura machiavélique, étaient devenus méconnaissables.

— T'aurais-je manqué, mon ami ? interrogea Mike depuis le corps d'Alain, avec la voix de celui-ci, avant d'enclencher la première et de martyriser l'accélérateur.

La berline, poussée dans ses derniers retranchements par la conduite agressive du Cerveau, ne cessait d'afficher de nombreux voyants rouges sur le tableau de bord, afin d'alerter le conducteur sur une imminente explosion du moteur. Dans un furieux vrombissement, Mike passa enfin la troisième vitesse, offrant ainsi quelques secondes de répit à la voiture, alors qu'ils avaient déjà passé la barre des cent kilomètres par heure.

— Tu n'es plus très bavard, dis-moi, s'esclaffa le commissaire avec un vicieux sourire.

Le Surhomme, abasourdi et estomaqué par l'improbable situation qu'il était en train de vivre, resta bouche bée et n'envisageait pour l'instant aucun moyen d'en réchapper. En effet, il s'était fait une promesse et comptait bien tout mettre en œuvre pour la respecter, mais comment dissuader Mike de s'en prendre aux autres afin d'exercer sa vengeance sur lui ? Tu mérites ce qu'il t'arrive, pensa-t-il, tu as façonné ce monstre de tes propres mains, à toi de trouver une solution pour éradiquer cette malencontreuse erreur…

Subitement, alors qu'ils étaient dans une longue ligne droite, Alain braqua entièrement les roues de la voiture vers la droite et tira sur le frein à main dans le même temps. La sentence ne se fit pas attendre. Le véhicule lancé à vive allure se souleva côté passager, perpendiculairement à la route, et partit dans une embardée incontrôlable. Ori se sentit transporté et transbahuté de tous les côtés, impuissant, embourbé dans une tonne de ferraille par les forces gravitationnelles de la nature. Instantanément, et ce avant le premier tonneau, il attrapa la ceinture de sécurité côté conducteur de sa main gauche et harnacha Alain sans que celui-ci n'ait le temps d'esquisser le moindre mouvement, ou d'exprimer la moindre objection. Sa tête heurtait indéfiniment et violemment le toit de la berline, pour se retrouver sur son siège la seconde d'après, puis retourner tout aussi vite s'éclater sur l'immuable carrosserie. Entre deux tonneaux, avec une incroyable dextérité, le commissaire sortit son R8 avec sa main droite et fit feu sur le passager. Ori réalisa à ce moment-là que Mike n'avait pas seulement fait don d'un lifting nouvelle génération à Alain, mais qu'il l'avait aussi doté d'une force et d'une rapidité décuplée. Bien plus efficacement et avec une puissance largement supérieure, il intercepta le poignet de son vis-à-vis en le brisant sur le coup, afin de lui faire lâcher prise sans commune mesure. Étonnamment, certainement grâce à l'expérience similaire qu'il avait déjà vécue, ses tympans n'éclatèrent pas sous l'insoutenable bruit de la détonation, comme si ceux-ci s'étaient hermétiquement fermés. Il avait beau faire tout son possible pour éviter qu'Alain soit blessé, il comprenait à présent que celui-ci n'en sortirait pas indemne. Il ne lui restait plus qu'à tenter de limiter au maximum, les dommages corporels que celui-ci allait subir à l'avenir.

Les tonneaux incessants semblaient ne jamais vouloir s'arrêter, ballottant têtes et corps des deux protagonistes en tous sens, embarqués bien malgré eux dans cet impitoyable manège. Un infernal tournis s'empara alors des sens psychiques d'Ori. Il ne pouvait plus définir le haut du bas ni le ciel de la terre ferme, tout n'étant que vertiges et douloureuses contusions. Même ses pouvoirs surnaturels, s'évertuant vainement à renforcer chacune des parties de son corps au moment opportun, afin d'éviter les nombreuses ecchymoses ou d'amortir efficacement les prochains chocs, n'étaient pas de taille face à une force d'attraction aussi puissante et une vitesse de croisière aussi virulente. La carcasse du véhicule termina enfin sa course, sur le toit, dans un crissement de ferraille insoutenable. Le Surhomme se contorsionna et se hissa péniblement à l'extérieur par la fenêtre côté passager, celle-ci ne laissant que peu de réserve de manœuvre. Une fois debout, il dégobilla abondamment sur l'asphalte, ne renvoyant qu'une bile liquide et jaunâtre, étant donné qu'il n'avait rien avalé depuis bientôt vingt-quatre heures ouvrées. Il essuya la commissure de ses lèvres d'un revers de main et ne put réprimer un sourire, en découvrant ce qui se trouvait juste sous ses yeux. Ironiquement, comme si les dieux eux-mêmes avaient décidé de se liguer contre lui ou de se jouer de son malheur, il faisait face à une station-service. Un jeune couple, inquiet et apeuré, vint à son encontre pour lui demander si tout allait bien. Ori ne leur répondit pas, ni même ne les écouta. Il fit le tour du véhicule, se retrouvant ainsi à la lisière d'une luxuriante forêt, et constata que le commissaire ne bougeait plus. Il extirpa celui-ci en douceur, de la boîte de conserve dont il était prisonnier, et prit son pouls. Avec un immense soulagement, il ressentit des battements de cœur résonner sous le bout de ses doigts, Alain avait seulement perdu connaissance. Il souleva les paupières de celui-ci, ses yeux avaient repris leurs couleurs normales. Le démon ne le possédait plus, de cela il était convaincu. Mais pour autant, il ne sentait pas la présence de Mike en son for intérieur, il n'y avait aucune trace de lui ni la moindre manifestation de sa part. Avait-il perdu connaissance lui aussi, ayant déjà épuisé toutes ses ressources ? Il est peut-être comme toi à tes débuts, pensa Ori à ce moment-là, il ne maîtrise pas encore ses réserves d'énergies correctement. Tu auras bien le temps d'en avoir le cœur net, se dit-il, et de cela aussi il ne doutait plus. Il observa les jeunes amoureux, l'un d'eux avait déjà un téléphone portable entre les mains, sans aucun doute dans le but d'alerter les secours. Non sans mal, il récupéra dans le coffre ses effets personnels et s'engouffra dans l'imposante verdure…

*****

Il observa l'aiguille quelques secondes, posée sur le plan de travail et prête à l'emploi, avant de daigner l'utiliser. Celle-ci scintillait de mille feux, de par l'intense éclairage des spots de la cuisine, arborant un gris argent immaculé et arrogant de splendeur. Il prit la seringue de sa main droite, pour la mettre dans une main gauche désormais tremblotante. Il chercha la plus grosse veine dans le creux de son avant-bras, sans se donner plus de temps pour la réflexion, car il craignait d'être assailli par des doutes bien fondés. Ensuite, il planta l'aiguille dans celle-ci, afin de s'administrer tout le contenu de la seringue. De toute sa vie, il n'avait jamais eu aussi mal à cause d'une simple piqûre. Cela était logique bien entendu, non seulement il n'était pas du métier mais surtout il n'était pas gaucher et a priori, cette croissante douleur était là pour le lui rappeler. Comment une pointe, si ridiculement fine et semblant être à première vue aussi bénigne, pouvait faire autant souffrir, pensa-t-il.

À ce moment-là, il se remémora sa brève excursion dans le laboratoire de l'hôpital. Celui-ci empestait les produits aseptisés et arborait des murs d'un blanc immaculé. Lorsque Johnson avait franchi la porte hermétique de cette pièce, antimicrobienne, le Dr Podrick était venu le saluer avec entrain et courtoisie, comme à son habitude d'après les dires de son commissaire. Celui-ci avait pris les devants instantanément, avant même qu'il n'ait le temps de se présenter.

— Bonjour Monsieur. Vous êtes bien matinal, que puis-je pour vous ?

Le Barbare, ayant anticipé la démarche avenante du doc, avait déjà sorti son insigne et avait brandi celui-ci bien en vue. Avant de prendre la parole.

— Bonjour Dr Podrick, inspecteur Barnaber. Mon commissaire, M. Treffert, m'envoie quérir des nouvelles sur l'avancement de vos recherches, en ce qui concerne les prélèvements de sang que vous avez effectués sur Mike Kurly.

Il n'en avait pas fallu plus pour que le doc en herbe se lance dans un intarissable monologue, ponctué de mots incompréhensibles et de gestes extravagants, qui bien évidemment l'était tout autant. Certaines personnes sont esclaves d'un seul et unique objectif, si bien qu'ils ne subsistent qu'à travers lui, trouvant ou utilisant n'importe quelle occasion pour mettre celui-ci en avant. Le Dr Podrick faisait sans aucun doute partie de cette gamme-là, le genre de personne capable de vous parler de sa passion pour les chevaux, alors que vous lui parliez d'un splendide envol d'étourneaux. Le genre d'homme qui de bon matin, avait pensé Johnson à cet instant, devait bassiner sa femme en exposant outre mesure son indéfectible addiction, pour tout ce qui s'apparentait à de l'échantillon. Patiemment, le Colosse avait laissé le doc s'exciter et déblatérer jusqu'à ce que celui-ci, dans son intense euphorie, sorte d'un frigo l'un des prélèvements sanguins qu'il avait effectués sur le Surhomme. Une fois les bonnes fioles localisées, Cela fut aisé pour le Barbare de subtiliser l'une d'entre elles, au nez et à la barbe du docteur. Celui-ci étant toujours accaparé par son idyllique délire et ne semblant pas être en mesure d'appréhender la moindre ambiguïté, sur sa présence en ce lieu, il en avait même profité pour voler une seringue égarée. Enfin, maintenant qu'il détenait entre ses mains le bénéfice d'un doux labeur, il avait été contraint de lui couper la parole et de lui manquer de respect pour pouvoir se soustraire.

— Merci bien docteur pour tous ces détails. Si besoin est, nous ne manquerons pas de vous solliciter à nouveau.

Le Dr Podrick avait acquiescé d'un simple signe de tête, semblant avoir été affligé et dépité de devoir écourter un discours aussi passionnant, lui paraissant être des plus intrigants. Encore une fois déprimé, par un énième débat qu'il ne terminerait ou ne partagerait jamais jusqu'au bout, le doc en herbe avait pourtant continué à bavarder dans sa propre intimité. Avec pour seul auditeur, de nombreux dossiers raturés et d'innombrables prélèvements modifiés qui bien entendu, ne risquaient pas de le contrarier en lui coupant inopinément la parole ou en s'esquivant irrespectueusement.

De retour dans sa cuisine, emplie de microbes bien portants, il relâcha la seringue sur le plan de travail et se détourna de celle-ci pour rejoindre le salon. Lors de ce court cheminement, la douleur s'estompa mais fut bien vite remplacée par d'incontrôlables et dangereuses convulsions. Si près du but, contraint de s'appuyer sur tous meubles ou élément constituant l'appartement, il perdit pied à deux pas du canapé et s'écrasa de tout son long sur le plancher. Johnson avait déjà perdu connaissance depuis un bon moment, bien avant d'avoir pu sentir l'odeur du tapis recouvrant le plancher, que les voisins d'en dessous vociféraient encore envers cet irresponsable et inacceptable vacarme, produit par la chute de celui-ci...

*****

À croire qu'aucun être vivant n'avait jamais foulé ou mis les pieds dans cette verdure hostile, se dit le Surhomme en repoussant une énième touffe de végétation. Lui revenant immanquablement en pleine tronche, alors qu'il n'avait même pas encore rapatrié son bras le long de son corps. Il progressait lentement dans cette dense forêt, plus indomptable qu'un féroce vélociraptor ou moins imprenable qu'une forteresse abritant une vierge princesse. Chacun des gestes qu'il pouvait esquisser étant gratifié d'une belle écorchure, ou d'une nuée d'invertébrés l'assaillant de tous les côtés (volants ou rampants), encore non répertoriés. Il avait essayé d'évoluer en hauteur à travers les arbres, tout comme ses ancêtres les singes l'avaient fait avant lui, persistant à utiliser ce moyen de locomotion encore aujourd'hui. Cela s'était malheureusement soldé par une cuisante gamelle, les branches d'arbres n'étant pas suffisamment robustes pour supporter le poids de son corps, démultiplié par la vitesse et les lois gravitationnelles. Suite à ce mauvais souvenir, il se frotta machinalement l'arrière-train, toujours douloureux, et se demanda si un jour il pourrait s'asseoir dessus de nouveau. Il dégageait branchages et feuillages se trouvant sur son passage, mécaniquement et avec d'amples mouvements, dévastant ainsi cette impitoyable nature sans le moindre désir de revoyure.

Progresser à travers tous ses branchages commençait à fatiguer Ori, sans parler de cette faim inassouvie, qui ne cessait de tirailler les entrailles de son estomac. Soudainement, entre les croisements interminables des branches et des feuilles, il aperçut une grande et vieille bicoque en bois. Vue d'ici, on aurait dit la petite maison dans la prairie. Le Surhomme ne put réprimer un sourire, s'imaginant tomber sur la famille INGALLS en train de préparer un copieux déjeuner, ou de chantonner un refrain dépassé aux abords de la cheminée, avec une guitare qui le serait tout autant. Suite à cette pensée, fantasque et grotesque, il remit du cœur à l'ouvrage, redoublant ainsi d'efforts pour s'en rapprocher au plus vite. Vue de près, la belle petite maison s'était évaporée pour laisser place à une cabane délabrée, semblant être abandonnée. Le revêtement de celle-ci était entièrement délavé et accusait d'innombrables impacts ou écorchures, comme si elle avait participé au débarquement de Normandie. Certes, cette vieille bicoque n'avait plus d'âge mais elle semblait néanmoins, envers et contre tout, plus solide qu'un navire destiné pour la guerre. À ce moment-là, il ressentit une infime tension sur le bas du tibia mais il était trop tard, le fil se tendit plus encore et déclencha l'alerte. Un son de cloche résonna subitement dans toute la forêt, pour le coup aussi bruyant qu'une fête de Pâques, capable de réveiller et d'émanciper tout être dormant, hibernant ou mourant. Dans le même temps, alors que la cloche n'avait pas encore eu l'opportunité de terminer son premier balancier, le propriétaire des lieux ouvrit la porte de chez lui à la volée, le braquant d'emblée avec un fusil de chasse de calibre 16 à canon scié. À croire que celui-ci campait derrière sa porte d'entrée, pensa Ori en se préparant au pire et en se mettant sur le qui-vive. L'homme semblait être bien plus vieux que les planches lui servant de toit. Il avait de très larges épaules et ne passait l'encadrement du haut de la porte sans se baisser, seulement parce que son dos l'y contraignait, celui-ci étant voûté par les nombreuses années passées. De son temps ce vieil acariâtre devait être un titan, une véritable force de la nature, tout comme l'incroyable flic que j'avais affronté, pensa le Surhomme. Celui-ci portait un treillis aux couleurs de l'armée de terre, un maillot de corps blanc ainsi que des rangers noirs étincelants, semblant avoir été cirés moins d'une heure auparavant. Son visage était indéfinissable, dû à un amalgame de peau pendante et fripée. Ori s'en voulut quelque peu, pour cette impardonnable négligence, mais en jaugeant l'ancien des pieds à la tête, il estima qu'au final il ne s'en était pas trop mal sorti. En effet, il aurait tout aussi bien pu être accueilli par une mine enfouie, qui n'aurait pas manqué d'éparpiller la totalité de ses gènes sur une étendue indéterminée. entonna

— Qui va là ? le vieil homme en se rapprochant dangereusement.

Ori ne voulait aucun mal au vieil homme, aussi joua-t-il à ses risques et périls, la carte de la sincérité.

— Je ne recherche que le gîte, pour quelques heures, et un couvert pouvant rassasier tout un bataillon d'infanterie lourde.

Le vétéran, à l'entente de ces mots, partit dans un fou rire aux allocutions grasses et tonitruantes, ce qui courba davantage sa vieille silhouette. Non sans mal, celui-ci parvint à reprendre le contrôle de ses émotions et répondit courtoisement au nouveau venu.

— J'aime les hommes qui ont la coudée franche, dit-il en rabaissant son arme. Puis, ma foi, reprit-il, tu as l'air d'être un bon gars, sans parler du fait que je n'ai pas eu le loisir de communiquer avec des hominidés depuis de trop longues années.

Le Surhomme, prêt à tout mettre en œuvre pour racheter ses fautes, ne put se contenter d'esquisser ses responsabilités.

— Je suis navré de vous décevoir vieil homme, dit-il solennellement, je suis de nombreuses choses mais en aucun cas un bon gars.

— Nous faisons tous des erreurs dans la vie, mon petit, et ce n'est pas à celles-ci de dicter notre profonde personnalité. Après un temps d'arrêt, empli de sagesse, il renchérit.

— Tu peux me croire mon garçon quand je te dis que tu es un homme bon, j'ai toujours eu le nez pour ce genre de choses, dit-il en se tripotant l'intérieur des fosses nasales. Puis, ma foi, poursuivit-il, c'est ton jour de chance aujourd'hui mon gars.

Ori, ne comprenant pas pourquoi cet ancien militaire avait dit cela, afficha une mine dubitative et interrogative. Le vieux fou s'approcha de lui et posa une main, plus grosse qu'une pelle et rongée par l'arthrose, sur son épaule avant de poursuivre.

— Ma dernière mine a explosé hier en fin de matinée. Tu dois ton salut à un gros sanglier bien grassouillet, celui-là même que tu vas déguster à mes côtés. Moi c'est Jacky mais tu peux m'appeler Djack, dit-il en retournant dans son semblant de maison. Entre donc, mon garçon.

Le Surhomme, blanc comme un linge, observa le sol sous ses pieds quelques secondes, avant d'aller à la suite du vétéran. Il comprit que la terre, sur une surface d'environ dix mètres carrés, était toute retournée, semblant avoir été bêchée ou labourée en profondeur durant toute une journée. Après avoir laissé ses effets personnels dans un coin du jardin (les deux épées courtes et le pistolet), il pénétra dans la demeure avec entrain, heureux et soulagé de ne pas avoir communié ou fait corps avec la nature environnante…

*****

Il sait où tu es, il te trouvera et viendra à toi, vous êtes désormais unis à jamais... Johnson émergea lentement de sa perte de conscience et s'éveilla. Il était allongé sur le flanc, en chien de fusil, tout le poids de son corps reposant sur son bras plâtré. De son point de vue actuel, le mobilier et la structure de son appartement semblaient être étrangement différents, comme si celui-ci appartenait à une autre personne. Il se releva en un éclair, rapidement et souplement, sans même se rendre compte de l'effort déployé et nécessaire pour ce faire. Le Barbare était inquiet pour son bras cassé, et ce, à juste titre, car il avait en effet chuté sur celui-ci. Ne ressentant aucune douleur pour le moment, il utilisa l'infime interstice se trouvant entre le plâtre et sa chair, afin de jauger l'état de son bras en pleine activité. Lors de ce processus, il réalisa que son membre supérieur ne lui faisait plus mal du tout, ce qui l'encouragea à augmenter la pression exercée par son bras. Instantanément, de fines craquelures apparurent sur le plâtre, le zébrant et le fissurant de tous les côtés. Ahuri, il vit celui-ci se briser, éparpillant ainsi de nombreux morceaux de gypse sur le plancher et sur ses pieds. Le Colosse s'était injecté le sang du surhomme dans les veines, l'essence même de son ennemi juré, et il n'en retirait ni culpabilité ni regret. Bien au contraire, son plan, pourtant impensable et inimaginable à la base, avait contre toute attente fonctionné bien au-delà de ses espérances. Avec une immense satisfaction, il fit d'amples mouvements, accompagnés de nombreux étirements. À ce moment-là, il ressentit une énergie et une force incommensurable déferler dans toutes les fibres de son être, le rendant désormais bien plus puissant que tout ce qu'il avait pu envisager. Dans l'unique but de se mettre à l'épreuve, de se persuader qu'il ne rêvait pas, il tenta de soulever le buffet de la salle à manger. Il parvint à soulever celui-ci, pourtant plein à craquer, sans que son corps produise la moindre goutte de sueur, l'envoyant valdinguer à l'autre bout de la pièce entre le canapé et la télévision. Johnson ne le saurait jamais mais, de ce fait, ses voisins avaient dorénavant une bonne raison de pestiférer, envers l'énorme vacarme que le meuble avait produit en s'ébranlant lourdement sur le sol. Rasséréné et fin prêt à se venger, à en découdre avec l'objet de tous ces méfaits, il quitta vaillamment son appartement. Une fois en bas de la résidence, son entrain se dissipa subitement, le laissant bêtement et stupidement en station debout, sur le bord du trottoir. Alors qu'il se rendait compte qu'il n'avait aucun moyen de retrouver Ori, une voix, à peine audible et semblant provenir d'un rêve lointain résonna comme un seul écho dans sa tête. *Il sait où tu es, il te trouvera et viendra à toi, vous êtes désormais unis à jamais.* Plus motivé que jamais, il partit à la recherche d'un terrain neutre et approprié. Afin d'exterminer le tueur de flics, sans que perle la moindre goutte de sang d'un misérable innocent, pouvant se retrouver par mégarde entre les deux feux d'une bataille rangée qui n'était en aucun cas la leur. Mais il devait tout d'abord éprouver ces capacités et rien de tel pour cela, qu'un bourg mal famé. Il savait enfin où aller…

*****

Ori prit place en face de Djack, s'accoudant sur une vieille table en bois démodée et délabrée, assortie à tout le reste du mobilier. Une grosse gamelle encore fumante était posée au centre de la table, d'où émanait un irrésistible parfum de daube de sanglier, ainsi qu'un gros pain à portée de main, semblant être tout juste sortie d'un boulanger renommé du village. Le Surhomme n'était pas un homme pieux et n'avait donc jamais remercié Dieu avant de déguster un repas, ayant l'air si succulent qu'il aurait mis d'accord tous ses aïeux, même les plus dédaigneux. Il tint néanmoins pour l'occasion, à faire une prière pour le pauvre animal qui lui avait sauvé la vie et qui allait incessamment, remplir allègrement le fond de ses entrailles.

Lorsqu'Ori était entré dans la cabane, le vieil ermite avait stratégiquement posé son fusil de chasse dans un coin de la salle principale et s'était éclipsé sans un mot dans une pièce annexe, le laissant béatement sur le pas de la porte. Celui-ci était revenu quelques minutes plus tard avec, entre ses deux grosses pognes, des vêtements pliés au carré. Il y avait un débardeur blanc, un treillis de l'armée de terre et une paire de rangers noirs, le tout dégageant une forte odeur de renfermé. En observant une nouvelle fois, l'immense différence de gabarit qu'il y avait entre eux, il s'était dit que même deux hommes comme lui ne suffiraient probablement pas à combler les manques. Ne souhaitant pas offusquer son hôte, le Surhomme avait accepté les habits en remerciant celui-ci. Djack l'avait ensuite convié à se décrasser dans la salle de bains, avec une eau qui n'avait pas daigné dépasser le seuil des dix degrés. Glacé jusqu'à l'os, il s'était empressé de se sécher avec une rugueuse serviette et de s'accoutrer d'habits, qu'il imaginait comme deux fois trop grand pour lui. À sa plus grande surprise, ces vieilles frusques lui étaient allées parfaitement, hormis les bottes qui étaient un peu trop grandes (mais il n'allait pas non plus chipoter sur la taille d'un pied). Ce qui ne manquait pas de le tarauder, encore actuellement.

— Encore merci pour ces vêtements, dit Ori, ils me vont comme un gant.

Tout en commençant à servir le repas, le vétéran regarda furtivement son invité et put constater qu'en effet, la morphologie de celui-ci était quasiment identique à celle de son fils. En observant plus attentivement son visage, il parvint même à trouver de troublants traits de ressemblance entre les deux hommes. Tu deviens gâteux et sénile, pensa-t-il à ce moment-là, tu n'aurais même pas reconnu ton propre garçon, si par le plus grand des miracles celui-ci s'était présenté sur le pas de ta porte. Cela le ramena bien des années auparavant, dans un temps éperdument révolu, ravivant ainsi son esprit de vieux souvenirs oubliés et emplissant son cœur d'un immense chagrin dénigré.

Djack était colonel à cette époque-là, ne pensant ou même ne vivant que pour l'armée de terre, sous le pli d'une perpétuelle discipline de fer et d'un goût prononcé pour la guerre. Toute la foi et toutes les certitudes, qu'il avait vaillamment emmagasinées durant d'innombrables années, s'étaient écroulées en seulement quelques secondes, lorsque ce foutu lieutenant avait débarqué en trombe dans ses quartiers.

— Pardonnez-moi pour cette intrusion mon colonel, mais j'ai de bien tristes nouvelles à vous annoncer.

En cet instant, le temps avait semblé s'être disloqué, aussi sûrement que les battements de son cœur s'étaient arrêtés. Le vétéran n'avait pas eu besoin d'enjoindre le lieutenant à poursuivre, en le questionnant plus avant, ses yeux emplis d'angoisse et de terreur témoignant pleinement d'un inextricable besoin d'entendre la suite des évènements.

— Il y a quelques heures, reprit le messager de la mort, nous avons perdu le contact radio avec l'escouade menée par votre fils. Ils sont tombés dans un guet-apens, aux abords d'une grotte censée abriter des réfugiés, il n'y aurait apparemment aucun survivant.

Djack s'était laissé tomber sur le dossier de son fauteuil, la tête baissée et les bras pendant mollement le long de son corps. Le lieutenant, attristé et touché par la souffrance et l'accablement que devait ressentir son supérieur, s'en était retourné sans une parole de plus. Reprenant tout d'un coup ses esprits, il réalisa qu'il n'avait pas encore servi une seule louche de sa daube, pourtant pleine à ras bord et encore fumante, son mouvement s'étant arrêté entre la gamelle et l'assiette de son invité lorsqu'il s'était perdu dans ses pensées. Il emplit à ras bord les deux auges se trouvant sur la table et prit la parole.

— Ils appartenaient à mon fiston, il est mort pour sa patrie, alors qu'il était sous mon commandement. Après un long soupir, le vétéran poursuivit.

— Fais leur honneur, mon garçon.

À l'entente de cette tragédie, Ori ressentit une profonde sollicitude pour le vieil homme, car il comprenait tout cela mieux que personne.

— Vous n'y êtes pour rien Djack. Votre fils a fait ses propres choix, son destin l'a menait là où il devait aller.

Le vieil acariâtre repartit dans un fou rire dont lui seul avait le secret.

— Je te l'avais bien dit que tu étais un bon gars, je ne me trompe jamais sur ce sujet-là. Tu es bien brave mon garçon, mais rien de ce que tu pourras me dire ne me fera mieux vivre cet échec. L'échec de toute une vie si tu vois ce que je veux dire, et je lis dans tes yeux que tu vois très bien ce dont je parle. Afin d'encourager son invité à manger tant que l'assiette était encore chaude, il rompit le pain et engouffra dans sa bouche une grosse bouchée de viande. Celle-ci est délicieuse, se dit-il avant de continuer, goûteuse et filandreuse à souhait.

— Depuis tout petit déjà, je l'avais encouragé à servir son pays et entraîné pour les guerres à venir. Sa mère n'a jamais su trouver la force de me pardonner, elle m'a quitté trois ans plus tard, le jour même de l'anniversaire de son décès.

Ori ne pipa pas le moindre mot car il savait que Djack avait raison, rien de ce qu'il pourrait dire ne serait en mesure d'apaiser la culpabilité que celui-ci ressentait. Timidement, il avala une première bouchée. La viande fraîche, assaisonnée par une sauce indescriptiblement bonne, délivra un goût incroyable sous son palais. Il vida le contenu de son assiette en seulement quelques secondes, si bien saucée et récurée qu'il n'était plus utile de la laver.

Le vétéran l'avait resservi, généreusement, trois fois avant qu'il baisse les armes et capitule. Les muscles en état de léthargie avancée et l'estomac repu jusqu'au colon, le Surhomme ne se sentait même plus apte à se lever. Le vieil homme l'invita, avec devoir et insistance, à se reposer sur le canapé se trouvant en face de la table de la salle à manger. À peine s'était-il installé, qu'il s'endormit dans un sommeil sans rêves, lourd de digestion…

*****

Installé inconfortablement dans son véhicule banalisé, cela faisait des heures qu'il attendait, le regard tourné dans une seule et unique direction. Étant par nature, un homme prévoyant et pragmatique, il avait prévu un pack de bouteille d'eau en plastique ainsi que quelques barres de céréales chocolatées. Ne souhaitant pas se détourner de sa mission, ne serait-ce qu'une fraction de seconde, il avait utilisé l'une des bouteilles vide pour soulager une insoutenable envie de pisser. Lors de ce processus, sur lequel il avait pourtant tout misé, il avait pesté contre quelques gouttes d'urine qui étaient passées entre les mailles du filet et qui avaient entaché l'intérieur d'un pantalon superbement repassé. Encore heureux, s'était-il dit à ce moment-là, que je n'aie pas eu une irrépressible envie de chier.

La patience n'était pas une tare pour lui, bien au contraire, cette qualité faisait partie intégrante de sa personnalité et jamais celle-ci, ne lui avait fait défaut ou ne lui avait octroyé les moindres maux. Attente et sérénité étant les deux mots-clés de tout fin tireur, il avait peaufiné avec perspicacité et durant de nombreuses années, ces deux traits de caractère. En effet, lorsque vous vous retrouviez allongé à plat ventre sur une terre inhospitalière, avec un fusil de précision entre les mains et attendant patiemment la bonne ligne de mire pour faire exploser la cervelle d'un pauvre inconnu d'un seul tenant, mieux valait ne pas trembler et ne pas s'énerver. Ou même ne pas pioncer, sous peine de louper la future cible à enterrer.

Le Fin Tireur (cela étant dès à présent le nouveau surnom de Dritston) fut enfin récompensé pour son indéfectible obstination, lorsqu'il vit complètement abasourdi et ahuri, l'inspecteur Barnaber sortir de l'entrée de son immeuble sans le moindre bras plâtré à proximité. Il prit immédiatement son téléphone portable, afin d'en informer la supériorité de sa classe hiérarchique.

— Je t'écoute, Dritston ? répondit Pierre sans détour ou courtoisie alentour.

— Vous n'allez pas croire ce que je suis en train de voir… Sachant par expérience et se souvenant avec amertume que son mentor n'appréciait que très moyennement les blagues à deux balles ou les devinettes introuvables, Cornélie poursuivit en entrant immédiatement dans le vif du sujet.

— Johnson vient de sortir de chez lui à l'instant. Plus de plâtre en vue, son soi-disant bras cassé se porte comme un charme et semble être un lointain souvenir.

Pierre s'était tout de suite douté qu'il fallait se méfier de cet inspecteur. Il avait d'ailleurs envisagé de nombreux scénarios à son encontre, mais jamais au grand jamais, il n'aurait pu imaginer une telle mise en scène. Cela le perturba et le déstabilisa quelque peu, car il ne comprenait pas encore ce que pouvait présager une telle découverte. Mais il répondit néanmoins stoïquement, comme s'il n'était pas ou peu surpris par cette révélation.

— Bien, j'en ai moi aussi une bonne à t'annoncer. Raconte-moi d'abord en détail, le parcours de santé miraculeux que notre inspecteur a effectué.

Dritston, on ne peut plus désireux d'entendre les nouveaux éléments de l'enquête, prit son calepin qui était posé sur le siège passager (sur lequel il notait tout) et fit un rapport des plus condensé.

— Lorsqu'il est parti du commissariat, il a pris le bus et s'est rendu à l'hôpital. Tout en observant son bloc-notes, il continua son briefing.

— Il est resté sur place trente-deux minutes. Ensuite, il est rentré chez lui, toujours par le biais des transports en commun, et sa femme est partie vingt-quatre minutes plus tard. À ce moment-là, il marqua une pause pour regarder sa montre et reprit tout de suite après, tout en notant la dernière information sur son calepin.

— L'inspecteur Barnaber est ressorti de chez lui au bout d'une heure et cinquante-six minutes. Depuis environ trois minutes, il fait le plancton sur le trottoir, devant l'entrée de son immeuble à attendre je ne sais quoi…

*****

Ori ouvrit des yeux tous collants, ceux-ci lui délivrant une vision encore trouble suite au réveil, et aperçut Djack toujours assis sur l'une des chaises disposées autour de la table de la salle à manger. Celle sur laquelle ils s'étaient tous deux goulûment rassasiés. Il ne savait pas combien de temps il avait pu dormir. Autant dix petites minutes que toute une journée, mais il fut néanmoins étonné de retrouver le vétéran exactement au même endroit, que lorsqu'il était tombé d'épuisement sur le vieux canapé. Il se redressa et, sa vue s'étant éclaircie après quelques battements de paupières, constata que le vieil ermite s'était tout de même déplacé pour débarrasser les couverts avant de revenir à sa place. Celui-ci prit la parole à ce moment-là.

— Tu as bien dormi, mon ami ? demanda Mike voluptueusement, à travers la voix et le corps de Djack.

L'entente de cette question signa le deuxième pire réveil de toute sa vie, le premier étant d'avoir trouvé des draps vides au matin, lorsque la nuit précédente il avait enfin pu tirer un trait sur sa trop longue virginité. À présent, maintenant qu'il était des mieux éveillé et des plus concentré, il nota que tout comme Alain, Djack semblait avoir rajeuni d'un nombre d'années incalculables.

— Je t'en supplie, ne lui fait pas de mal, c'est un brave homme et cela se passe entre toi et moi, répliqua le Surhomme avec une pitié évidente dans le timbre de sa voix.

Le rire rauque et inimitable du vétéran résonna soudainement contre la boiserie intérieure de la cabane, semblant bondir d'une planche moisie à une planche mal vernie, plus promptement qu'un serpent monté sur pilotis. Mike, et seulement lui, pouvait entendre les dernières doléances prononcées par son pantin, à travers le voile des nombreux fils qu'il avait tendu dans le but de diriger celui-ci à son gré. Celles-ci pouvant se révéler être, à n'en pas douter, salvatrices voire libératrices pour Ori, le marionnettiste se garda bien de les lui divulguer.

— Rho, pas de ça chez nous, mon ami, entonna Mike avec une voix grasse et portante, je te rappelle que nous sommes là pour nous amuser et nous délecter de leurs pitoyables infériorités. Puis entre nous, soit dit, je t'avouerais que j'avais besoin d'un peu d'entraînement, je me suis senti plutôt faiblard après avoir pris possession de ton cher et tendre commissaire. J'y pense d'ailleurs, reprit-il d'un ton taquin et railleur, j'espère qu'il va bien le bougre ?

Le Surhomme, se retrouvant encore une fois complètement désarmé et impuissant face à l'immonde créature qu'il avait lui-même créée, ne sut qu'afficher un regard impuissant de chien battu. Mike quant à lui profita de ce mémorable instant, afin de mettre en évidence les mains de Djack, qui jusqu'à présent étaient restées cachées sous le plateau de la table. Prodiguant aux tympans un son identique à celui d'une canette de coca qu'on décapsulerait, les goupilles des deux grenades se trouvant dans chacune des pognes du vieil ermite virevoltèrent au-dessus de la table, sous les yeux horrifiés d'Ori. Restant dans l'incapacité d'esquisser le moindre geste, toujours obnubilé et choqué qu'il était par la mise en scène machiavélique que Mike avait fomentée dans son dos, il ne crut bon de prendre ses jambes à son cou qu'à la dernière seconde, lorsque les goupilles retombèrent innocemment sur l'épais plateau de la table en bois. Sans demander son reste ou de plus amples explications sur le comportement psychotique de sa progéniture, le Surhomme bondit du canapé et se jeta tête la première à travers le simple vitrage, de l'unique fenêtre se trouvant dans la pièce. Lors de cette succincte opération, il avait bien entendu bandé tous les muscles de ses jambes, afin de mettre le plus de distance possible entre lui et la future déflagration à venir. Ori était fier et il avait de quoi l'être, car il se savait fort, très fort. Ce n'est que lorsqu'il s'écrasa violemment contre un tronc d'arbre, semblant se trouver à plusieurs lieux de son point de départ, qu'il comprit que ce n'était pas grâce à la puissance de ses jambes qu'il avait été envoyé si loin, mais bel et bien à cause de l'explosion qui avait eu lieu au même moment. Le choc fut rude et brutal, ses poumons expulsèrent pour l'occasion plus d'air qu'il n'en faut pour voir s'envoler une montgolfière au-delà de notre système solaire, mais il dut pourtant se rendre à l'évidence car le coup le plus dur fut celui que son ego reçut en pleine figure.

Ni lui ni son humble géniteur n'auraient pu le savoir, mais le sous-sol de la vieille cabane était bourré d'explosifs de toutes sortes, complètement barré et d'une grande instabilité, de par leurs vétustés. Si bien que, quand les deux grenades rendirent leurs derniers soupirs, un feu de joie dépassant toutes les espérances de Mike s'empara de la bâtisse et embrasa celle-ci d'un unique souffle. Propulsé à une centaine de mètres de hauteur en seulement quelques centièmes de secondes, il ne put contenir un cri jouissif et abrasif, empli d'hystérie, lorsqu'il parvint au point culminant de cette fulgurante ascension. Tout d'un coup, comme une toile d'araignée serait avalée par le conduit d'un puissant aspirateur, une inexplicable force d'attraction le renvoya instantanément dans le corps d'Ori. Celui-ci était allongé sur le sol, encore sonné et abruti par sa douloureuse rencontre avec un arbre. Mike vit retomber de nombreux débris enflammés, parsemant le ciel comme d'innombrables étoiles filantes, une belle nuit d'été. Certes, la vue était splendide et mémorable, tout simplement bonne à inscrire dans les annales, mais toutes ses pensées étaient accaparées par son retour prématuré, dans le corps de l'être qui lui avait tout volé. Pas la peine de chercher midi à quatorze heures, se dit-il à ce moment-là, tu ne peux trop t'éloigner de ce vénérable enfoiré, il va falloir t'y habituer. Il resta pantois quelques instants car cette découverte, préoccupante et désobligeante, n'était pas du tout de bon augure. Celle-ci mettant en avant une faiblesse, la première à son actif et ce depuis le début de sa renaissance, pouvant devenir des plus handicapantes si jamais Ori venait à en prendre connaissance.

Alors que Mike observait toujours le ciel sans ne plus y prêter la moindre attention, un morceau calciné s'échoua à deux doigts de la tête du surhomme et provisoirement, car il ne comptait pas rester bien longtemps emprisonné dans le corps de celui-ci, de la sienne aussi. S'agissant de l'un des membres du vétéran, définir lequel avec exactitude relèverait de la magie ou de la sorcellerie, une forte et savoureuse odeur de viande grillée s'immisça dans leurs narines. Un délicat parfum qui, en d'autres circonstances, aurait fait saliver les babines d'Ori. Mike repensa aux dernières paroles de Djack, celles destinées au surhomme et qu'il n'avait cessé de passer en boucle dans son esprit. « Fin, disons plutôt l'esprit de celui-ci ou bien encore, leurs esprits à tous deux à ce moment précis.

— *Ne t'en fais pas, mon garçon, l'heure pour moi est venue de casser ma pipe et de rejoindre mes ancêtres…*

Subitement, le panorama changea du tout au tout, du point de vue de Mike, lorsque le Surhomme se leva rapidement et sans ménagement afin de reprendre la route. Ou d'y mettre un terme définitivement. Il retrouva facilement, sous une planche plus noire que du charbon et une impressionnante couche de cendres grises, les armes qu'il avait laissées dans un coin du jardin avant de suivre le vétéran dans sa demeure. Une larme, une seule, roula comme une perle le long de sa joue droite quand il repensa affectueusement à celui-ci. Vous êtes mort en héros pour la guerre, vieil homme, se dit-il solennellement. Comme pour rendre un dernier hommage, au courageux soldat que celui-ci avait été durant toute sa vie. Ori prit son pistolet d'une main crispée, tremblotante, et braqua celui-ci sur sa tempe.

— Tu n'as pas su trouver en toi la force, Mike. De pardonner mes erreurs et mes nombreux pêchés, déclara-t-il sentencieusement. J'espère que dans l'au-delà, tu y parviendras. Le Surhomme pressa lentement la détente, se dirigeant seconde après seconde vers une mort certaine et inéluctable. Étonnamment, il ressentit une époustouflante vague de sérénité le submerger de la tête aux pieds, un soulagement si intense qu'il ne put contenir un sourire heureux et radieux. Il allait enfin abandonner l'enfer de cette vie, toute la fourberie et toute la vilenie que l'homme créait constamment autour de lui, pour rejoindre ses bien-aimés au paradis. Les imaginant déjà blottis dans ses bras et la gâchette arrivant dangereusement à son point culminant, une soudaine intrusion, s'apparentant plutôt à une connexion, le fit frissonner viscéralement dans tout l'intérieur de son être. Interloqué, il relâcha inconsciemment la pression, exercée par son doigt sur la détente. Étant un sentiment nouveau et inconnu jusqu'alors, Ori ne savait absolument pas ce que celui-ci pouvait bien signifier. Tout ce qu'il voyait ou appréhendait à l'heure actuelle, c'est la provenance de ce puissant lien et la certitude que celui-ci n'était pas anodin. Peu importe qu'il s'agisse de quelque chose ou de quelqu'un, seul un irrépressible besoin, de rejoindre la source de cette force, gouvernait désormais ses désirs les plus intimes. C'était indéniablement le véritable but de sa quête, de cela il en était convaincu. L'aboutissement de sa création, de l'obstination démesurée qu'il avait de persister, à vouloir subsister dans ce cauchemar maudit et interdit. Fouillant frénétiquement dans les décombres de la vieille cabane, il parvint à y trouver ce qu'il y cherchait, un sac pour transporter ses deux épées courtes et son harnais sans crainte d'éveiller la moindre curiosité à son égard. Il partit ensuite en direction de cet intrigant horizon, le cœur emplit d'émotion et d'une palpable envie de vivre, prêt à en découdre bravement avec ce nouvel affront.

Mike quant à lui, sans trop savoir pourquoi ni comment, comprit immédiatement le sens de cette connexion et tous les bénéfices qu'il pouvait en retirer. Il disposait dorénavant d'un allié de taille, pouvant grandement l'aider à se venger et dont il serait bien bête de se priver. Instinctivement, il envoya un message mental à celui-ci.

— *Il sait où tu es, il te trouvera et viendra à toi, vous êtes désormais unis à jamais…*

*****

Trop souvent, la rigueur professionnelle de Cornélie devenait lourde et affligeante. Celui-ci semblait s'égarer constamment dans des détails, n'ayant pas la moindre importance aux yeux du shérif. Mais au final, il ne pouvait que saluer une telle finalité d'entreprise et une telle précision d'esprit, ce qui le rendait unique en son genre. Qui d'autre pourrait s'attarder sur un nombre de minutes chronométrées avec autant d'exactitude, pensa-t-il à cet instant, avec un sourire aux lèvres. Pierre, sachant impeccablement mener et motiver ses hommes afin qu'ils continuent de donner le meilleur d'eux-mêmes en toutes circonstances, flatta celui-ci.

— Bon boulot Dritst, je suis fier de toi. Tôt ou tard, quelqu'un devra prendre ma place et crois bien que si tu continues sur ta lancée, tu seras en tête de liste dans mes petits papiers.

Ce fut une véritable bénédiction pour le Fin Tireur que sa vessie soit vide à ce moment-là, car après l'entente de ces mots, il n'était plus du tout en mesure de se sentir pisser. Avant même qu'il ne soit temps de remercier son supérieur, pour un compliment aussi révélateur et prometteur, Pierre poursuivit sur l'enquête en cours.

— Nous avons retrouvé le commissaire Treffert. Mike Kurly et lui-même ont eu un grave accident de voiture au nord de la région. Deux témoins ont vu Mike sortir Alain du véhicule, dans le but apparent de vérifier son état de santé, avant de s'enfuir dans une immense forêt qui borde la nationale. Le commissaire est actuellement en réanimation, il souffre d'une grosse commotion cérébrale, suite aux chocs répétés contre l'armature du véhicule. Autant te dire qu'il ne nous sera plus d'aucune utilité pour appréhender notre suspect.

— Vous allez vous rendre sur place ? questionna Dritston, toujours émoustillé et au bord de la jouissance mentale.

— J'y suis déjà, je m'y suis rendu en hélicoptère. J'ai déployé toute la police locale dont je peux disposer actuellement autour de la forêt. Ils vont bientôt y pénétrer et la fouiller de fond en comble, mais autant chercher une aiguille dans une botte de foin si tu vois ce que je veux dire.

— Voulez-vous que je vous rejoigne ?

— Non, hors de question. S'il nous glisse entre les doigts, notre meilleure chance de mettre la main sur lui et peut-être même la dernière, sera ta filature. Les ordres n'ont pas changés, tu ne le lâches pas d'une sem…

Soudainement, un bruit inattendu et indescriptible parvint à l'oreille du fin tireur, remplaçant de ce fait la conversation entre les deux protagonistes par d'insoutenables crépitements. Sur le coup de la stupeur, Pierre crut voir un énorme champignon magique, étincelant de couleurs et dépassant amplement les arbres les plus inquisiteurs du secteur, pousser subitement au beau milieu de la forêt. Étant pourtant à une centaine de mètres à vol d'oiseau de l'explosion, il fonça, par pur instinct de survie ou simple peur de se retrouver à l'agonie, s'abriter derrière la carcasse du véhicule encore présent sur les lieux pour l'identification des preuves.

— Que se passe-t-il donc, M. Menphys ? entonna fortement Dritston afin d'endiguer la puissance du son produit par l'explosion, celui-ci ne semblant pas vouloir cesser de se répercuter à foison dans son tympan, par le biais de leurs téléphones portables.

— Une puissante explosion en plein milieu de la forêt, répondit le Shérif d'un ton des plus assuré, toujours planqué et barricadé, derrière de la tôle froissée.

— C'est une aubaine pour nous, reprit-il tout en se relevant, découvrant ainsi une épaisse et abondante fumée noire, ayant désormais pris possession du malheureux champignon en fusion.

— Maintenant, nous savons où le trouver, poursuivit-il enjoué et rasséréné. Je dois te laisser, j'ai de nouvelles directives à donner aux policiers du coin. Tiens-moi informé de la prochaine erreur, que l'inspecteur Barnaber ne manquera pas de faire.

Le Fin Tireur raccrocha et posa son téléphone cellulaire entre ses jambes. Quelques secondes plus tard, il démarra le moteur de son véhicule banalisé, car le Colosse se décida enfin à bouger…

Chapitre 13
Une rencontre inattendue

D'infimes bruits épars et distendus, par ce qui semblait être d'encombrants canapés en pleins mouvements, parvenaient à son ouïe affûtée de tous les côtés. Ori n'était pas dupe. Ces nombreux sons, se resserrant en cercle concentrique tout autour de lui, ne pouvaient être le fruit du hasard et encore moins un regroupement d'animaux s'étant passé le mot. La battue avait commencé, de braves hommes (quelques-uns d'entre eux seulement) envoyés dans d'hostiles contrées pour appréhender un homme, qui pour eux l'était tout autant. Il le savait désormais, mais comment leur échapper tout en les épargnants d'une mort féroce ou précoce. Surtout avec cet indomptable monstre de fumée, qui ne cessait de rôder dans les parages, pour se goinfrer et se délecter avidement de la moindre âme égarée. Le Surhomme allait non seulement devoir passer entre les mailles du filet, mais en plus s'assurer de rester à l'écart, des nombreux hameçons déployés. Quand bien même, s'il se retrouvait trop proche d'une pointe acérée ou d'un des policiers, offrant ainsi à Mike une promiscuité suffisante pour attaquer, il lui suffirait d'agir plus promptement et plus efficacement que celui-ci.

— *Laisse-moi te rappeler mon ami, dit Mike avec indignation et frustration, que j'entends toutes tes pensées et donc les comprends.*

Ori, on ne peut plus irrité par ce détraqué, qui n'était pourtant rien d'autre que le propre reflet de la partie sombre de sa personnalité, lui répondit abruptement et haineusement.

— *Cela ne fera aucune différence sur l'issue de ce combat, soit tu perdras soit tu te résigneras. Mais quoi qu'il advienne, tu finiras par t'agenouiller et te prosterner devant moi.*

Cet affront, direct et plus répugnant qu'un inceste, fut difficile à digérer pour la Fumée Noire, car cela présageait d'une guerre ouvertement déclarée et complètement assumée. Le son des pas émis par les policiers se rapprochant inéluctablement de leur position et devenant dangereusement proches, Mike envoya valdinguer cet affront dans les méandres de ses pensées, afin de concentrer toute son attention sur les futures marionnettes qu'il allait bientôt croiser.

Se sentant lentement mais sûrement pris en étau par cet espiègle piège, Ori enfourcha le sac commando de l'ancêtre comme s'il s'agissait d'un simple sac à dos et adopta une posture défensive, pour la suite de sa progression. Seulement quelques minutes plus tard, il repéra un premier agent, se trouvant à une bonne trentaine de mètres de lui. Celui-ci était en train de pester vertement contre un immense rassemblement de fougères, affichant de ce fait un visage grimaçant des plus outrageants, ou des moins raccommodant. Soudainement et avec un profond sentiment d'abandon, le Surhomme ressentit une partie de sa puissance s'évaporer de son être, le privant ainsi momentanément de certaines de ses compétences (ce qui au final ne lui apportait pas d'énormes changements, étant donné la relation conflictuelle qu'il avait avec Mike). Il vit la Fumée

Noire sortir de son corps, semblant dilater tous les pores de sa peau pour s'échapper à travers eux, et partir en direction du policier sans la moindre ambiguïté sur ses intentions. Réagissant au quart de tour, Ori se lança dans une course folle et effrénée, slalomant entre les nombreux arbres ou bondissant agilement au-dessus des hautes herbes lorsque cela était nécessaire. Le policier n'étant absolument pas aux aguets, toujours accaparé par des fougères et vociférant perpétuellement envers une inébranlable force de la nature, ne vit rien venir de ce qu'il pouvait se tramer dans son dos ou même face à lui. Mike prit possession de son corps instantanément, contrôlant ainsi pensées et mobilité du policier en une fraction de seconde, mais cela ne fut pas suffisant pour devancer son ennemi juré.

Ayant donné le maximum de sa personne, Ori parvint à hauteur de l'étranger, sur le flanc droit de celui-ci, en même temps que Mike. Alors que la Fumée Noire pouvait transcender la matière et planer comme un avion dans les airs. Il contourna un arbre au tronc massif, semblant faire plus d'un mètre de circonférence à la base, et, se retrouvant ainsi dans le dos de l'agent, enroula son bras gauche autour de la gorge de celui-ci. Anticipant intelligemment la moindre opportunité qui pouvait s'offrir à Mike et qui serait susceptible à tout instant, de le placer dans une fâcheuse posture. Le Surhomme tenta de s'emparer, à l'aide de sa main droite, du pistolet se trouvant encore dans la ceinture du policier.

Malgré l'absence de douleur, Mike ressentit toute la fougue d'Ori, lorsque celui-ci compressa la trachée de son hôte avec une foudroyante puissance et une agaçante détermination. Instinctivement, il posa sa main sur la crosse du flingue afin de pouvoir l'utiliser contre le Surhomme, ou même d'avoir l'occasion de mettre la vie de l'agent de police en danger, ce qui pousserait inévitablement son adversaire à commettre un impair. Il constata malheureusement, avec une croissante irritation, qu'il était dans l'incapacité de dégainer l'arme de service, étant donné que son vis-à-vis avait eu la même idée que lui et emprisonnait désormais sa main droite dans une poigne d'acier. Profondément accablé et énervé par sa propre impuissance, la Fumée Noire déplaça la jambe droite de l'étranger afin de placer le pied de celui-ci dans l'alignement du canon, le pistolet se trouvant encore bien au chaud dans son étui. Étant donné qu'il ne pouvait pas voir sa cible, à cause d'un épais bras qui enlaçait toujours le cou du policier, non pas pour le câliner mais bel et bien pour l'étrangler, le premier coup de feu passa à quelques centimètres du pied. Cela eut néanmoins un effet escompté inespéré, que Mike ne pouvait pas encore appréhender, car le bruit sourd produit par le gun résonna dans toute la forêt et aiguillonna donc une meute de flics enragés, vers une destination des plus clarifiée. La seconde balle traversa chaussure, chair et terre, arrachant au passage deux ou trois orteils. Dont le gros, qui après un tel passage à tabac, semblait avoir subi une conséquente ablation chirurgicale. Ne pouvant ressentir la moindre souffrance, provenant des corps meurtris des hommes dont il prenait possession, seules les supplices sauvages et viscérales de son hôte lui firent savoir qu'il avait fait mouche. Subitement, le cerveau de l'étranger n'étant plus irrigué correctement à cause du manque d'oxygène, des étoiles brillantes et étincelantes apparurent devant les yeux du policier, troublant ainsi vertigineusement la splendide vue que Mike avait sur le panorama jusqu'à présent. Il sentit les forces de son hôte fondrent comme neige au soleil, lui octroyant dès à présent, des jambes molles et frémissantes pour seul appui. Ensuite, il vit les nombreuses étoiles se muer en un impénétrable voile de brume, le rendant désormais hagard et ignorant, au beau milieu de ce combat perdu d'avance. Enfin, il ressentit l'attraction terrestre l'attirer brutalement jusqu'à elle, l'herbe drue et épaisse lui servant dorénavant de linceul, et ce pour un bon bout de temps...

Ori laissa le corps inerte du policier, pas mort mais seulement inconscient, s'étaler abruptement sur le sol et embrasser langoureusement la verdure recouvrant celui-ci. Il entendait le brouhaha émis par les autres agents de police, se rapprocher comme un ténor regrouperait ses choristes en une seule et unique voix. Le Surhomme avait tout d'abord été inquiet, par le bruit produit par les coups de feu tirés, mais il comprit à ce moment-là que cela lui donnait en définitive la diversion rêvée pour filer en douce. Il s'éloigna de sa victime au pas de course afin de trouver un promontoire suffisamment haut, qui lui permettrait de voir celle-ci à l'aide de sa vision aiguisée, sans le moindre risque d'être aperçu par les hommes qui le recherchait. Après avoir choisi un arbre placé stratégiquement et semblant être le plus robuste conifère des alentours, il grimpa agilement jusqu'à la pointe de celui-ci. Une fois stabilisé, ce qui ne fut pas une mince affaire étant donné la fragilité de la cime, il attendit patiemment tout en observant l'agent étendu sur la meuble terre. Soudainement, il vit la Fumée Noire sortir du corps du policier et foncer à une allure ahurissante dans sa direction. Pris de panique, par ce qu'il croyait être une puissante attaque mise en œuvre par Mike, il manqua de perdre l'équilibre et tangua dangereusement sur le haut de son perchoir. N'ayant aucun moyen d'éviter la charge imminente, alors qu'il tournait toujours dans les airs comme un compas tracerait des cercles sur une feuille, Ori serra fortement les dents et instinctivement les fesses, afin d'encaisser le choc avec la plus grande honorabilité possible. Presque honteux de s'être laissé ainsi submerger par la peur, le Surhomme constata que la Fumée Noire avait rejoint l'antre de son créateur, sans aucune douleur ni le moindre dégât apparent à revendiquer. Ayant recouvré son sang-froid habituel, il se stabilisa à nouveau et prit la parole, avec la ferme intention de rendre son comparse fou de rage.

— *Jamais je n'aurais pensé qu'un jour, tu sois si pressé de rentrer au bercail*, dit-il avec moquerie.

Mike, réfléchis quelques instants avant de lui répondre, parvenant ainsi à masquer une exaspération qui ne cessait de croître, car il devait coûte que coûte garder son point faible sous scellé.

— *Tu sais bien que je ne peux plus me passer de toi,* dit-il sur un ton se voulant humoristique et détaché…

*****

Il se retrouva devant une devanture délabrée et complètement dépassée (paraissant, soit dit en passant, tout à fait appropriée). Sur laquelle on pouvait parvenir à déchiffrer, après avoir déployé toute la concentration dont on pouvait disposer, Les Fils de l'Anarchie. Une rangée interminable de Harley-Davidson s'étendait devant le bar, alignées symétriquement et appuyées de biais sur leurs béquilles, avec un intervalle quasiment identique entre chacune d'elles. Un seul coup de pied aurait suffi à toutes les renverser, aussi aisément qu'un simple château de cartes, mais ne souhaitant pas déclencher les hostilités à la vue de tout un chacun, il jugea préférable de pénétrer dans le bourg afin de s'émanciper des regards indiscrets. Sans aucune surprise ni revirement improbable de sa part, l'intérieur du bar s'avéra être fidèle à sa façade, cradingue et miteux. Une bonne dizaine d'hommes cuirassés (j'entends par là entièrement vêtus de cuir) et tatoués de la tête aux pieds l'observèrent instamment comme si un martien avait débarqué inopinément dans leur lieu de culte préféré. Le Barbare était accoutré d'une chemise blanche plutôt moulante et d'un short en jean bleu aux franges retroussées. Ce qui en effet, ne correspondait pas vraiment aux critères de satisfaction de la pernicieuse ou prometteuse entreprise, dans laquelle il se trouvait. À leurs yeux, il passait pour un gay bodybuildé et survitaminé mais il n'en avait clairement rien à cirer, car c'est exactement ce qu'il souhaitait. Il se rendit au comptoir sans leur prêter la moindre attention et commanda un double scotch bien glacé. Lors de ce court cheminement, ses semelles écrasèrent de nombreux bris de verres ainsi que diverses immondices. Produisant un bruit spongieux et graisseux des moins ragoûtant, dont il aurait été bien en peine de qualifier.

Un serveur à la carrure impressionnante, aussi large de circonférence abdominale que d'épaules, lui posa le verre sur le bar avec une haine non dissimulée, tant par ses gestes saccadés que par son regard éviscéré. Le Colosse prit place sur l'un des tabourets bancals, se trouvant le long du comptoir et à proximité de sa personne. En l'entendant craquer de tous les côtés, il se demanda combien de temps celui-ci allait pouvoir supporter son poids. L'attente fut brève et de courte durée car à peine avait-il eu le temps de terminer son verre, que deux malabars l'entourèrent d'un peu trop près. En les observant furtivement, il nota que tous deux arboraient le même tatouage sur l'avant-bras droit. Un squelette armé d'une faux, ce qui signifiait qu'ils appartenaient au même clan et que les autres lascars se trouvant derrière lui faisaient probablement partie de la même bande. L'un d'eux prit la parole à ce moment-là.

— Tu n'es pas le bienvenu ici, si j'étais toi je paierais grassement ma consommation et je repartirais sans demander mon reste.

N'importe qui d'autre en de telles circonstances, le ton étant si clairement donné, aurait retourné sa veste et s'en serait allé. Mais cela bien entendu était sans compter sur Johnson, qui avait soigneusement choisi ce bar avec un seul et unique objectif en tête, éprouver ses nouvelles capacités en castagnant de fringants hominidés.

— Sinon quoi, répondit-il avec défiance, la faucheuse va venir me décapiter ?

Assez rapidement mais surtout avec une puissance incommensurable, l'Homme des Cavernes attrapa les deux nuques se trouvant à portée de chacune de ses mains et leur écrasa violemment la tête sur le comptoir. Deux nez explosèrent de concert, inondant ainsi le comptoir et imprégnant la boiserie d'une couleur cramoisie, que celle-ci avait sans aucun doute eu l'occasion de voir ou de sentir en de nombreuses festivités passées. Avant même qu'il n'ait le temps de se retourner afin de faire face aux enfants de chœur qui étaient toujours derrière lui, il ressentit ce qui semblait être une piqûre de moustique à l'arrière de son crâne et sur le haut de celui-ci.

L'homme ayant porté l'attaque avec une force et une détermination non négligeable, vit la queue de billard se briser et une petite partie de celle-ci, traverser l'intégralité de la salle en tournoyant dangereusement dans les airs. L'heure n'étant pas aux recueillements pour les moult culicidés qui ont très certainement été trucidés par ce lancé de javelot improvisé et non maîtrisé, le traître tenta d'utiliser le bout de canne qui lui restait encore entre les mains comme s'il s'agissait d'une épée longue portée, mais de moindre efficacité…

*****

Cette réplique, calme et posée, n'eut malheureusement pas l'effet souhaité. Bien au contraire, celle-ci rendit Ori suspicieux et résonna rapidement dans son cerveau, comme un aveu déguisé. Il se remémora l'explosion de la cabane, qui très certainement avait dû expulser la Fumée Noire à des dizaines de mètres de lui, et se rappela que celui-ci avait réintégré son corps juste après l'échauffourée. Il superposa cette pensée avec ce qui venait de se produire et la solution lui vint aussi simplement que deux plus deux font quatre, Mike n'avait pas toute liberté d'interaction. Celui-ci devait rester au chevet de son maître, sous peine d'être sauvagement rapatrié, comme on attraperait un chien par le collet. Bien entendu, pensa le Surhomme à ce moment-là, cela pouvait tout aussi bien être dû au fait que le vieil homme était mort et le policier inconscient. Ce qui au final, impliquerait les mêmes conséquences étant donné que la Fumée Noire n'avait plus eu d'hôte, apte à desservir ses moindres désirs. Néanmoins, espérant plus que tout avoir découvert une faiblesse majeure à l'entité qu'il avait créée, il s'enticha de sa première intuition comme s'il s'agissait d'une irrésistible donzelle et s'empressa d'exprimer celle-ci à voix haute, afin de jauger la réaction de la Fumée. Peut-être que cela n'est pas qu'une simple intuition après tout, se dit-il, n'oublie pas que toi aussi tu es capable de lire dans ses pensées.

— *Tu ne peux pas trop t'éloigner de moi, n'est-ce pas ?*

Mike savait à ce moment-là que son secret avait été percé, mis à jour et à nu de manière ridicule, voire obscène. S'accrochant malgré tout à l'espoir de lui faire oublier cette idée, qu'il était prêt à défendre contre vents et marées et comme seul un véritable être humain pourrait encore espérer le faire, il allait s'exprimer avec persuasion mais fut sauvé par le gong, lorsque les confrères de l'étranger arrivèrent sur les lieux du crime.

Les policiers étaient arrivés d'un seul tenant et quasiment de tous les côtés. Mais malheureusement et pour le plus grand désespoir de la Fumée Noire, aucun d'entre eux n'était passé suffisamment proche de la case départ, en l'occurrence leurs positions à tout deux. Une aubaine qui lui aurait permis d'attaquer, démantelant ainsi les inquiétantes pensées de son ennemi juré. Ori quant à lui, malin comme un singe, mit à profit cette opportunité pour s'assurer de la ténacité de ses propos. Au lieu de prendre la tangente immédiatement, comme toute personne sensée le ferait en de telles circonstances, il attendit volontairement sur le haut de son perchoir, en faisant mine de s'intéresser aux investigations menées par les policiers. Certains d'entre eux essayaient de quadriller la zone tant bien que mal pendant que d'autres, soit des mieux gradés soit des plus fainéants ou alors tout simplement des plus intelligents, s'échinaient vainement à chercher du réseau avec leurs téléphones portables afin d'en informer la supériorité. Après seulement quelques secondes d'observation qui avaient paru durer plusieurs minutes pour Mike, tant il se sentait impotent et désappointé, celui-ci passa aux aveux avec un sentiment de colère assumée dans le timbre de sa voix.

— *C'est bon, on s'en va, sheinsss and einsss and a roumsss !* *Tu as mérité de nombreux lauriers pour cette victoire, mais rappelle-toi qu'il ne s'agit que d'une bataille et que la guerre est loin d'être terminée.*

Le Surhomme, étant déjà persuadé d'avoir vu juste à son sujet, ne ressentit aucune satisfaction à l'entente de ses paroles, son attention se portant plutôt sur les mots incompréhensibles et incohérents que la Fumée Noire avait prononcés en tout début.

— *The Chine in the room ! Pourquoi dis-tu que la Chine est dans la chambre ?* demanda-t-il avec inquiétude, de crainte d'être dupé ou d'avoir loupé un message codé destiné à une tierce personne, qui de ce fait ne pourrait que lui porter préjudice étant donné le peu de compassion et d'estime que son comparse avait pour lui.

Mike, malgré l'indéfectible volonté qu'il avait de se venger et la haine ravageuse qu'il éprouvait pour Ori, ne put retenir un sourire qui, s'il avait été en mode fumée, lui aurait donné l'apparence d'un démon carnassier à la dentition édentée. Le Surhomme ayant entrepris de redescendre de l'arbre, avec une dextérité et une rapidité inégalable par ses semblables, il vit les branches de celui-ci défiler à une vitesse ahurissante, presque exaltante. Il ressentit subitement un haut-le-cœur, lorsqu'Ori estima être suffisamment proche de la terre ferme pour se permettre de bondir du conifère, alors qu'ils étaient encore à une bonne quinzaine de mètres de hauteur. Celui-ci ayant envoyé tout le flux de sa puissance dans ses guibolles, s'était réceptionné souplement et sans encombre sur le sol, avant de s'éloigner à grandes enjambées de la meute de policiers enragés.

Après seulement quelques kilomètres, absorbés à une allure plus que respectable, ils arrivèrent enfin aux abords d'une route qui se trouvait du côté opposé à celle par laquelle ils étaient entrés dans la forêt, le matin même. Ori resta en stand-by un moment, en pleine méditation, avec des yeux vides braqués sur le bitume. Il était fier de lui et soulagé d'avoir réchappé à l'embuscade tendue par les policiers, sans causer la moindre perte dans leur rang ni de dégât physique irréparable. Néanmoins, un tout autre problème se présentait à lui désormais. Comment allait-il faire pour passer au travers des nombreux barrages routiers qui, il n'en doutait pas un seul instant, avaient dû être déployés à tour de bras, le tout en progressant efficacement. Après mûre réflexion, il se mit à marcher le long de la chaussée en mettant son bras en travers de la route et son pouce en l'air, lorsqu'il entendait un véhicule arriver dans sa direction. Mais n'étant ni dupe ni naïf, il doutait fortement qu'une voiture le prenne en stop. D'une part parce qu'il avait des burnes, ce qui d'emblée réduisait drastiquement ses chances (peut-être aurait-il dû troquer son futal militaire contre une minijupe et une perruque, ainsi qu'accessoirement un rasoir pour les hommes des plus exigeant ou des plus indiscret), et d'autre part il n'avait besoin de lever son bras qu'une fois toutes les morts d'évêque, au vu du peu de voitures qui circulaient dans cette région. Si jamais ce miracle se produisait, un fervent admirateur de l'armée ne pouvant résister à l'envie de s'arrêter pour ramasser un valeureux compatriote, le Surhomme devrait se débarrasser promptement du conducteur. Avant même que Mike ait l'honneur de présenter courtoisement, ses salutations distinguées. Il devrait ensuite guetter la couleur bleu marine et les gyrophares en fanfare, tout ce qui pouvait s'apparenter à des flics en définitive, afin d'abandonner la voiture et de contourner le barrage à pieds. Enfin, il devrait à nouveau réquisitionner un véhicule et ainsi de suite. Tout à ses réflexions, se disant avec défaitisme que son plan était loin d'être gagné, il tendit une énième fois son bras et cela contre toute attente, paya. Il rejoignit la berline au pas de course et se pencha sur la fenêtre côté passager, prêt à assommer au plus vite ce généreux conducteur, qui regrettera bien assez tôt d'avoir tenté d'aider son prochain ou d'avoir voulu parrainer une graine malsaine d'autrui. Avec stupeur, Ori découvrit qu'il ne s'agissait pas d'un homme mais d'une femme. Il en perdit pour le coup, tous ses mots.

— Bonjour, dit-elle d'une voix enjouée et encore enfantine, où allez-vous ?

— Euh… Vers le sud, répondit-il après une longue hésitation et une pointe de bégaiement dans la voix.

— Ah le sud, belle et vaste contrée, dit-elle ironiquement, ça tombe bien c'est là que je vais. Allez, reprit-elle plus sérieusement, ne restez pas planté là, montez…

*****

Johnson para aisément le coup en bloquant directement le poignet du tatoué, avec l'aide de sa main gauche et, courbant l'échine de son dos pour ce faire, l'agrippa par l'entre-jambes afin de le soulever de terre. Après avoir joué des castagnettes avec ses testicules, il envoya valdinguer celui-ci bien loin derrière ses confrères, tout proche d'une patère se trouvant juste à côté de l'entrée du bourg. Ce qui fait que pendant un court instant, le traître se retrouva sans queue ni boules ou tout du moins, il ne savait plus où celles-ci se trouvaient. Tout ce que celui-ci savait, ou était encore capable d'appréhender à ce sujet, c'est que plus rien de sa virilité n'était au bon endroit.

Le Colosse cueillit d'un direct du droit l'une des faucheuses arrivant en trombe sur sa gauche, l'envoyant valser à plusieurs mètres de là, sans que celui-ci n'ait le privilège ou l'opportunité de pouvoir toucher le sol. Le tatoué termina son vol plané sur l'une des vieilles tables en bois, fracassant celle-ci et dérangeant ainsi les bons hommes s'y trouvant la seconde d'avant, ceux-ci pestant déjà à l'encontre du boulet qui avait renversé leurs coûteuses boissons et gâché par la même occasion un confortable spectacle. Soudainement, une lame jaillie en direction de son flanc droit, il esquiva celle-ci d'un revers de main et enchaîna avec un uppercut foudroyant juste sous le menton. Il entendit de nombreuses choses craquer sous l'impact du choc, probablement des dents ou la mâchoire, peut-être même les deux, pensa-t-il à ce moment-là. Un autre sbire l'attaqua dans le même temps et de face, armé d'un pied de biche tout rouillé. Épris par le feu de l'action et par une adrénaline en constante croissance, le Barbare perdit le contrôle de son intarissable puissance, car jusqu'à présent il avait tenté tant bien que mal de contenir celle-ci. Il lança un coup de pied avant fulgurant, en plein dans la poitrine de la dernière faucheuse (la dernière en tout cas semblant être disposée à l'affronter), brisant de ce fait sternum et côtes avec un bruit de fond écœurant. Il vit celui-ci traverser directement la porte d'entrée, ou plutôt en l'occurrence la porte de sortie, et rouler sur le trottoir comme s'il n'était plus qu'un pantin. L'Homme des Cavernes comprit à cet instant qu'il avait dépassé les limites du raisonnable, celles qu'il s'était fixées en tant qu'homme et qu'il s'était toujours juré de respecter en tant qu'agent de police. Mais bizarrement, submergé qu'il était par cet immense pouvoir, il n'en retira aucun regret ni aucune amertume. Bien au contraire, avant de partir il fit un tour d'horizon et observa hautainement les différents groupes d'hommes qui étaient encore dans le bar, soit attablés soit accoudés au comptoir. Tous évitèrent son regard et baissèrent les yeux, en signe de soumission ou de résignation. Enorgueilli d'une immense fierté, il s'escarpa sans se soucier le moins du monde de la santé des hommes qu'il avait mis au tapis, avec violence et acharnement.

Lorsqu'il sortit, il réalisa qu'il était écorché au-dessus de la hanche droite, du sang poisseux et visqueux imprégnant lentement mais sûrement, sa belle petite chemise d'été d'une couleur pourpre. Il s'agissait probablement de la lame qu'il avait tenté de dévier quelques minutes auparavant, ce qui témoignait pour le coup de son cruel manque de dextérité lors de son combat contre les tatoués. Le Barbare savait désormais qu'à moins de faire preuve d'une extrême prudence, il ne ferait pas le moindre pli face aux lames d'Ori. Une lueur vacillante, reflétée par les rayons du soleil, attira soudainement son attention mais il fit mine de ne pas s'en apercevoir afin de ne pas attirer l'attention sur lui. Du coin de l'œil, tout en faisant semblant de s'intéresser à sa blessure, il put établir que celle-ci provenait d'un véhicule banalisé situé sur sa droite et de l'autre côté de la chaussée. Les scintillements étaient certainement reflétés par des jumelles et même si un fusil à lunettes produisait un effet de lumière identique, il doutait fortement qu'on le mette en joue car il n'avait encore officiellement rien à se reprocher…

*****

Ori complètement abasourdi et prit au dépourvu, par une gent féminine mise en œuvre avec un indéniable sex-appeal, grimpa dans le véhicule sans se soucier des conséquences de ses actes. Ce n'est qu'une fois installé et harnaché par la ceinture de sécurité, qu'il réalisa qu'il avait sans doute commis l'irréparable. Il le savait à présent, si la Fumée Noire venait à s'en prendre à elle, il ne se le pardonnerait jamais. Étonnamment, tout comme il l'espérait au plus profond de son être, Mike ne s'était toujours pas manifesté. Mais en y réfléchissant bien, le Surhomme doutait fortement que celui-ci ait le cran nécessaire ou la lâcheté adéquate pour s'attaquer à une jeune femme. C'est en tout cas avec cette idée en tête qu'il essaya de se déculpabiliser et de dédramatiser la situation alambiquée, dans laquelle il se trouvait désormais. Épris d'inquiétude, quant à l'avenir compromis de cette charmante et prometteuse demoiselle, il se dit à ce moment-là que le problème des barrages routiers détenait en fin de compte une place mineure dans la chronologie de ses priorités ou de ses soucis. En ayant plus qu'assez de se ronger les sangs, Ori décida de prendre le taureau par les cornes et s'adressa directement à l'intéressé.

— *Ne me dis pas que tu as l'intention, ou même que tu envisages de faire du mal à cette jeune femme ?*

La Fumée Noire, outrée par de telles présomptions à son égard, lui répondit tambour battant.

— *Il serait préférable que tu penses à fermer ta gueule, au lieu d'user ton temps et ta salive pour débiter des inepties pareilles !*

Le Surhomme accueillit cette tirade, pourtant insultante et offensante, comme si son équipe de football préférée avait marqué un but. Envoyant valser ballon et gardien, au fin fond de la cage. Il imagina aisément le pauvre homme traverser le filet de celle-ci, allant de ce fait s'écraser dans une estrade, bondée d'une foule en plein délire et assoiffée de sang ou de sensation forte. Après un tel choc, il ne resterait qu'un trou béant en lieu et place du public. Un mélange de sièges brisés et de membres sectionnés, le tout étant enrobé d'hémoglobine à volonté. Ce qui bien entendu, aurait si tôt fait de calmer les ardeurs des spectateurs, ayant survécu à un attentat non planifié. Même s'il est vrai qu'une action préméditée de ce genre et de cette envergure, aurait à n'en pas douter, produit un sentiment de panique identique. Alors qu'Ori était en train de se demander pourquoi il pensait à tout cela et s'égarait ainsi dans une enivrante utopie ou dans une lamentable fiction de seconde zone, les différents points de vue sur ce sujet étant encore amplement conflictuels et divergents, la conductrice coupa court à sa débordante imagination en prenant la parole.

— Je me prénomme Aurélie mais vous pouvez m'appeler Auré, dit-elle en lui tendant une main droite semblant gracile et fragile à la fois, et vous ?

Le Surhomme prit la frêle main dans la sienne et regarda son profil quelques instants, s'attardant dessus comme s'il voyait celle-ci pour la première fois. En effet, il n'avait jusqu'à présent pas fait attention ou pris garde à son physique ravageur, à une telle fraîcheur se dégageant de sa candeur. Elle arborait des yeux noisette et un faciès tout fin, ponctué par un petit nez aquilin. Ces cheveux, couleur noir de jais, étaient lisses et coupés à mi-longueur, frôlant ainsi constamment la naissance de ses épaules dénudées lorsque celle-ci bougeait. Sa frange quant à elle, était coupée droite et retombait juste au-dessus de ses sourcils, ce qui conférait un charme inégalable à toute la structure de son visage. Elle était belle et unique en son genre, tout simplement. À force de l'observer, il se rendit compte qu'elle avait des traits de ressemblance indéniable, avec l'antique et mythique Cléopâtre. De crainte de perdre totalement sa sainteté d'esprit, tout du moins ce qu'il pouvait encore être sauvé, il répondit à sa question par un mensonge des moins élaboré.

— Moi, c'est Bernard, enchanté. Je vous remercie pour votre hospitalité.

— *T'es sérieux la ? Bernard, et pourquoi pas Gérard ou Richard tant que t'y est...* entendit-il soudainement Mike s'esclaffer dans sa tête.

— *C'est bon, on n'en a rien à branler du prénom que j'ai utilisé ! J'ai dû choisir vite et bien, voilà le résultat,* entonna Ori avec colère et en affichant un air vexé, ce qui bien entendu ne passa pas inaperçu aux yeux scrutateurs de la conductrice.

— Aurais-je dit ou fait quelque chose de mal ? renchérit Aurélie d'un air coupable et contrit, des plus irrésistible.

— Absolument pas, s'exclama le Surhomme avec indignation. Veuillez m'excuser, je marche depuis de longues heures et je suis éreinté. Que faites-vous donc de beau dans ce patelin paumé ?

— Vous pouvez me tutoyer « Bernard », dit Auré en appuyant volontairement son intonation de voix sur le prénom, comme si elle ne croyait pas une seule seconde que celui-ci pouvait arborer un sobriquet aussi dépassé. Je trouve cette forme de politesse ou de prétendu respect, reprit-elle plus sérieusement, ennuyeuse à mourir. Puis à moins d'avoir enfourché votre première monture avant l'âge de la puberté, vous êtes bien loin de pouvoir prétendre être mon père, si vous voyez ce que je veux dire.

Ori lâcha toutes les brides lacérant et ulcérant constamment son esprit, depuis ce qui lui semblait être une éternité, à ce moment-là. Il partit dans un fou rire libérateur et largement communicatif, suivi de près par une Auré qui donna admirablement le change. Peu après la fin des éclats de joie, il eut une lourde et douloureuse pensée pour ses enfants. En particulier pour Alycia, qui n'aurait plus jamais la chance de pouvoir grandir et s'épanouir. Le comblant ainsi de bonheur, en la voyant devenir un petit brin de femme, comme la pétillante demoiselle se trouvant actuellement à ses côtés. Ne souhaitant pas plomber l'ambiance, il chassa ses idées meurtrissantes de sa tête, avant de reprendre la parole.

— Très bien Aurélie, tu à raison, le vouvoiement est l'une des choses les plus emmerdantes que l'être humain ait pu créer. Et pourtant tu peux me croire, on en a inventé des conneries depuis que nous existons. Mauvaise race que nous sommes, mes avis, poursuivit-il avec un petit sourire aux lèvres, comme s'il se parlait à lui-même, semblant repenser à une situation qu'il aurait déjà vécue avec une autre personne. Par contre, tu as brillamment esquivé ma question...

Certaines femmes auraient mal pris, voire très mal pris, cette dernière remarque qui se voulait directive et se situant aux abords d'un aigu machisme. Mais cela était sans compter sur Auré, qui avait toujours eu un penchant pour les hommes assumant leurs places de mâles et qui du coup, en imposait ou en jetait grave lorsque ceux-ci prenaient les rênes de leurs juments. Elle en fut bien au contraire toute émoustillée. Comme si elle était prête à émanciper pour la première fois, une virginité qui n'avait que trop duré, mais se préserva bien de le montrer...

— Patelin paumé, ta vision des choses est plutôt guillerette et gentillette. Moi, sans aucune hésitation ni le moindre remords, je mettrais une pancarte à l'entrée de ce bled avec pour seul écriteau : le trou du cul du monde.

Une nouvelle effusion de rires résonna subitement dans le cockpit du véhicule, rendant même la tôle de celui-ci plus tendre qu'un caramel mou et fondant. Mike ressentit une lourde vague de bonheur et de chaleur submerger son hôte petit à petit de l'intérieur, ce qui n'était pas du tout à son goût et encore moins dans la bonne veine de ses priorités. La Fumée Noire ne cacha pas son enthousiasme, lorsqu'il prit un malin plaisir à remettre Ori sur la voie de la culpabilité et des regrets.

— *Je rêve ou t'as l'intention de la sauter,* demanda-t-il sur un ton accusateur, *aurait déjà tu enterré ta femme dans les oubliettes de ta mémoire ?* Mike volontairement, à cause de ses sentiments vis-à-vis d'une femme qu'il pensait être la sienne, n'avait pas eu le cœur ni la force de dénommer Jane comme étant celle d'Ori. Car pour lui, sa famille était et restait à jamais son unique univers. Sa seule source de combativité ou de futur. Dans une vie qu'il n'avait pas réellement vécue ni vraiment choisie, et pour laquelle il était malgré tout contraint d'assumer ou de supporter d'infâmes conséquences.

Le Surhomme quant à lui et peu importe qu'à la base cela fût involontaire de sa part, restait conscient de la souffrance gratuite qu'il avait infligée à un être ou à cet esprit. Faisant désormais partie intégrante de sa propre personnalité (le côté sombre de celle-ci) et qu'il avait lui-même façonné, sur les critères de sa vie passée. De ce fait, il endossa encore une fois le rôle du méchant ou le maillot du perdant, payant ainsi à nouveau un lourd tribut de ses actes atroces et de ses trop nombreux mauvais choix.

— *Je n'y ai pas pensé une seule seconde, si cela peut te rassurer. Quoi qu'il en soit,* poursuivit-il avec impartialité, *il ne s'agit pas d'un bout de viande. Tu pourrais au moins lui témoigner un minimum de respect, ne serait-ce qu'en souvenir de la femme que nous avons tous les deux aimée et qui ne cessera de nous manquer.*

N'entendant aucune réplique cinglante de la part de la Fumée Noire, à la remarque amplement justifiée qu'il avait prononcé, Ori en déduisit que celui-ci avait été pertinemment recalé. Néanmoins, Mike ayant tapé dans le mille en énonçant ou dénonçant ouvertement sa famille, le Surhomme préféra couper court à la conversation qu'il entretenait avec Aurélie jusqu'à présent, prétextant un irrémédiable besoin de se reposer.

— Bon je suis crevé, si ça ne t'ennuie pas je vais faire un petit somme.

La conductrice le regarda avec insistance quelques secondes, avant de répondre avec un soupçon de déception dans le timbre de sa voix.

— Je t'en prie, fait comme chez toi.

Décidément, pensa le Surhomme, cette femme savait s'y prendre avec les hommes. En particulier avec lui, avait-il le sentiment d'éprouver à ce moment-là. Il s'en fallut de peu pour qu'il craque, mais ne voulant pas renoncer à la bonne résolution qu'il avait prise juste avant, il se blottit contre l'encadrement de la portière et s'enlisa peu après dans un sommeil de plomb...

*****

Tout en marchant tranquillement et sereinement, l'Homme des Cavernes partit dans la direction opposée et emprunta la première ruelle qui se présenta à lui, sur sa gauche. Arrivant au bout de celle-ci, il lança un furtif coup d'œil en arrière avant de bifurquer sur sa droite. Comme il s'en était douté, son instinct inné d'homme ou de policier chevronné ayant encore une fois parlé, il aperçut la berline au fond de la rue semblant suivre ses pas à la trace. À ce moment-là, alors qu'il allait tenter de semer ce nouvel invité, l'étrange voix qui lui avait communiqué un message dans son appartement résonna à nouveau dans son esprit.

— *Prépare-toi, nous serons là cette nuit ou à l'aube...*

Perturbé et choqué, voire apeuré par cette voix inopinée, qui manifestement pouvait s'immiscer à son gré dans sa tête, le Colosse mit en pratique son proverbe préféré : pourquoi perdre son temps inutilement ou gaspiller toute son énergie à défendre, quand on peut attaquer efficacement et en terminer d'un seul tenant. Partant de cet indéfectible principe, il entama la conversation à son image, abruptement et sans prendre de gants.

— *T'es qui, toi, d'abord, on se connaît ?*

Mike fut très surpris de pouvoir recevoir, ou même interpréter impeccablement, un message mental en provenance de son interlocuteur. Plus le temps passait et plus il faisait d'immenses progrès, soit en améliorant ses capacités actuelles soit en en découvrant de nouvelles. Quand est-ce que cela prendra fin, se demanda-t-il à ce moment-là, tout en pensant à l'inestimable héritage que son hôte lui avait légué. Certes sans lui et son excentrique folie il ne serait pas, il n'existerait pas, il ne serait rien de plus qu'une poussière dans l'air ou une vague dans la mer, s'agitant vainement dans un coin d'horizon. Mais le revers de la médaille était bien trop lourd à porter et sa haine malheureusement, enflait jour après jour, ne cessant de meurtrir son cœur et semblant pétrir ou punir en permanence sa chair de mille labeurs. Bien entendu, la Fumée Noire avait pleine conscience de la souffrance de son ennemi, d'une part parce qu'il ressentait constamment ce que celui-ci éprouvait et d'autre part parce que celle-ci était en tout point identique à la sienne. Deux insoutenables désespoirs réunis à jamais, uniquement pour le pire, provoquant ainsi une décrépitude absolue de leurs âmes et un volcan de colère intarissable. Ori lui avait donné une vie de rêve, une femme merveilleuse et de magnifiques enfants, pour les lui arracher sauvagement dans un tourbillon de cauchemars. Il le savait, le mal était fait et jamais au grand jamais, il ne trouverait la force un jour de lui pardonner. Sentant le Colosse s'impatienter, il mit sa rancœur de côté avec un indéfectible enthousiasme, car l'heure de sa vengeance allait bientôt sonner et rien ni personne ne pouvait plus l'arrêter.

— *Pas encore, mais bientôt, nous ferons très intimement connaissance,* dit Mike tout en s'esclaffant. *Tu n'es pas assez fort pour le vaincre tout seul et quelque chose me dit que tu en as déjà conscience.* Après un court blanc, volontaire, il reprit.

— *À nous deux, on aura une chance, tout ce que je te demande en attendant, c'est de m'accorder ta confiance en tenant compte de mes dernières doléances.*

— *Désolé, mais je ne suis pas le genre d'homme à accorder bêtement ma confiance, au premier inconnu qui se présente à vue !* entonna le Colosse avec une indéfectible détermination.

— *Je m'attendais à ce genre de réponse, surtout venant de ta part. Pour preuve de ma bonne foi, sache que sans moi notre ennemi commun ne sera plus à l'épreuve des balles et encore moins apte à les stopper.*

Même si cette annonce se révéla être capitale et de ce fait, en mesure de mettre l'Homme des Cavernes en confiance, celui-ci n'en retint qu'inconvenance ou dédain.

— *Ah d'accord,* répondit-il d'un ton peu amène, *donc si j'ai bien saisi le fond de tes intentions, tu me proposes d'en finir lâchement avec le tueur de flics…*

*****

— Bonjour Madame, avez-vous vu, ou pensez-vous avoir aperçu cet homme ?

Le gendarme lui présenta sous le nez un visage en noir et blanc, certainement une copie d'une véritable photo et non un portrait-robot, sur une feuille de format A4. Aurélie fit mine d'observer celle-ci quelques instants avant de répondre.

— Bonjour Monsieur, dit-elle avec confiance et impertinence, pas du tout désolé.

L'agent de police observa le passager avec insistance, comme s'il s'agissait d'un suspect potentiel, avant de poursuivre son investigation.

— Les papiers du véhicule je vous prie, demanda-t-il avec peu de modestie et une fausse courtoisie.

Auré n'eut pas le temps de sortir les formulaires de la boîte à gants, effleurant ainsi involontairement l'entre-jambes d'Ori avec son coude, que le gendarme enchaîna avec une nouvelle question.

— Que faites-vous dans le coin ?

Lorsque son cerveau estima opportun de tirer la sonnette d'alarme, suite à un début de conversation qui ne présageait rien de bon entre ce policier et Auré, Ori s'éveilla aux aguets et le cœur battant la chamade à tout rompre. Il ne voyait rien car quelque chose lui recouvrait entièrement le visage, probablement une casquette posée à califourchon sur sa tête, pensa-t-il à ce moment-là. Ce qui bien entendu lui donna matière à réflexion, mais il n'avait pas de temps à consacrer pour ce genre de futilités. Comprenant avec logique qu'ils s'étaient tous deux embourbés dans les profondes entrailles d'un barrage routier, étant pour ainsi dire comme pieds et poings liés dans un beau merdier, le Surhomme n'eut d'autre choix que de faire semblant de poursuivre sa nuitée. Néanmoins, ne se faisant aucune illusion sur la suite des évènements, il envisageait déjà les différentes options susceptibles de le mener à une retraite rapide et efficace, mais qui surtout ne mettrait pas la jeune femme en danger. Certes, les policiers en pâtiraient inévitablement, et ce, principalement à cause de la Fumée Noire, qui une nouvelle fois ne louperait pour rien au monde une si belle opportunité de le faire chier. Mais entre sa sécurité à elle et la leur, il n'y avait évidemment pas photo. Il était d'ailleurs étonné que Mike n'ait pas encore contre-attaqué, même s'il imagina aisément celui-ci avoir une vision de la vie identique à la sienne et des convictions au final, en tous points similaires. Réalisant que ce fait était indéniable, le Surhomme décida d'échafauder un plan ou tout du moins un semblant d'accord, avec la Fumée Noire.

— *Je crains que nous ne soyons dans le pétrin, mon ami des mauvais jours,* dit Ori sur le ton de la confidence. *Si ça dégénère, on se laisse cueillir comme deux belles fleurs toutes ouvertes et on voit après, qu'en penses-tu ?*

— *Ça me convient mais à une seule condition,* répondit Mike avec conviction et détermination, *ne prétend plus jamais être mon ami. Sinon crois bien que même une charmante et innocente jeune femme ne sera plus en mesure de contenir ma colère ou d'endiguer mon courroux.*

Le Surhomme allait exprimer son assentiment sur le sujet lorsque la conductrice poursuivit sa conversation avec le policier, éradiquant ainsi tout espoir d'une dangereuse ou ingénieuse coopération entre les deux comparses.

— Nous sommes sur le chemin du retour, mon mari et moi avons passé une semaine chez ma famille, dans le Nord. Du coup, nous ne faisons que traverser cette ville. Fin, reprit-elle avec une pointe d'amusement, si on peut appeler cela une ville.

Le policier, semblant enfin avoir retiré le balai qu'il avait dans le cul, lui enjoignit de reprendre la route avec un léger sourire aux lèvres et un simple signe de la main, avant d'avoir le plaisir de malmener le véhicule suivant.

Une fois à l'abri des regards indiscrets, Ori retira la casquette qui jusqu'à présent lui masquait le visage. Ainsi qu'un plaid avec lequel ces jambes avaient été rigoureusement bordées, lui tenant affreusement chaud. Afin probablement, de cacher les couleurs militaires de son pantalon, ce qui aurait très certainement éveillé les soupçons ou la curiosité quelque peu excessive du gendarme. Il en voulait terriblement à Auré de s'être impliqué de la sorte et d'avoir risqué l'impensable pour lui, même s'il savait pertinemment en son for intérieur que tout était de sa faute. En effet, il avait sciemment accepté de monter dans sa voiture sans se soucier des dangers qui l'attendaient, ou des situations qu'elle aurait à braver. Il ne put contenir ni sa colère ni un naturel foncièrement masculin, lorsqu'il prit la parole.

— Bon sang, mais quelle mouche t'as piquée ! Il ne s'agit pas d'un jeu Aurélie, tout cela aurait pu très mal se terminer.

La conductrice, entre deux questions posées par le policier, avait imaginé de nombreux ressentiments en provenance du surhomme, si jamais ils s'en sortaient indemnes. De savoureux éloges sur son courage ou une indéniable aptitude à gérer les situations d'urgences. À dire vrai, même un ridicule remerciement l'aurait flattée et rendue fière de la décision qu'elle avait prise. C'était bien entendu, pour son plus grand désespoir, tout l'inverse qui était en train de se produire. Car non seulement celui-ci l'avait cité en prononçant l'intégralité de son prénom, ce qui va savoir pourquoi l'exaspérait au plus haut point (elle-même essayait encore d'y trouver une raison valable), mais en plus cet infâme bougre se permettait de la châtier et de la sermonner au lieu de la récompenser. Il en résulta une réplique cinglante et tranchante, qu'elle regretta immédiatement d'avoir divulguée à voix haute, avant même d'avoir fini d'énoncer celle-ci.

— Cette fois-ci, c'est toi qui as entièrement raison. J'aurais mieux fait de te balancer, comme ça tu aurais payé pour tes crimes et de mon côté j'aurais rendu service à la société. Après, je sais bien que tu as perdu ta femme et tes gosses, poursuivit-elle méchamment, mais crois-tu vraiment que tout cela justifie la mort de tant d'innocents ?

Depuis qu'il avait recouvré l'intégralité de ses esprits et de ses souvenirs, Ori était parvenu à la même déduction. Il en

302

assumait d'ailleurs l'entière responsabilité morale, et ce, même s'il ne pouvait pas encore se résoudre à se rendre, lui permettant ainsi de payer physiquement sa dette envers l'état ou les familles des défunts. Mais l'entendre d'une étrangère aussi attendrissante qu'Aurélie restait une tout autre histoire.

Son arrestation ne soulagerait aucunement les victimes collatérales induites par ses actes ni ne redonnerait vie à des hommes, qui désormais étaient perdus pour l'éternité. Seule sa conscience serait partiellement apaisée et cela il le savait. Maigre consolation pour les martyrs de cette guerre, se dit-il à cet instant alors qu'il voyait le paysage défiler indéfiniment sous ses yeux, sans y prêter la moindre attention. Tout en sentant le puissant lien se rapprocher et s'intensifier de plus en plus, à mesure que les kilomètres étaient avalés par le véhicule de la conductrice, le Surhomme comprit qu'il ne se rendrait jamais. Pas par crainte d'être incarcéré en prison pour le restant de ses jours. Derrière d'épais barreaux et surveillé par d'implacables bourreaux, qui pour lui seraient tout sauf infranchissables. Mais seulement par peur de trouver un certain réconfort, ou un quelconque repenti, vis-à-vis des atrocités qu'il avait commises.

Il réalisa à ce moment-là qu'il ne lui avait toujours pas répondu, alors qu'elle était juste là, tout près de lui. En l'observant discrètement du coin de l'œil, Ori lut sur son visage l'immensité de sa culpabilité ainsi qu'une pointe de chagrin, obligatoirement en rapport avec les invectives qu'Auré lui avait lancées en pleine figure. À l'encontre d'un homme qu'elle ne connaissait que depuis une heure ou deux. Ne désirant ni la blâmer ni l'offusquer et encore moins l'enfoncer davantage, dans un désarroi semblant déjà dépasser toutes les limites du raisonnable ou du concevable pour un si petit bout de femme, il tenta avec succès de rasséréner celle-ci avec des mots simples mais efficaces, étant donné que ceux-ci étaient en provenance directe de son cœur.

— C'était une femme faite depuis longtemps tu sais, courageuse et intelligente à la fois, comme on en voit peu de nos jours. Sache que ce n'est pas seulement dû au fait que tu m'as sauvé la mise, savamment et brillamment soit dit en passant, mais j'ai le sentiment que tu es trempé dans le même bois qu'elle. Après un court moment d'hésitation et une profonde inspiration, il décida de se confier à elle.

— Ils sont morts juste sous mes yeux et j'avoue ne pas l'avoir supporté. Car c'en était trop pour moi, tout comme ça l'aurait très certainement été, pour bon nombre d'entre nous. Comprends bien que je ne me cherche aucune excuse, j'essaie simplement de t'expliquer que je n'étais plus moi-même et que si aujourd'hui la chance m'était donnée de revenir en arrière, je mettrais immédiatement fin à mes jours pour raviver toutes les flammes que j'ai éteintes…

*****

À cet instant, Mike comprit qu'il avait abordé le Barbare avec trop de simplicité. Il avait pensé pouvoir le manipuler aisément, comme bien d'autres précédemment, mais force était de constater qu'il s'était planté en beauté et qu'il l'avait largement sous-estimé. L'honneur et la fierté de celui-ci semblaient être si profondément ancrés dans sa personnalité ou sa manière d'aborder chaque sujet, que la Fumée Noire devait impérativement changer de stratégie sous peine d'être relégué dans le rang des mauvais. Il poursuivit donc la conversation à tâtons, comme s'il marchait désormais sur un tas d'œufs empilés, les uns sur les autres et pour la majorité déjà fissurée ou atrophiée.

— Il ne s'agit pas là de bravoure ou de lâcheté, mais seulement de jouer ton rôle de policier qui, si je ne m'abuse, n'est autre que d'arrêter coûte que coûte les dangereux criminels et les décérébrés, proliférant sans cesse dans tes propres quartiers ou aux alentours de ta juridiction. Après une pause nécessaire pour l'assimilation de ses propos, Mike reprit froidement en appuyant sciemment sur un point tangible et déterminant. En l'occurrence, l'incommensurable ego de Johnson.

— Si tu veux à l'avenir réussir, là où tu as déjà passablement échoué, il est vital pour toi que tu ne perdes pas de vue ton objectif premier, le voir terminer sa misérable vie sous scellé ou six pieds sous terre.

À l'entente de ces mots, de cette écrasante vérité émanant d'un parfait étranger, le Barbare se calma et envisagea en toute bonne foi de se reprendre. Car un homme qu'il ne connaissait que depuis quelques minutes, ou peu importe ce que cette chose pouvait bien être, l'avait sondé avec une grande clairvoyance en moins de temps qu'il n'en faut pour le dire. En effet, depuis qu'il s'était injecté le sang du surhomme dans les veines, l'Homme des Cavernes avait tendance à dépasser les limites de tout homme raisonnable. Tant chez lui quand il avait retourné tout l'appartement, qu'il y a seulement quelques minutes lorsqu'il avait molesté sans pitié le clan des tatoués ou tout du moins la partie la plus courageuse, constituant celui-ci. Pour couronner le tout, c'était pire encore dans son cas à lui, étant donné qu'il faisait partie des forces de l'ordre et qu'il était là pour faire respecter la loi ou veiller à ce que celle-ci ne soit pas transgressée. Durant toute sa vie, le Colosse n'avait accordé sa confiance ou sa bienfaisance qu'à très peu d'hommes et bien entendu, ceux-ci étaient tous francs du collier. Non pas de vulgaires lèche-bottes assoiffés d'une vanité qui, quoiqu'il en soit ou quoiqu'il advienne, ne les élèvera jamais jusqu'au sommet. Certes, il devait à tout prix se ressaisir mais en était-il encore capable ? Le sang d'Ori circulant librement dans ses veines et polluant lentement mais sûrement son esprit, n'était-il pas en train de prendre possession de son libre arbitre ou de ses choix futurs ? Même si ses questions restaient sans réponses à l'heure actuelle, il savait désormais qu'il allait devoir rester sur ses gardes et se tenir prêt à tout moment, à lutter comme un forcené pour conserver son intégrité mentale ou physique. Puisant pour ce faire, dans les nombreuses ressources de sa volonté, il poursuivit la conversation humblement et stratégiquement.

— *Je suis suivi, probablement les agents qui ont repris l'affaire après l'accident de mon commissaire.*

Notant la touchante pointe de tristesse dans le timbre de voix de Johnson, lorsque celui-ci évoqua les tragiques péripéties endurées par ce pauvre Alain, Mike se garda bien de lui préciser qu'il en était le seul et unique responsable. Il serait dommage après tout, se dit-il narquoisement en cet instant, de gâcher une complicité aussi prometteuse ou entremetteuse.

— *Ils savent que tu les as repérés ?* demanda la Fumée Noire avec une inquiétude non dissimulée.

— *Je ne pense pas, j'allais tenter de leur fausser compagnie au même moment où tu as pénétré mon esprit sans me demander mon avis*, répondit spontanément et sèchement le Barbare.

Soulagé, Mike poursuivit la discussion sans prêter la moindre attention à la remarque désobligeante proférée par son nouvel associé.

— Dans ce cas, fais comme si de rien était, crois-moi, ils nous seront d'une aide précieuse le moment venu. Puis tu sais ce qu'on dit, renchérit Mike avec légèreté, *plus on est de fous plus on rit.* Sentant ses forces s'amenuiser à vitesse grand V, dû à toute la puissance qu'il devait déployer pour communiquer par télépathie à une telle distance, la Fumée Noire fut contraint de couper court à l'histoire.

— Je vais devoir te laisser, sauf urgence, la prochaine fois que nous parlerons ce sera pour combattre Ori côte à côte.

— OK, à plus, répondit le Colosse sans aucune autre forme de cérémonie…

*****

— Je suis vraiment navré, dit Aurélie avec un long et profond soupir, je n'avais pas à te juger.

— Ne t'en fais pas pour cela, c'est déjà oublié.

Un sourire éclatant et sincère en provenance de la conductrice, fit savoir au surhomme que la hache de guerre était enterrée, alors que celle-ci venait à peine de quitter la meuble terre. Ragaillardi et enhardi par une atmosphère devenue à nouveau légère, il poursuivit sur un tout autre sujet, qui pourtant le taraudait depuis le contrôle routier.

— Le portrait-robot est-il ressemblant ?

Auré, semblant évoluer constamment dans un monde empli de bisous mielleux ou d'ours confortables et moelleux, s'époumona encore une fois avec un fou rire incontrôlable.

— Il ne s'agit pas d'un portrait-robot mais d'une photo, répondit-elle entre deux spasmes, donc oui c'est plutôt cohérent.

Les flics avaient dû retourner l'intégralité de son ancienne demeure, sa propre maison ainsi que celle de sa famille, afin de mieux le comprendre et d'en savoir plus sur lui. C'était tout bonnement évident mais jusqu'à présent, il avait tout simplement occulté cette partie de sa vie. Depuis quand n'était-il pas retourné dans sa maison ? Ça ne faisait bien entendu que quelques jours mais bizarrement, cela lui paraissait faire plus longtemps qu'une décennie et même pire encore, un siècle. Un peu comme si cette vie avait appartenu ou appartenait à un autre homme. Pourrait-il encore se sentir chez lui là-bas ? Trouverait-il le courage de franchir le pas de la porte, d'affronter tant de souvenirs et de projets à venir, tant de doux rêves ayant mués en pur cauchemar à cause de leurs soudaines disparitions…

— Néanmoins, reprit-elle avec un regard fougueux et un sourire qui en disait long sur ses attentes ou ses prétentions, tu es quand même bien plus beau en vrai.

— *Tu vois*, déclara Mike fièrement et hautainement, *elle te fait du gringue, ou du rentre-dedans si tu préfères.*

— *Tu m'excuseras mais c'est complètement l'inverse que tu as prétendu tout à l'heure, je te rappelle que tu as dit textuellement : Je rêve ou t'as l'intention de la sauter !*

— *Tu parles, elle ou toi, là n'est pas le problème*, répliqua la Fumée Noire du tac au tac. *La vraie question est de savoir si oui ou non je me suis trompé car, au vu des circonstances, tu me permettras non sans mal d'en douter.*

Le Surhomme ne sut que répliquer à cela car même s'il n'avait aucune intention envers Aurélie, il ne pouvait nier qu'en effet, celle-ci l'attirait et qu'il donnerait n'importe quoi pour recevoir un peu d'affection. Tout le problème était là en fin de compte, l'amour que lui avait donné sa femme et sa famille tout au long de ces années lui manquait trop cruellement, ce qui le poussait irrésistiblement dans les bras de la charmante conductrice. À ce moment-là, il imagina sa tête blottie contre l'épaule de celle-ci. Pleurant ainsi toutes les larmes de son corps, tout en respirant son odeur et en ressentant l'extrême douceur de sa peau. Avant de poursuivre sa conversation avec Auré, il chassa rapidement ses idées de son esprit, qu'il estimait incongrues et malvenues vis-à-vis de sa défunte femme.

— Il y a une chose que je ne parviens pas à comprendre, tu m'as reconnu sur la photo et malgré tout, tu ne m'as pas dénoncé. Pourquoi ? reprit-il presque implorant.

— Ben, c'est très simple, j'estime que tout le monde a le droit à une seconde chance. Mais avant que tu me sermonnes à nouveau, dis-toi que je connais déjà toute l'étendue de ma naïveté et que je l'assume pleinement.

Ori allait répliquer mais elle ne lui en laissa pas le temps.

— D'autre part, je n'aurais pas donné bien cher de leurs peaux, si jamais j'avais lâché un loup tel que toi en plein milieu de ce troupeau d'agneaux. Enfin bref, poursuivit-elle sur un ton humoristique, sache que je savais déjà qui tu étais lorsque tu es monté dans ma voiture.

Décidément, pensa Ori, cette femme n'avait de cesse de le surprendre. Il avait encore une fois négligé des éléments tangibles et importants de la situation. En l'occurrence, le simple fait qu'Auré l'avait camouflé de la tête aux pieds avec la casquette et le plaid, ce qui d'emblée lui aurait donné la réponse à sa question. Certes, celle-ci le déconcertait, mais il devait rester concentré et dissiper tout sentiment potentiellement perturbateur, s'il espérait arriver entier à sa future destination. Il avait bien entendu l'air d'un monstre aux yeux du monde, un peu à l'image d'un père fouettard, non pas muni d'un fouet mais d'une longue lame aiguisée et sanguinolente. Il avait lui-même créé ce mythe et devrait l'assumer jusqu'au bout de sa destinée. Mais ce qu'Aurélie ne savait pas, ni même n'avait encore la maturité ou la bienséance d'envisager, c'est que lui aussi avait l'impression d'être un agneau à ses côtés…

Lorsqu'ils arrivèrent chez elle, le soleil avait largement baissé et la nuit commençait à pointer le bout de son nez. Ori avait voulu s'arrêter dans un supermarché, afin de faire quelques courses pour le dîner mais Auré l'en avait dissuadé. D'une part parce que celle-ci était éreintée par le long trajet effectué et d'autre part, parce qu'elle ne savait pas cuisiner. Ils s'étaient tous deux mis d'accord pour un chinois, même si le Surhomme à ce moment-là s'en était profondément voulu de ne pas pouvoir participer, car il n'avait en effet plus le moindre radis en poche. Il avait tout d'abord décliné son invitation, mais après moult insistances en provenance de sa bienfaitrice et le simple fait qu'il n'avait nulle part où crécher, il avait fini par accepter. La sentant arriver à dix kilomètres, un peu ou surtout grâce à l'aide des réflexions irritantes mais pertinentes de Mike, il s'était senti le devoir de préciser que tout cela se passerait en tout bien tout honneur.

Après une visite sommaire de l'appartement, ils s'installèrent sur le canapé avec un verre alcoolisé, bon marché, en main. Ils discutèrent, de tout et de rien, et se détendirent pendant une bonne demi-heure avant qu'elle l'enjoigne à se décrasser.

— Tu peux aller te laver si tu veux, pendant ce temps-là je vais commander à manger, dit-elle en lui faisant un clin d'œil plutôt bien exécuté mais un peu trop prononcé.

Les yeux fermés, il ne cessait de penser à sa famille qui lui manquait et à tous les mauvais choix qu'il avait fait depuis. L'eau chaude de la douche ruisselait le long de son corps, fatigué et meurtri par les nombreuses péripéties, et il en éprouvait un profond apaisement. Alors qu'il s'apprêtait à couper l'eau, Auré tira le rideau et le rejoignit sous la douche, sans même lui demander son avis ou sa permission. La voir nue éradiqua instantanément toutes les barrières de sa volonté, si bien que lorsque celle-ci se mit à lui frotter le dos, il ne put refréner une verge hautement et adroitement levée. Ils firent l'amour langoureusement, avec de fortes étreintes et de tendres câlins, comme s'ils s'aimaient ou se connaissaient depuis des années. Enfin, une fois leurs tumultueux ébats amoureux terminés, la réalité prit le pas sur son imagination lorsqu'il posa sa tête sur l'épaule d'Aurélie, en vidant plus d'eau que semblait pouvoir en contenir le robinet de la douche. À peine eurent-ils le temps de se sécher et de se rhabiller, que le livreur sonnait pour les rassasier. Auré ouvrit au jeune homme, accoutrée d'un simple peignoir. Ce qui irrita quelque peu le Surhomme, enorgueilli par une jalousie simplement basée sur la notion d'appartenance, après qu'un homme a possédé une femme. Étant tous deux éreintés par cette longue et surprenante journée, ils festoyèrent sans un mot devant la télévision, comme un vieux couple chevronné l'aurait fait. Seul un monumental fou rire égailla quelque peu le repas, lorsqu'Aurélie vit de ses propres yeux que le Surhomme était un véritable puit sans fond, engouffrant tout ce qui était comestible ou semblait l'être alors que celle-ci avait commandé pour au moins quatre personnes. Après un débarrassage rapide des paquets vides et un nettoyage inutile de la table basse, Ori n'ayant pas laissé la moindre miette à picorer, ils se couchèrent à même le lit de la propriétaire. Le Surhomme pensa à la Fumée Noire, qui n'avait pas daigné se manifester, depuis qu'il avait pris l'une des douches la plus surprenante de sa vie. À ce souvenir, il esquissa un franc sourire, car Mike avait participé malgré lui aux ébats mais il avait clairement aimé ça. Ori avait ressenti toute son euphorie, lors de l'acte, et c'était probablement pour cela que celui-ci se terrait désormais comme un lapin. La Fumée Noire avait honte d'avoir forniqué et d'avoir pris du plaisir avec une autre femme, celui-ci avait le sentiment d'avoir trompé sa bien-aimée alors qu'ironie du sort, celle-ci n'avait jamais réellement existé pour lui. Le Surhomme comprenait parfaitement cet état de fait et pour cause, il était lui-même en train de le vivre. Il ne regrettait néanmoins aucunement ce qu'il venait de se passer, pour la simple et bonne raison qu'à partir de demain, il serait plus revigoré que jamais pour affronter sa destinée. Alors qu'un fourbe sommeil commençait à lui voler sa conscience et ses idées, il sentit une douce chaleur se blottir contre lui. Il enlaça la jeune femme et la câlina tendrement jusqu'à ce qu'il n'ait plus la force d'exécuter le moindre geste. Ori se leva aux aurores et partit sans un bruit, sans un regard pour la belle Auré. Mais ce qu'il ne savait pas ni même n'avait la foi ou le courage d'envisager, c'est que celle-ci l'aurait aimé et qu'il aurait pu retrouver un semblant de sérénité à ses côtés...

Chapitre 14
Combat à mort

La nuit était tombée depuis un bon moment déjà, submergeant inévitablement les bons et les mauvais quartiers, comme celui dans lequel il se trouvait actuellement. Il allongea son siège au maximum de ses capacités, lui offrant une amplitude approximativement égale à la position du chien de fusil, mis à part le fait qu'il était sur le dos et non sur le côté. Il regarda sa montre, il était vingt et une heures passées et toujours pas de nouvelles de la supériorité, ce qui commençait à l'inquiéter tout autant que ça l'irritait. Alors qu'il commençait à somnoler, terrassé par cette interminable journée, Dritston sentit son téléphone portable vibrer entre ses jambes, le sortant ou le sauvant in extremis d'un probable état somatique irréversible.

— Oui M. Menphys, je commençais à me faire du souci ! Dit poliment le Fin Tireur en décrochant, s'étant difficilement mais efficacement retenu de tout simplement lui demander, ce qu'il avait foutu durant tout ce temps. En effet, il avait tenté de le joindre quelques heures plus tôt, et ce, à plusieurs reprises mais sans succès, celui-ci étant constamment sur répondeur.

Le Shérif quant à lui sut lire entre les lignes et déchiffra très clairement les véritables pensées, non divulguées par son futur promis. Toute personne, pourvue de la moindre intelligence, aurait déjà catalogué Cornélie comme étant un gros faux-cul, mais cela allait bien au-delà de ce simple jugement. Aux yeux de Pierre, celui-ci apparaissait comme un ingénieux stratège, un homme capable de mettre sa fierté au placard lorsque cela était nécessaire.

— Désolé, je n'avais plus de batterie et je viens à peine de rentrer. Je t'écoute, reprit-il narquoisement, raconte-moi la belle épopée de l'inspecteur Barnaber ?

Dritston lui conta l'épisode du bar sans, comme à son habitude, n'omettre le moindre détail ni ne négliger la moindre erreur de minutage. L'histoire fut, du coup, plus longue que prévu mais le Shérif, comme à son habitude à lui, s'en accommoda malgré tout. D'une part parce qu'en définitive il n'avait pas vraiment le choix, tout du moins s'il souhaitait conserver une bonne entente avec son associé. Et d'autre part, parce qu'une méthode de travail telle que celle du fin tireur, vous permettez d'appréhender ce qui s'était passé comme si vous y aviez réellement participé. Pierre, toujours aussi pragmatique et ne se perdant jamais dans le côté symbolique ou atypique des évènements, n'en retint que l'essentiel. Le Barbare avait envoyé, à lui tout seul, six hommes à l'hospice. Le plus beau dans tout cela, c'est que ceux-ci s'apparentaient plutôt à des armoires à pharmacie qu'à des lames en dents de scie et étaient probablement de nombreuses choses, mis à part des enfants de chœur. Même si celui-ci n'était a priori pas sorti indemne de cette rixe, étant donné que son flanc droit avait dégouliné comme vache qui pisse, le pire restait certainement à venir.

Il y avait au final trois nez cassés, qui n'étaient pas près de respirer à nouveau de délicieuses odeurs ou de fourrer leurs groins dans de curieux crustacés. Deux boules brisées, qui n'enfanteraient plus jamais et qui, pensa Menphys sans aucune pitié à ce moment-là, éviteraient une future génération de débauchés. Une cage thoracique enfoncée bien à souhait, qui ne pourrait pas se regorger d'oxygène avant le prochain solstice d'été. Enfin, il y avait une mâchoire défoncée, qui malgré tout notre savoir-faire en chirurgie réparatrice, allait rester déformée pour l'éternité. Donc en résumé, l'essentiel résidait dans le fait que Johnson était lui aussi doté d'une force des plus surprenantes ou de capacités qu'on pourrait aisément qualifier de surnaturelles. Ce qui, une nouvelle fois, plaçait celui-ci en tête de liste des complices du tueur de flics. Cornélie avait bien entendu fait intervenir les forces de l'ordre et les secours au plus vite sur les lieux, mais n'avait pas souhaité interagir directement afin de ne pas perdre de vue l'objectif prioritaire de sa mission. D'ailleurs sans se prononcer ouvertement sur le sujet, seulement intérieurement, Pierre avait salué ce choix difficile mais judicieux que Dritston avait pris en pleine période de crise.

— Il s'est dégoté une veste bon marché, poursuivit le Fin Tireur, qu'il a marchandé avec un clochard du quartier contre quelques billets, avant de se rendre à la pharmacie la plus proche. Il est ensuite allé dans un magasin de vêtement pour homme pendant vingt-quatre minutes, il est ressorti de celui-ci avec une fringante chemise et un flagrant pansement en dessous de celle-ci. À noter que l'inspecteur Barnaber a dû laisser ses anciens vêtements dans le magasin.

À cet instant précis du récit, le Shérif ne put s'empêcher de lever les yeux au ciel, exaspéré par tant de détails qui s'accumulaient et n'avaient de cesse de reporter la finalité de la situation présente.

— Que fait-il et où est-il actuellement, le coupa sèchement Menphys ?

Trop épris par l'attraction de son fabuleux monologue, Dritston continua celui-ci sans tenir compte ou même très certainement sans se rendre compte, de la question posée par son supérieur.

— Après cela, il a erré d'une boutique à l'autre et d'un bar à un autre, sans meilleur but apparent que de faire passer le temps ou de s'amuser avec des flippers vieillissants. Aux abords du soleil couchant, l'inspecteur Barnaber s'est restauré dans une brinquebalante brasserie et y a passé quarante-neuf minutes montre en main. Je vous prie de m'excuser, reprit-il à ce moment-là après avoir consulté son carnet, car je n'ai pas pu apprécier l'exactitude de sa commande étant donné la distance qui nous séparait et la nuit qui approchait...

*****

Sa chambre, si l'on pouvait appeler cela une chambre, se trouvait au deuxième étage de l'hôtel. La pièce ne comportait qu'un lit, ayant a priori été amorti depuis des lustres, et une table de chevet, semblant avoir été confectionnée par l'un de ses ancêtres les plus reculés. Les draps étaient souillés de tous côtés et semblaient quant à eux, avoir essuyé d'incalculables ébats sexuels ou moins probablement, amoureux. La seule et unique fenêtre de la chambre donnait sur l'arrière de l'immeuble et non sur le parking, se trouvant à l'avant de celui-ci. Le Barbare observait les alentours depuis seulement quelques secondes et il avait déjà repéré deux véhicules banalisés à chaque extrémité de l'hôtel. Cela n'avait pas été bien compliqué de les localiser, étant donné que l'intérieur des voitures ne cessait de s'allumer comme des sapins de Noël, soit quand les policiers utilisaient leurs téléphones portables afin de passer le temps soit quand ceux-ci allumaient une cigarette, libérant ainsi plus de fumée qu'un conduit de cheminée sur le toit d'une maison. L'un d'entre eux sortit à ce moment-là pour soulager sa vessie sur le bord de la chaussée, sans inquiétude aucune pour les regards indiscrets. Johnson gloussa de dépit et même de pitié envers ces charlatans, qui ne semblaient pas qualifiés pour cette entreprise ni même motivés à donner le meilleur de leurs personnes pour y parvenir. Les oubliant bien vite, ceux-ci ne méritant aucune attention et ne constituant pas la moindre menace, son attention se porta sur un bâtiment se trouvant à une bonne centaine de mètres de lui. Celui-ci était désaffecté depuis de nombreuses années, voire une éternité, pensa-t-il nostalgiquement à cet instant.

Cela le ramena bien des années auparavant, lorsqu'il était à peine adolescent et que ses camarades et lui s'y étaient courageusement rendus. À l'époque, de nombreuses rumeurs couraient sur cet immeuble, comme quoi celui-ci était hanté et quiconque passerait ses portes ou ses fenêtres (celles-ci étant toutes brisées) n'en ressortirait jamais. Certes, il ne l'avait pas montré, afin de ne pas perdre la figure devant ses copains, mais ça avait été le jour le plus terrifiant de son existence et c'est aussi pour cela que celui-ci était resté gravé dans sa mémoire après tant d'années.

— Allez Jon assure, dit l'un de ses camarades, passe devant. En plus, reprit malicieusement celui-ci, c'est toi le plus costaud d'entre nous.

Cela faisait déjà un bon quart d'heure qu'ils poireautaient tous les trois, à quelques pas de l'entrée de l'immeuble. Déblatérant inutilement sur qui disposait de plus grosses baloches ou délibérant pragmatiquement, sur lequel d'entre eux pénétrerait dans l'immeuble ensorcelé en premier. De crainte de prendre incessamment, la poudre d'escampette à deux pieds, le jeune homme des cavernes prit son courage à deux mains en franchissant bravement les portes bancales de l'entrée principale. Malgré un soleil au zénith, exempté de tous nuages, les lieux étaient lugubres et la tension qui régnait à l'intérieur était palpable. Même si de toute évidence, avait pensé l'imberbe barbare à ce moment-là afin de se rasséréner, leur seul stress accumulé aurait été en mesure de transformer une fête foraine ou une boîte de nuit, dans un état morose et apocalyptique en un temps record. Alors qu'ils s'engouffraient plus en avant dans cet interminable cimetière de mobiliers, de verres brisés, le troisième de la bande prit soudainement la parole.

— Putain, c'était quoi ce bruit ? entonna fortement celui-ci, un peu trop aux goûts des deux autres, ce qui lui valut une tape sur la tête ainsi que son écho. Suite à cette débauche de voix élevée et de tarte bien méritée, d'autres sons indéchiffrables ne tardèrent pas à se faire entendre. Leur donnant ainsi froid dans le dos et semblant leur avoir créé instantanément, un violent lumbago, les privant ainsi momentanément de tous déplacements. Le temps, n'ayant apparemment pas son mot à dire dans ce genre d'endroit et en de telles circonstances, semblait s'écouler bien plus lentement qu'à son habitude. En effet, ayant progressé pas à pas et frayeur après peur, les trois protagonistes auraient été bien incapables de dire s'ils avaient passé des heures à l'intérieur ou seulement quelques minutes. La seule chose dont ils étaient certains, c'est qu'aucun d'entre eux n'avait traîné pour déguerpir. Le maigrichon colosse, n'étant jamais en reste lorsqu'il s'agissait de compétition ou de force brute, avait joué des coudes contre ses copains. Piétinant sans pitié tous les obstacles qui se présentaient à lui, afin tout simplement de ressortir de cet enfer en premier. Une fois tous dehors, sains et saufs, ils se jurèrent mutuellement et solennellement de ne plus jamais remettre les pieds dans cet infâme gourbi.

Souriant à ce bon souvenir, il comprit qu'il appréhendait d'autant plus l'affrontement de demain, sachant que celui-ci allait se dérouler aux abords de ce satané immeuble ou même pire, qu'il devrait peut-être y pénétrer de nouveau et devoir ainsi s'émanciper de ses anciennes peurs...

*****

Alors que Pierre allait incessamment, sortir littéralement de ses gonds et ainsi envisager de tout bonnement déchirer le contrat de son sous-fifre, celui-ci en vint miraculeusement à la fin.

— Enfin, il s'est pris une chambre dans un hôtel miteux se trouvant à l'extérieur de la ville. À savoir qu'il s'y est rendu à pied. Ce qui, ma foi, a représenté une belle trotte, lui permettant par la même occasion de digérer, et qu'il m'a probablement repéré depuis l'échauffourée du bar des tatoués.

Le Shérif se sentit perdre pied, pour ainsi dire, comme tombé des nues. Son acolyte avait beau être très efficace et très prometteur, son obsession pour le souci du détail commençait à lui faire oublier l'essentiel de chaque situation, le reléguant doucement mais sûrement en aval de ses confrères. Mais l'appréciant et persistant à croire en lui, peut-être plus qu'il ne le devrait, il passa une nouvelle fois l'éponge.

— Ce n'est rien, on continue de le filer, appelle du renfort. Dans l'éventualité où Johnson ne nous aurait pas démasqués, on mise sur des véhicules banalisés pour surveiller l'hôtel, ensuite va te reposer.

— C'est déjà fait, répondit-il avec aplomb, il y a trois véhicules déployés autour et moi je suis en station devant l'entrée principale. Je me reposerais sur place, je préfère être là en cas de dérapage.

Rasséréné et autrement revigoré par cette dernière réplique, Pierre se rappela une énième fois, avec une immense fierté, pourquoi il persistait à conserver Dritston dans ses petits papiers. Et dire qu'à une certaine époque il était comme lui, tout aussi combatif et tout autant agaçant… Mais il était désormais trop vieux pour ces conneries.

— Bien, je ne te cacherais pas que je serais plus rassuré de te savoir sur la sellette. Nous, de notre côté, on a fait chou blanc. À croire que cet enfoiré a le don pour passer entre les mailles du filet. Je me demande même s'il n'a pas disposé d'une aide extérieure pour ce faire.

— Vous pensez toujours que les trois sont de mèche ?

— Avec l'inspecteur Barnaber oui, encore plus après tout ce que tu viens de me dire à son sujet. En ce qui concerne le commissaire Treffert, cela n'a plus vraiment d'importance malheureusement, étant donné que celui-ci à des lésions irréversibles au cerveau et va terminer sa vie comme un légume.

Chaque policier savait pertinemment les risques qu'il courait à exercer un métier aussi risqué. Mais bien entendu et même s'il s'agissait d'un inconnu, cela faisait toujours de la peine d'apprendre qu'un confrère en avait fait les frais. Malgré le fait que chacun d'eux s'évertuait à le cacher, ni Dritston ni Pierre n'échappèrent à ce sentiment d'attristement et de compassion, tout naturellement ou très égoïstement humain. Car, toute compassion de notre part vis-à-vis d'un étranger ou même d'un familier, n'est que le reflet de nos propres peurs et la hantise de subir un sort similaire. L'être humain est l'animal le plus

320

intelligent de la terre mais en contrepartie, c'est aussi ce qui fait de lui l'être vivant le plus égoïste ou le plus dénué de pitié, la pire race qui ait jamais existé jusqu'à présent et coexisté aussi impunément. Mettant rapidement de côté ces intolérables et préjudiciables réflexions de grand con, se dit-il à ce moment-là avec un fier sourire aux bords des lèvres pour sa propre bêtise, le Fin Tireur poursuivit la discussion sans faire la moindre mention de ce triste évènement.

— Quelles sont vos directives, à propos de Mike Kurly, si jamais je venais à tomber sur lui ?

— Afin d'éclaircir toute cette histoire, l'idéal serait de l'attraper en un seul morceau, mais je te préviens tout de suite que cela ne va pas être du gâteau. Si tu t'aperçois ou penses que celui-ci va à nouveau, mettre la vie d'un homme en danger, ta priorité sera de l'exécuter coûte que coûte et sans sommation. Par contre, reprit le Shérif avec discernement, tu as interdiction formelle de t'approcher de cette brute à moins de trente pas. Tu es équipé correctement ?

Dritston n'eut pas besoin d'un dessin, comprenant immédiatement ce à quoi Pierre faisait allusion. Il prit néanmoins la peine de se faire mousser quelque peu, avant d'en arriver au fait de la question.

— J'ai l'équipement conventionnel. Gilet pare-balles, paire de menottes et un neuf millimètre, ainsi que mon fusil à lunettes dans le coffre de la voiture.

— Parfait. Tu m'appelles s'il y a quoi que ce soit et dans la mesure du possible, avant toute intervention. Bonne nuit à demain.

— Très bien. Bonne nuit à vous aussi.

Cornélie remit son téléphone entre ses jambes et cala l'arrière de son crâne sur l'appui-tête de son siège. Mais malheureusement, étant trop éreinté ou trop préoccupé pour trouver le sommeil dont il avait tant besoin, ses pensées divaguèrent inévitablement sur le tueur de flics. Il s'imagina l'apercevoir au bout de sa lunette, ajuster sa visée tout en tenant compte de la distance, de son angle de tir et de la pression du vent. Il voyait déjà la balle pénétrer entre ses deux yeux, pourfendre sa boîte crânienne et traverser son cerveau de part en part, pour enfin ressortir de l'autre côté dans une gerbe d'hémoglobine. Il récolterait ainsi de nombreux éloges et d'innombrables lauriers, soit pour sa bravoure soit pour sa lâcheté mais peu importait. Chaque fois que l'occasion se présenterait, il ne manquerait pas de se pencher fièrement, pour tous les ramasser…

✱✱✱✱✱

De lourds nuages noirs, comme de l'encre, assombrissaient l'atmosphère du jour, ainsi que l'ambiance générale de l'environnement qui se dessinait lentement sous ses yeux. Entrecoupé de marches et de courses à pied, le long trajet qu'il avait parcouru avait bien dû durer deux bonnes heures. Sentant qu'il était tout proche de sa destination, le flux de connexion qu'il ressentait jusqu'alors se faisant de plus en plus omniprésent et oppressant, Ori estima que le chemin enduré pour parvenir jusqu'ici était un échauffement suffisant. Afin de rencontrer le moins de monde possible sur son chemin, en particulier les forces de l'ordre, il avait emprunté des petites routes de villages peu fréquentées et n'avait pas hésité à passer à travers champs ou forêts lorsque cela était nécessaire. Il avait même traversé le lit d'une petite rivière, s'en retrouvant encore actuellement détrempé des rangers jusqu'au caleçon, celles-ci faisant désormais un bruit spongieux à chacun de ses pas.

Le Surhomme passa devant un vieil hôtel, paraissant miteux à l'intérieur rien qu'en jetant un seul coup d'œil sur l'extérieur, et aperçut au loin un immeuble qui devait sans aucun doute être abandonné depuis de nombreuses années. En se rapprochant de celui-ci, il vit un homme qui semblait arborer une carrure impressionnante, faire les cent pas devant l'entrée du bâtiment. Alors qu'il se rapprochait inexorablement de sa cible, Ori ne put masquer son étonnement lorsqu'il reconnut le policier baraqué, avec qui il avait eu une sympathique échauffourée.

— Bonjour Mike, tu as l'air surpris de me revoir... dit Johnson fièrement et hautainement.

Le Surhomme, consterné d'avoir éprouvé et essuyé toutes ses épreuves pour seulement se retrouver face à un flic, fit un tour d'horizon afin de chercher quelque chose de plus intimidant ou quelqu'un d'autre de plus important aux alentours. Rien n'y faisant, le lien l'ayant mené jusqu'ici n'irradiant que de ce valeureux manant, il porta à nouveau son attention sur celui-ci. Immédiatement, l'essentiel lui explosa en pleine figure. Redorant derechef et de ce fait, le blason de cet avorton.

— Bonjour. En effet, mais je t'avouerais que ce qui me surprend le plus, c'est que j'étais convaincu d'avoir réduit ton bras en bouillie !

À le regarder là, comme ça, paraissant plus gringalet que jamais avec ses bas trempés, le Barbare se demanda comment il avait fait pour perdre son honneur face à un tel minus. Certes, celui-ci disposait et dispose toujours de superpouvoirs, mais lui aussi désormais. En l'occurrence, une force dépassant l'entendement et surpassant largement celle du tueur de flics. Peut-être cela était seulement pour se rassurer ou se rasséréner, mais plus il l'observait et plus il était convaincu que cette fois-ci, il n'en ferait qu'une bouchée.

— Je ne suis pas venu ici pour tergiverser, nous avons des comptes à régler et j'entends bien te rendre la monnaie de ta pièce.

Sans crier gare, le Colosse attrapa de sa main droite une vieille carcasse de scooter, se trouvant sur sa gauche et reposant maladroitement sur le flanc de l'immeuble. Avec un coup de reins et un demi-tour détonnant, il envoya celui-ci de toutes ses forces, tournoyant dès à présent comme un gigantesque boomerang en direction d'Ori.

Le Surhomme n'eut, bien entendu, aucun mal à esquiver le furieux bolide. Il se baissa tout simplement avec l'aide d'un mouvement souple, afin de laisser passer la carcasse au-dessus de son corps et s'écraser quelques mètres plus loin. Le seul hic et il ne mit que très peu de temps à le réaliser, la douleur ne se faisant pas attendre, c'était que le peu d'essence restant dans le bas moteur avait giclé hors de celui-ci et il en avait malheureusement reçu une partie dans l'œil gauche. Momentanément privé de sa vision, l'insoutenable douleur le contraignant à fermer les yeux, il se releva en un éclair et se prépara instinctivement à recevoir le choc à venir.

À peine Johnson s'était-il débarrassé du deux-roues, qu'il partit au pas de course pour en découdre au corps à corps avec Ori, sans même savoir que celui-ci avait été aveuglé par du pétrole industrialisé. Profitant de l'élan de sa masse corporelle lancée à vive allure et de son intarissable puissance, plutôt que d'une rapidité dont il ne se vanterait jamais, il déploya à nouveau toute sa force dans un coup de poing droit foudroyant, porté en plein milieu du plexus de son adversaire. Avec un grand étonnement et même, il devait bien se l'avouer, un certain soulagement, il constata que son attaque avait fait mouche. Il vit le visage du surhomme se déformer sous l'effet de la souffrance, avant de le voir valdinguer dans les airs et rouler-bouler, à bien quinze pas de là.

Le souffle soudainement coupé, Ori eut l'impression d'avoir reçu une massue de trois cents kilos en plein bide et sentit la plante de ses pieds perdre leurs appuis sur la terre ferme, aussi bien qu'une balle de golf serait violemment frappée par un club. Il se redressa tant bien que mal et ne put, en reprenant péniblement son souffle, que constater les dégâts. D'un coup d'un seul, son nouvel adversaire lui avait infligé de sérieuses blessures, principalement dues aux frottements de son corps sur l'asphalte lorsqu'il avait lamentablement raclé le sol, et ce, sur d'interminables mètres. Arborant désormais des vêtements tout déchirés, ceux-ci témoignant radicalement et irrémédiablement de toute la douleur qu'il venait d'endurer, le Surhomme reprit la parole afin de gagner un peu de temps.

— Comment as-tu acquis une telle puissance ? demanda-t-il tout en s'équipant de son harnais et de ses deux épées courtes se trouvant dans le sac commando de l'ancêtre et qu'il avait gardé en main jusqu'à présent.

— Je vois bien que tu essaies de gagner du temps, répondit Johnson sans la moindre émotion dans le timbre de sa voix, sache que ceci n'était qu'un aperçu de ma force et que tes petits couteaux ne feront pas la différence face à moi. C'est d'ailleurs pour cela, poursuivit-il platement et sereinement, que je te laisse l'opportunité d'enfiler tes insignifiantes babioles. Après une courte pause, lourdement chargée de défiance mutuelle et d'intensité environnementale, il reprit.

— La réponse à tes deux questions précédentes est des plus facile à expliquer et en contrepartie, des plus déroutantes à assimiler, car je me suis tout simplement injecté ton propre sang dans les veines.

Subitement, comme si une autre massue lui était cette fois-ci tombée sur la tête, toute l'ampleur et la teneur de sa quête prirent enfin un sens. Ori comprenait tout désormais, il était capable à lui seul de changer radicalement la face du monde et même de mettre définitivement un terme à celui-ci. D'empoisonner et d'exterminer l'humanité comme jamais celle-ci à elle seule, n'avait eu les capacités ou les moyens de le faire. C'est pour cela qu'une petite voix de son subconscient n'avait cessé de lui chuchoter de continuer, pour la simple et bonne raison qu'il ne devait laisser aucune trace de son passage sur cette terre. Le Surhomme n'avait pour ce faire qu'une seule alternative, exterminer la graine qu'il avait lui-même semée et par la suite, mettre fin à ses propres jours. Acceptant et assumant parfaitement son destin, ne désirant de plus que rejoindre sa famille dans l'au-delà, Ori arracha le peu de tissus qu'il lui restait sur le buste et afficha une mine empreinte d'une détermination sans précédent.

— Je te remercie pour cet ultime éclaircissement. Sache que désormais je serais sans pitié et que ce n'est absolument pas contre toi, c'est seulement que ta réponse pour moi est des plus faciles à assimiler.

Le Surhomme dégaina ses deux épées courtes et combla la distance le séparant de son adversaire en seulement quelques secondes.

Durant ce bref cheminement, le Colosse avait sorti son pistolet et avait tiré un seul coup de feu, ne disposant malheureusement pas de l'infime temps nécessaire pour martyriser à nouveau la gâchette de son flingue. Avec une vitesse d'exécution ahurissante, difficilement déchiffrable à l'œil nu, il avait vu Ori esquiver magistralement la balle d'un simple mais subtil changement de trajectoire. Alors que les épées grossissaient et scintillaient de plus en plus à chaque fraction de seconde qui s'écoulait, il comprit à ce moment-là que sa force brute n'avait aucune chance de rivaliser avec des lames aussi affûtées et une telle dextérité. Certes, il était beaucoup plus fort que le tueur de flic mais, à moins d'un miracle ou d'une grossière erreur de sa part, il n'aurait aucunement l'opportunité d'employer celle-ci. Il le savait désormais, il allait se faire découper en morceaux d'une seconde à l'autre. Acceptant bravement son sort, comme à son habitude, le Barbare rengaina son arme de poing et envoya un crochet du gauche.

Ori, comme si la scène se déroulait au ralenti, passa aisément en dessous du crochet et fit un tour complet sur lui-même afin de se retrouver sur le flanc gauche de sa cible. Dans l'élan du même mouvement, il déroula son bras gauche et brandit son épée vers la nuque de l'Homme des Cavernes. Il allait en finir d'un coup d'un seul, en le décapitant promptement. Étonnamment, aussi bien que s'il avait tenté de trancher une poutrelle en acier, la lame ricocha sur un bouclier de forme circulaire en libérant une légère volute de fumée noire. Le choc qui se répercuta dans tout son membre était si violent, qu'il fut contraint de rengainer ses épées et de s'écarter d'un bond du combat, afin de se masser le bras à l'aide de sa main droite. Une fumée noire et volatile entourait à présent l'intégralité du corps de Johnson. Se mouvant lentement ou ondulant vivement en cascade autour de chacun de ses membres, celle-ci le rendait, de ce fait, plus angoissant et plus énigmatique que jamais. Cela ne faisait plus aucun doute, à quel moment il ne le savait pas, mais Mike avait bel et bien quitté son corps pour investir celui du colosse. La Fumée Noire avait-il seulement pénétré son corps afin de le rendre plus puissant, ou avait-il aussi pris provisoirement possession de celui-ci, ainsi qu'accessoirement de son âme pour le contrôler à sa guise ?

Toute la question était là, même si cela bien entendu, ne faisait au final aucune différence sur l'issue du combat.

La lame aiguisée aurait dû lui trancher la tête, d'un coup propre et net, le Barbare en avait la certitude. Pourtant et contre toute attente, celle-ci n'avait fait que rebondir sur son cou de taureau juste avant qu'il ne ressente un flux de puissance inconnu, déferler comme un torrent d'eau dans toutes les veines de son être.

— *Ne t'avais-je pas dit que nous combattrions côte à côte...* demanda Mike, plutôt sur le ton de la constatation que de la question.

— *Oui, en effet !* répondit froidement le Barbare sans se soucier le moins du monde de mettre ainsi un terme à la conversation.

La Fumée Noire ne le connaissait qu'à peine mais suffisamment, pour savoir que celui-ci n'était pas genre d'homme éloquent ou loquace. Ce qui fait qu'une énième fois, il ne s'offusqua pas de son manque de courtoisie ou même de l'absence totale de gratitude à son encontre, pour lui avoir sauvé la vie. En effet sans son intervention, intrépide et magistrale il fallait bien le reconnaître, la tête de cet imbécile roulerait déjà entre ses pieds ou sur les pavés. Dans la précipitation et l'urgence du danger, il avait involontairement créé un bouclier, probablement inspiré de l'un des films qu'il avait visionné et datant de la Grèce antique. Cette nouvelle découverte lui ouvrait les portes sur de nombreuses tactiques ou stratégies de combats différents, il allait pouvoir exploiter celle-ci sous toutes les coutures et il devait bien se l'avouer, s'en réjouissait d'avance. Néanmoins, quelque chose de bien plus important le taraudait actuellement. Tout être vivant ou forme de vie inhérente se retrouvait un jour ou l'autre confronté à ses propres limites, ce qui aujourd'hui était malheureusement le cas pour lui. En effet, il pouvait prêter main-forte à un être supérieur comme l'Homme des Cavernes mais en aucun cas prendre possession de celui-ci. Il s'était attendu à disposer de toute sa puissance et au lieu de cela, il allait devoir composer avec celle-ci. Ce qui au vu du comportement intempestif ou imprévisible de son comparse, apporterait sans nul doute un rendement moins performant et un taux de destruction moins efficace. Seul face aux limites indiscutables de son pouvoir, la Fumée Noire se concentra à nouveau sur son ennemi juré, assistant ainsi à une transformation plutôt intéressante et une montée d'adrénaline non négligeable.

Concentrant sa force au maximum, Ori envoya l'intégralité de sa puissance dans ses membres inférieurs et supérieurs. Il en résulta des jambes et des bras qui doublèrent soudainement de volume, offrant ainsi un spectacle des plus impressionnants, aux yeux francs comme aux indiscrets. Tout aussi rapidement, sa cage thoracique, son ventre et ses fossettes se creusèrent brutalement. Dévoilant de ce fait, toute l'ossature des parties de son corps citées précédemment. Le résultat final était certes bluffant et impressionnant, mais en contrepartie tout aussi choquant, voire écœurant. L'œil vagabondait soit sur des biceps et des épaules musculeuses auréolées de veines palpitantes, soit sur des côtes saillantes ou un faciès semblant plutôt appartenir à un mort qu'à un être vivant. Fort heureusement, pour les âmes les plus sensibles, les lanières de son harnais cachaient le plus gros de la misère...

*****

Depuis le début de l'altercation, Dritston tenait en ligne de mire les deux protagonistes avec son fusil à lunette. Équipé au préalable, d'un silencieux ne lui offrant que trois ou quatre coups de feu maximum, avant d'éclater et de n'être plus d'aucune utilité. Toujours aussi pragmatique, il avait sorti sa chaise dépliante de camping se trouvant dans le coffre de son véhicule et s'était installé sur une petite colline située stratégiquement, par rapport à l'entrée de l'immeuble désaffecté. De mauvaises langues diraient en le voyant qu'il s'agissait d'un gros feignant. D'autres se moqueraient de sa personne, en l'imaginant tomber de sa chaise au premier coup de feu. Mais les rares malicieux, verraient en lui un opportuniste, qui économise ses forces pour la bataille à venir. Alors qu'il croquait à pleine dent dans sa dernière barre de céréale industrialisée, il entendit des bruits de pas dans son dos.

Il faut savoir que, lorsque l'on s'approche d'un homme aussi lourdement armé, il est fortement conseillé d'annoncer son arrivée. Ce qui bien entendu, fut appliqué par un Menphys très expérimenté.

— Ça en est où ? entonna le Shérif encore à plusieurs mètres du destinataire.

— Ils ont commencé à se battre depuis peu, Monsieur, répondit-il sans lâcher les cibles d'une semelle, et je peux déjà vous certifier que ces deux-là ne sont pas des hominidés conventionnels.

Pierre arriva à hauteur du Fin tireur tout en sortant ses jumelles, lorgnant et enviant au passage la chaise sur laquelle celui-ci était confortablement installé.

— Bien, contente-toi de les garder en joue pour le moment, Mike principalement. Après quelques secondes, il reprit presque honteusement.

— Tu n'aurais pas une deuxième chaise pour ton vieux patron par hasard ?

330

— Navré M. Menphys, je n'en ai pas d'autre, mais prenez la mienne, je vous en prie, répondit Cornélie tout en se levant et en le regardant droit dans les yeux, notant au passage les grosses valises que celui-ci arborait en dessous de ceux-ci. Il ne le savait pas ou tout du moins il ne s'en était pas rendu compte, mais même après avoir passé une nuit entière à dormir dans une voiture, il paraissait aussi fringant qu'un jeune de vingt ans.

— Il en est hors de question, continue d'économiser ton énergie, le moment venu tu auras besoin de toute ta concentration ! répliqua Pierre avec regret.

— Entendu, comme vous voudrez. Vous avez fait quadriller le secteur, j'imagine ?

— Oui, dans son intégralité, aucune mouche ne peut passer sans être contrôlée ou éternuer sans se faire exploser.

En effet, en moins d'une heure, Menphys avait rassemblé plus d'une centaine d'hommes autour de la zone. Afin de réaliser un tel exploit, il avait dû faire appel à de nombreux confrères haut placés. Allant même jusqu'à déranger le maire de la ville aux aurores, pour que celui-ci autorise le déploiement de tous ses agents. À bien y réfléchir, celui-ci ne s'était pas fait prier pour accepter. Étant donné que cette affaire faisait déjà bien trop de bruit et qu'il fallait à tout prix, y mettre un terme au plus vite. Tant pour la sécurité de la population que pour sa future et imminente réélection qui, bien entendu, pourrait être lourdement compromise si le tueur de flics vaquait toujours à ses morbides occupations. Toujours est-il, et peu importe la véritable raison de cet accord, qu'il avait obtenu le soutien de plusieurs villes alentour.

— Pourquoi ne pas donner l'assaut dans ce cas, demanda Cornélie ? Ils sont à notre portée et on pourrait en terminer dès maintenant.

— Oui en effet, mais comme tu l'as très justement souligné, ce ne sont pas des malfrats habituels. Il y a eu beaucoup trop de morts déjà, je préfère les observer et mieux encore, les regarder s'entre-tuer avant d'intervenir dans leur conflit. Ce qui dans ce cas-là, ne nous laissera qu'un seul homme à interpeller et limitera considérablement le danger pour nos hommes ou nous-même.

À ce moment-là, alors que Le Cow-boy s'apprêtait à confirmer la véracité des dires de son supérieur, une fumée noire s'échappant du corps du tueur de flics pour s'immiscer dans celui de Barnaber, mit un point final à cette passionnante et providentielle conversation. Eux-mêmes et les nombreux policiers postés aux alentours, suffisamment loin pour ne pas se faire repérer ou risquer de se faire étriper, virent des choses qui allaient rester gravées à jamais dans leurs esprits. Encore trop obnubilés et abasourdis par la scène surnaturelle se déroulant sous leurs yeux, aucun d'eux n'eut ni l'envie ni même la possibilité de polémiquer à ce sujet, comme s'ils étaient littéralement tétanisés. Seul Dritston, après de longues secondes semblant avoir duré une éternité, trouva le courage ou la foi nécessaire pour briser la glace…

*****

— Joli bouclier mon ami, entonna le Surhomme avec une voix sensiblement différente qu'à son habitude, la mélodie de celle-ci ayant quelque peu changé à cause de ces joues creusées.

— *Je te remercie mon cher ami, il s'agit d'une cuvée de mon meilleur cru*, répondit Mike sans se démonter.

— Quoi ? Mais de quel bouclier tu parles ? renchérit l'Homme des Cavernes d'un ton colérique, sans n'avoir pu entendre la réponse de son acolyte.

— C'est celui qui t'a sauvé la vie et tu le dois à ma propre création, sans cela tu peux me croire, tu n'aurais déjà plus la tête sur les épaules ! répondit Ori en s'esclaffant.

— *Tu peux fabriquer des trucs comme ça ?* demanda Johnson à l'intention de la Fumée Noire.

— *Oui en effet,* répondit celui-ci, *et c'est un atout non négligeable. Regarde par toi-même.*

Tout aussi magiquement que soudainement, un bouclier apparut sur l'avant-bras gauche du colosse et une épée longue dans sa main droite. Les deux plus noirs que du charbon.

— *Qu'est-ce que tu veux que je foute avec ce cure-dent et cette poêle ?* répliqua le Barbare avec ahurissement. *File-moi plutôt une bonne grosse hache,* renchérit-il.

Exacerbé par les simagrées de son associé, Mike accéda néanmoins à sa demande sans rechigner.

Une hache de guerre à double tranchant, sur laquelle étaient inscrits des hiéroglyphes dont seule l'imagination de Mike avait le secret, remplaça promptement la poêle et le cure-dent.

Sans prévenir, ce qui ma foi est plutôt conseillé pour surprendre son adversaire, Ori éperonna l'une de ses lames et la lança de toutes ses forces en direction de l'ennemi. Dans le but évident de tester les défenses de celui-ci.

— Bouclier, hurla l'Homme des Cavernes à l'intention de Mike. Tout en plaçant son bras gauche en protection devant son torse et en oubliant qu'il pouvait communiquer avec celui-ci beaucoup plus discrètement. Ce qui éviterait bien entendu de gâcher l'effet de surprise.

L'épée courte percuta violemment le bouclier de fumée, avec un horrible bruit de crissement pour les tympans, avant d'être dévié et de continuer sa course dans les airs. Le Colosse et le Surhomme regardèrent l'épée s'envoler puis retomber à terre, au milieu d'eux deux. Ils choisirent ce moment-là pour rejoindre l'autre, comme s'ils s'étaient préalablement concertés ou comme s'il s'agissait d'un gong, précédant tout bon début de boucherie qui se respecte.

Une fois Ori à portée de main ou tout du moins à portée de hache, le Barbare fit tournoyer celle-ci dans de larges moulinets circulaires, afin de happer ou de couper tout membre qui pourrait se présenter.

Le Surhomme, grâce à sa rapidité, récupéra son épée bien avant d'être en danger. Ne pouvant se permettre de bloquer frontalement les coups assenés par son adversaire, les charges de celui-ci étant bien trop puissantes, Ori paraît ou esquivait habilement les attaques et semblait danser littéralement autour de l'arme à doubles tranchants. Néanmoins, à chacune des parades qu'il effectuait, Ori jouait d'estoc ou de taille et marquait petit à petit son ennemi au fer rouge. Soit d'une estafilade soit d'une entaille supplémentaire, sur les membres inférieurs ou supérieurs de son adversaire.

Mike, il devait bien se l'avouer, était lui aussi dépassé par la dextérité de son créateur. Certes, son flux d'énergie circulait dans les veines de son hôte, et ce tant qu'il serait dans celui-ci, lui octroyant ainsi une cuirasse protectrice intégrale mais malheureusement pas inviolable, surtout contre les lames acérées d'Ori. Il pouvait bien entendu contrer une attaque directe en fabriquant un bouclier ou tout autre objet adapté à la situation, mais encore fallait-il qu'il en ait le temps et l'opportunité.

Arborant désormais de nombreux filets rouges, traversant les volutes de fumée noire comme une cascade d'eau dévalerait entre les récifs montagneux, Johnson, piqué au vif de toute part, commençait à être exaspéré par un adversaire qui n'avait de cesse de se dérober et par son manque indéniable d'efficacité à son encontre. Jusqu'à présent, il ne s'était quasiment pas servi des pouvoirs stupéfiants de son acolyte, ceux-ci pouvant pourtant s'avérer être déterminants sur l'issue du combat. Il le comprenait à présent. S'il comptait ou espérait avoir une chance de l'emporter, il allait devoir faire preuve d'imagination et de discrétion, pour combiner ses propres attaques avec celles de la Fumée Noire. Il attrapa sa hache à deux mains, leva celle-ci au-dessus de sa tête et porta une fulgurante attaque verticale contre son adversaire. Comme il l'avait prévu et même espéré, Ori esquiva aisément le coup en se décalant sur la droite de l'arme. Laissant ainsi libre cours au tranchant de celle-ci, de s'enfoncer profondément dans l'asphalte avec une gerbe d'étincelles.

D'une simple rotation des hanches et des chevilles, le Surhomme évita la lame de la hache et concentra toute sa puissance sur un foudroyant coup d'estoc assené par son bras droit qui, il espérait, serait en mesure de briser les défenses des deux protagonistes. Alors qu'il allait donner le coup de grâce, il vit Johnson armer son poing gauche mais la portée de celui-ci bien entendu, ne pouvait égaler la sienne avec son épée. Il ne put s'empêcher de ressentir de la condescendance et même une once de tristesse, envers ce valeureux combattant, qui jusqu'au bout aura cru en sa seule force brute.

— *Plastron intégral et hallebarde main gauche,* ordonna mentalement le Barbare, tout en envoyant un direct avec le bras concerné.

Lorsque Mike entendit les demandes insolites de son acolyte, en particulier pour la référence à cette arme chinoise datant d'avant notre ère, il imagina celles-ci dans son esprit et elles apparurent instantanément à l'endroit voulu. Paradoxalement, un état de fait affligeant et des plus contrariant se manifesta, car au même moment où les deux autres objets prirent forme, la hache quant à elle s'effrita et quitta lentement les abîmes de la réalité.

Le Colosse sentit la pointe de l'épée pénétrer sa chair mais fort heureusement, le plastron se matérialisa dans le même temps et bloqua celle-ci à seulement quelques millimètres de son cœur.

Alors qu'il tentait désespérément d'extraire sa lame coincée dans l'armure, un tube cylindrique d'environ quatre centimètres de diamètre prit subitement forme et vint dans le poing gauche de son adversaire. S'allongeant dangereusement et à une vitesse ahurissante en direction de son crâne, seule sa rapidité légendaire lui permit d'éviter le pire. Abandonnant instantanément l'idée de récupérer son épée courte, celle-ci semblant être désormais soudée au plastron, Ori exécuta un impensable et formidable salto arrière pour se sortir de ce guêpier. Lors de son embardée en arc de lune, il sentit l'arrête de la lance effleurer son menton et l'arête de son nez, avant de la voir passer juste au-dessus de son front.

D'une torsion brutale du poignet, l'Homme des Cavernes fit pivoter le sens de la hallebarde afin d'éviscérer le tueur de flics en plein vol, du plexus jusqu'à l'aine. À l'aide du crochet de celle-ci, servant dans l'ancien temps à faire chuter les cavaliers de leurs destriers. Bien loin de l'effet escompté, le crochet n'ayant fait que raser le peu de poil que son ennemi avait sur le torse, il eut néanmoins la satisfaction de voir celui-ci s'agripper fermement au harnais de son adversaire. Le stoppant net dans sa tentative de fuite inespérée, avec son intarissable puissance, la hache de guerre se trouvait à portée parfaite pour couper la cible en deux et celle-ci désormais, ne pouvait plus s'éclipser avec de ridicules courbettes ou mises en scène de danseuse en folie.

Ses pieds retouchant le sol bien plus tôt que prévu, retenu en plein élan artistique par une véritable force de la nature, le

Surhomme vit la hache arriver en trombe sur son flanc gauche. Malgré une posture cambrée très inconfortable, il mit instinctivement son épée (l'unique dont il disposait encore) en position défensive, même s'il savait qu'il n'avait pas la moindre chance de contrer une telle attaque. En effet, il allait d'abord s'empaler avec sa propre arme avant de se faire déchiqueter par celle de son adversaire. Alors qu'il pensa une dernière fois à sa famille et à l'imminent bonheur de les retrouver dans l'autre monde, le tout en serrant fortement les dents, la hache se dématérialisa soudainement devant son épée. Ne lui octroyant au final, qu'une sensuelle et voluptueuse caresse de fumée. Sans demander son reste ou s'attarder sur l'insolente bonne étoile, qui vraisemblablement devait le surplomber en permanence depuis le début du combat, le Surhomme décrocha d'un coup sec la hallebarde accrochée à son harnais et tout en maintenant son équilibre à l'aide de celle-ci, envoya un coup de pied avant dans le pommeau de son épée, encore plantée dans le plastron de son adversaire. Même si celle-ci ne semblait pas avoir bougé d'un millimètre, ce malgré toute la puissance qu'il avait déployée pour son attaque, un grincement irritant d'acier frottant contre l'un de ses pairs se fit entendre...

Ne tenant plus à garder un ennemi aussi redoutable qu'Ori à portée de lame, le Barbare arracha l'épée scellée d'une seule main et envoya un large coup de taille avec celle-ci, accompagné d'estoc de lance chinoise afin d'éloigner le Surhomme de sa propre personne. Une fois celui-ci à distance respectable, il profita de cette petite accalmie pour régler ses comptes, avec son associé des mauvais jours.

— *Pourquoi la hache a disparu bordel, j'allais couper en deux ce fils de putain ?* s'exclama un Johnson a priori très mécontent, à l'intention de la Fumée Noire.

— *Je n'en ai aucune idée, qu'est-ce que tu veux que je te dise ? Tout cela est nouveau pour moi, je ne peux apparemment pas produire plus de deux objets en même temps, voilà tout*, répondit Mike calmement et sereinement, sans tenir compte-le moins du monde, de l'évidente agressivité du Barbare.

— *Prépare-toi*, reprit-il, *Je vais quitter ton corps, je pense qu'en alliant nos forces séparément nous aurons plus de chance de l'emporter.*

— *Ce n'est pas une mauvaise idée*, maugréa le Colosse en observant l'absence quasi totale de blessure qu'arborait son adversaire, *même si je ne donne pas cher de ma peau.*

— *Ne t'en fais pas, je vais tout faire pour le désarmer ou l'immobiliser. Toi, de ton côté, prépare-toi à l'attraper ou à l'éventrer à la première occasion. Mais quoiqu'il advienne*, reprit Mike solennellement tout en sortant du corps de son hôte, *ne le laisse en aucun cas récupérer son épée...*

Immédiatement et sans réfléchir, misant perpétuellement sur des résolutions de problèmes efficaces mais à courts termes, l'Homme des Cavernes se retourna et lança l'épée de toutes ses forces dans les airs. Celle-ci tournoya interminablement et inlassablement dans le ciel nuageux, jusqu'à ce qu'elle ne soit plus visible à l'œil nu, même pour le regard acéré d'Ori.

— *Aussitôt dit, aussitôt fait, à toi maintenant de t'occuper de la deuxième épée !* s'exclama mélodieusement Johnson. Fin, autant que sa voix caverneuse lui permettait de le faire, ce qui au final s'apparentait plutôt à un croassement de corbeau qu'à une chorale musicale dans le bon tempo...

*****

— Vous voyez ce que je vois ? demanda Cornélie presque en murmurant, comme si le fait de parler à voix haute pourrait lui porter malheur ou préjudice, et ce malgré le fait, que le danger se trouvait à plus d'une centaine de mètres de leurs personnes.

Lorsque le Shérif se décida enfin à répondre, après une interminable attente, un autre évènement impensable lui cloua à nouveau le bec instantanément. En l'occurrence, l'impressionnante et incroyable métamorphose de Mike Kurly. L'effroyable combat continuant de se dérouler sous leurs yeux ébahis, ils ne purent que constater leurs infériorités et leurs impuissances, face à une telle démonstration de puissance ou une telle débauche de violence.

Subitement, alors qu'ils étaient tous deux pris en étau par une indéniable et inévitable torpeur, l'une des épées du surhomme fusa juste au-dessus de la tête de Pierre, se plantant profondément derrière eux.

Il n'en fallut pas plus à l'agent Cornélie pour passer à l'action. Il se jeta immédiatement à plat ventre sur la terre aride et ajusta son fusil en fonction de sa nouvelle posture. Fin prêt à tout moment, à en découdre avec l'une ou l'autre de ces deux forces de la nature, voire contre nature.

Le Shérif quant à lui, remisa ses jumelles et alla ressortir une lame, plus profondément enterrée qu'il ne l'avait pensé de prime abord. Après un effort considérable, il parvint enfin à l'extraire et il ne saurait dire pourquoi, en retira une sordide excitation. Le simple fait sûrement, que celle-ci ait ôtée la vie à tant de gens ou peut-être même les traces de sang séchées, encore présentes sur la lame acérée. Il retourna ensuite jusqu'à son véhicule et la déposa soigneusement dans le coffre. Il allait garder cette épée en souvenir d'une énième enquête classée, car il le savait, celle-ci allait bientôt toucher à sa fin. De retour auprès de Dritston, il prit son talkie-walkie et ordonna à nouveau aux nombreux agents, qui ne comprenaient pas pourquoi il ne donnait pas l'assaut, d'attendre impérativement son feu vert avant toute intervention. De toutes les manières, pensa-t-il à ce moment-là, si tout se passe comme prévu, ceux-ci n'interviendront que pour constater les morts. Pour la simple et bonne raison qu'il laisserait d'abord une chance à Dritston de faire ses preuves, ce qui étofferait sans nul doute le dossier de celui-ci ou son propre carnet de petits papiers. Lorgnant avec culpabilité et coup après coup, Cornélie allongé à même le sol et une chaise pliante, semblant pour l'occasion avoir plus d'atouts qu'une enivrante pucelle, Pierre s'empressa malgré tout, de chevaucher fougueusement celle-ci. Confortablement installé, un peu moins bien que dans un bon canapé néanmoins, il regarda scrupuleusement et passionnément la suite de l'échauffourée comme s'il s'agissait d'un bon film à la télé. Après avoir été littéralement et moult fois scotché par les évènements insensés, qui se déroulaient sous les verres de ses jumelles, il donna son feu vert à son associé.

— Abats-le tout de suite.

Dritston n'avait pas l'habitude de discuter les ordres directs de son supérieur, surtout quand l'eau de la marmite bouillait dangereusement, et ce depuis un bon moment. Néanmoins, il ne put cette fois-ci s'en empêcher, même si chaque seconde comptait ou pouvait être cruciale.

— Je vous prie de m'excuser monsieur, mais pourquoi ne pas le laisser faire ? demanda-t-il tout penaud.

Le Shérif, au vu des interrogations justifiées de son compagnon et malgré l'urgence de la situation, prit le peu de temps qui leur étaient encore impartis pour lui répondre.

— Il faut impérativement que cela vienne de nous, comment expliquer sinon le déploiement d'autant d'agents et le coût exorbitant qui va avec ! Puis notre réputation en prendrait un sacré coup, reprit-il sur le ton de la confidence. Préfères-tu endosser le rôle de l'impotent, ou bien celui du policier compétent et sécurisant pour la société ?

Les mots prononcés par Menphys, faisant plus rapidement leur bonhomme de chemin jusqu'au cerveau du Fin Tireur, que sa balle allait le faire pour recouvrir la distance les séparant de l'altercation, il ajusta une énième fois son fusil à lunettes et tout en tenant compte de la force et de la direction du vent, pressa sereinement sur la détente. À peine une seconde plus tard, il vit la balle toucher sa cible mais bizarrement, n'en retira pas la fierté escomptée ni même la joie espérée. Il se releva souplement mais sans empressement. Une fois debout, tenant toujours son fusil de la main droite et le canon pointé vers le bas (celui-ci touchant quasiment le sol), il observa enfin le paysage sans l'aide de sa lunette et trouva celui-ci fabuleux. Il nota au passage un élément essentiel. Ou tout du moins qui lui semblait l'être, et qu'il ne manquerait pas d'inscrire dans son carnet, c'est que son supérieur n'avait pas perdu de temps pour s'approprier la chaise de camping…

*****

Mike, plus que jamais exaspéré par le comportement impulsif et irréfléchi de son associé (heureusement provisoire, pensa-t-il à ce moment-là), ne put cette fois-ci contenir sa frustration. Et ce, malgré le fait que le problème de la première épée était réglé.

— *Ça t'arrive de réfléchir avant de prendre de stupides décisions ? N'as-tu jamais pensé que cette lame aurait pu nous être d'un grand secours par la suite ?*

— Je t'emmerde OK ! Ça te va ça comme réponse ? J'ai préféré le priver définitivement de son épée plutôt que de me réserver l'opportunité de l'utiliser. Tu devrais plutôt me remercier. Et si tu n'es pas content beh ma foi, tu peux toujours aller la chercher dans le trou du cul du monde, dans lequel je l'ai envoyé ! Puis, reprit fièrement Johnson tout en portant sa main droite aux bas de ses reins, *il me reste encore une carte spéciale à jou...*

Soudainement, Le Barbare afficha une mine dubitative des plus expressives, lorsque celui-ci ne palpa que du vide à l'arrière de son jeans.

— C'est ça que tu cherches ? demanda Ori au Barbare, tout en braquant le 9 mm de celui-ci dans sa direction. Sans attendre de réponse, profitant de l'effet de surprise et de l'évidente discorde qu'il y avait entre les deux comparses, le Surhomme tira plusieurs balles d'affilée en visant coup après coup le cœur ou la tête du Colosse.

Instinctivement et à la vitesse de l'éclair, même s'il allait regretter tout aussi rapidement un choix qu'il avait dû prendre trop promptement, la Fumée Noire se plaça devant Johnson et imagina la première chose qui lui vint à l'esprit. Un I à profil normal (plus communément dénommé IPN) d'une largeur d'environ soixante centimètres sur deux mètres de hauteur, se matérialisera verticalement devant l'Homme des Cavernes afin de sauver celui-ci. Alors que la salve de balles terminait tout juste de s'écraser sur la barrière qu'il avait créée, celle-ci n'ayant pas eu plus d'effet contre elle qu'une simple bataille de miette de pain, Mike abandonna l'idée de protéger l'Homme des Cavernes et passa à l'offensive en invoqua une arme de trait. Un arc léger, décoré de splendides artefacts et auréolé d'une paire d'ailes angéliques à chacune de ses extrémités, se dessina entre ses mains. En observant la magnificence et la puissance semblant se dégager de sa création, il ne put que se féliciter de son choix, sans même n'avoir tâté de son incroyable efficacité.

Les flèches volaient incessamment sur lui comme une pluie torrentielle en plein été, à la seule différence que celles-ci pouvaient l'éventrer à tout moment. Chaque flèche qui loupait sa cible, s'enfonçant de ce fait profondément dans l'asphalte, s'effaçait instantanément pour laisser la place à une autre sur l'arc de Mike. Très rapidement et à mesure qu'Ori esquivait au péril de sa vie les pointes prédatrices, de nombreux trous apparurent sur le goudron. Ceux-ci permettant sans le moindre mal de suivre la progression du combat. Sentant la présence du Barbare dans son dos, le Surhomme dégaina son épée mais fut contraint de relâcher son attention une microseconde, sur l'interminable volée de flèches. Ce qui lui valut une douleur foudroyante sur le flanc gauche, lorsque l'une de celles-ci le perfora de part en part, juste au-dessus de la hanche. En observant de plus près, comme si la flèche avait momentanément cautérisé la plaie après avoir disparu, on pouvait voir à travers le trou ce qui se passait derrière, avant que le sang ne commence à ruisseler et ainsi recouvrir abondamment celui-ci.

Sagement, pour une fois diront certains et ce à juste titre, le Colosse contourna respectueusement le danger engrangé par les flèches, afin de se retrouver dans le dos de son adversaire. Lorsqu'Ori fut à portée de main, il attrapa celui-ci et le bloqua fermement en passant ses bras en dessous de ses aisselles, tout en rejoignant ses deux mains sur la nuque du surhomme. Alors qu'il s'apprêtait à briser omoplates et nuque de toute sa puissance, l'Homme des Cavernes sentit soudainement ses forces s'amoindrir. Comme si le temps pour lui s'était désormais arrêté, il vit Ori échapper facilement à son étreinte et ressortir dans le même mouvement, l'épée que celui-ci avait fichée entre ses côtes quelques secondes plus tôt. N'ayant plus la capacité de contrôler son propre corps, Johnson tomba à genoux et reçu en pleine tête, l'un des traits destiné à fendre en deux le cœur de leur ennemi commun. Une toute dernière pensée lui traversa l'esprit avant de rendre l'âme. Il comprit que Mike avait été prêt à le sacrifier pour arriver à ses fins, car certes cette flèche aurait terrassé le tueur de flics mais selon toute probabilité, lui aussi aurait succombé par la même occasion…

La Fumée Noire encocha immédiatement un nouveau trait à son arc sans se soucier le moins du monde de la mort de Johnson. Ni même ne ressentir le moindre regret ou la moindre culpabilité, pour avoir lui-même porté le coup de grâce à son acolyte. Car, le tempérament irréfléchi de celui-ci n'avait jusqu'à présent servi qu'à une seule chose, les repousser un peu plus de leurs vengeances communes et de sa délivrance personnelle. Ayant déjà occulté ces futiles idées de son esprit, il tendit la corde à son maximum et relâcha subitement celle-ci, comme à chacun des coups qu'il avait tiré auparavant. La flèche partie à la vitesse de l'éclair mais, sous ses yeux ébahis, se dématérialisa en plein vol, n'offusquant de ce fait que l'air ambiant de par sa prestance psychique. Alors que son arc disparaissait morceau après morceau entre ses mains, il ressentit à son tour une immense fatigue l'envahir. Comprenant immédiatement de quoi il en retournait, il ne put s'empêcher de penser que décidément, le destin n'avait de cesse de s'acharner contre lui. Pour couronner le tout, comme si celui-ci voulait lui donner raison, une puissante bourrasque se manifesta à ce moment-là et le dispersa de toute part aux quatre vents. Mike n'avait désormais plus aucune autre alternative, et ce malgré le fait que son ennemi était largement affaibli par l'un de ces traits, il devait rejoindre l'antre de son créateur pour se ressourcer.

— *Ravie de te savoir à nouveau parmi nous, mon ami*, s'exclama Ori, avec une satisfaction non dissimulée et un grand soulagement non divulgué.

— *Je n'avais pas le choix*, répondit la Fumée Noire sans se démonter, *mais sache que ce n'est que partie remise, mon ami.*

— *Ça, tu vois, permets-moi d'en douter.* Le Surhomme prit le pommeau de son épée à deux mains et pointa la lame de celle-ci, toujours souillée par le sang du barbare, dans le creux de la gorge.

Craignant plus que tout que sa vengeance lui soit volée par pure lâcheté, Mike fit tourner sa matière grise à plein régime afin d'éviter un larcin aussi honteux et indigne de toute fin.

— *Qu'attends-tu dans ce cas ? Arrête un peu, nous savons tous les deux que tu n'auras jamais les couilles de t'empaler le cerveau avec ta propre lame* ! dit-il d'un ton ironique et en s'esclaffant, préférant miser sur la provocation que sur la mendicité ou la supplication.

— *Je te prie une dernière fois de me pardonner pour tout le mal que je t'ai fait*, dit Ori tout en rassemblant son courage. *Ma quête, notre quête, s'achève ici et maintenant. Nous n'avons plus rien à faire en ce monde*, reprit-il sereinement, *prépare-toi à rejoindre nos bien-aimés. Une dernière chose mon ami, ton arc était tout simplement magnifique, tant d'un point de vue esthétique que par son incroyable efficacité. Que dirais-tu de l'appeler Jane...* rajouta-t-il sans vraiment attendre de réponse.

Alors qu'une goutte de son propre sang commençait à rouler le long de son épée, se mariant amèrement à celui du brave et tout récent défunt, un son lointain d'une balle pourfendant les airs se fit entendre à leurs tympans surdéveloppés.

Le Surhomme relâcha l'étreinte qu'il maintenait jusqu'à présent sur le pommeau de son épée et, sans esquisser le moindre geste supplémentaire pour endiguer son imminent trépas, laissa le destin faire la sale besogne pour lui.

La Fumée Noire imagina instantanément un casque de gladiateur et tenta désespérément de créer celui-ci, mais rien y fit, son énergie spirituelle étant totalement épuisée. Dans l'urgence, il reporta alors toute son attention sur le blocage télépathique, il constata malheureusement que pour utiliser cette capacité, ils devaient tous deux être main dans la main.

La balle pénétra dans la tempe droite, foudroyant rectilignement toute la largeur du cerveau. Avant de ressortir par le dessous de l'oreille gauche, en explosant littéralement celle-ci. Contrairement à l'Homme des Cavernes, ceux-ci n'eurent pas le luxe de s'offrir une dernière pensée…

Chapitre 15
Révélations attendues

— Bonjour M. Kurly, comment vous sentez-vous ?

Il était à même le sol, les fesses sur les talons et les bras croisés sur son torse, se balançant mécaniquement d'avant en arrière. Arborant jusqu'à présent, un regard vide de sens, celui-ci semblait désormais avide de renaissances.

Mike posa vaguement les yeux sur l'homme qui venait de lui poser la question. Celui-ci portait une blouse blanche d'hôpital et un stylo dépassait de la seule poche dont celle-ci disposait. Ne prêtant pas plus longuement attention à lui, il poursuivit la reconnaissance des lieux. À l'œil nu, la pièce dans laquelle il se trouvait s'apparentait à un carré quasiment parfait, ne disposant que d'une grille pour seule sortie ou bien entendu pour unique entrée. Les murs étaient d'un blanc immaculé (hormis une caméra de couleur noire fixée dans l'un des angles), sentant encore la peinture fraîchement déroulée, et le mobilier se limitait au strict minimum. Il y avait un matelas étroitement minuscule, disposé en bordure de l'une des cloisons et au milieu de celle-ci. Installé sur un sommier en fer, qui lui-même était directement fixé sur le carrelage à l'aide de boulons gros comme le pouce, le lit semblait plutôt convenir à un enfant. Au centre du quadrilatère approximativement régulier, se trouvait une table et deux chaises métalliques, tous trois pouvant s'arguer du même traitement de faveur que leur feignant confrère, à savoir qu'eux aussi étaient cloués sur place...

Sans la moindre sensation d'endolorissement ni la moindre douleur dans les articulations ou les tendons, Mike se leva promptement et s'installa en face de son interlocuteur. Il prit la parole à ce moment-là.

— Bonjour Monsieur, comme vous devez déjà le savoir, ça pourrait aller mieux.

— Je me doute bien, ma triste expérience personnelle me permet d'imaginer la vôtre, mais en aucun cas de l'appréhender à sa juste valeur. Après un long soupir et un regard empreint de condescendance, l'inconnu poursuivit.

— Permettez-moi de me présenter. Je suis le Dr Patrick, spécialisé dans les troubles avancés de la personnalité et accessoirement, directeur de cet institut. Sachez que je ne précise pas mon statut pour vous alarmer, vous avez bien au contraire fait d'immenses progrès et je peux déjà vous annoncer, que je suis très fier de vous. Nous sommes à la clinique sainte Helena et vous êtes ici depuis environ trois mois, je vais donc vous faire un condensé de ce qui s'est passé. Vous étiez jusqu'à présent dans un état semi-comateux, c'est en tous les cas le terme utilisé dans notre jargon, qui se trouve être une pathologie rarissime. Ce qui veut dire en résumé, que la partie motrice de votre cerveau et votre subconscient étaient en activité mais pas votre esprit conscient, celle en l'occurrence vous permettant de garder les pieds sur terre. Vous passiez vos journées entières à même le sol, dans la même position que lorsque l'on vous avait trouvé après le drame. Fort heureusement et malgré le fait que vous ne le fassiez pas par vous-même, vous acceptiez la nourriture, que nous étions contraints de vous donner cuillère après cuillère. Par soin de dignité, je ferais volontairement abstraction des pots de chambre. Avant de poursuivre, je souhaiterais connaître votre ressenti actuel, si vous voulez bien partager celui-ci avec moi bien entendu.

Un simple hochement de tête en provenance de Mike, s'apparentant à un assentiment, intima le docteur à continuer.

— La seule chose qui me préoccupe actuellement, reprit-il en regardant Mike droit dans les yeux, c'est que vous réalisiez pleinement ce qu'il vous est arrivé. En avez-vous conscience ?

Mike répondit stoïquement, sans ne faire montre de la moindre émotion. Seul son regard, qu'il espérait dur et froid pour l'occasion, le trahit d'une douleur indéfinissable lorsqu'il prononça ces quelques mots.

— Ils sont tous morts dans l'accident.

— C'est malheureusement le cas et même si cela n'y change rien, croyez bien que j'en suis navré pour vous. Soit dit en passant, je tiens à souligner qu'accepter une telle tragédie comme vous venez de le faire, constitue un grand pas en avant pour vous-même. Je vous encourage donc vivement à poursuivre dans cette direction, j'entends par là dans le même état d'esprit. À présent et si vous me le permettez, je vais continuer de vous raconter ce qu'il s'est passé durant ces trois mois.

Un autre hochement de la tête, suffisant certes, mais pas plus éloquent que le précédent pour un sou, semblait une nouvelle fois donner l'accord de Mike.

— À votre arrivé et étant donné les circonstances, reprit le Dr Patrick, j'ai tout de suite décidé de prendre personnellement votre suivi en charge. Et croyez bien M. Kurly, poursuivit-il avec une fierté non dissimulée dans le fond de ses yeux, que je n'ai pas eu à le regretter. Comme je vous le disais précédemment et même si votre pathologie est rarissime, celle-ci reste néanmoins connue dans notre milieu. Mais vous, mon cher, avez su trouver au fond de vous-même les ressources nécessaires pour transformer quelque chose de banal, en un cas unique en son genre. Dès le premier jour de notre rencontre, vous avez commencé à me raconter une histoire improbable et des plus farfelues, mais qui ma foi ne manquait ni de piquant ni d'une débordante imagination. Et je peux d'ores et déjà vous dire que celle-ci était passionnante. Pendant plusieurs jours, j'ai vainement tenté de communiquer avec vous, adoptant d'innombrables approches différentes mais rien n'y fit. Jusqu'au jour où, dépité par mes échecs répétés, je me suis pris à votre propre jeu en vous donnant une idée pour la suite ou la cohérence de votre histoire. Et c'est là que le miracle s'est produit, après plusieurs jours d'ignorance, vous vous êtes enfin adressé à moi. J'ai donc compris, en cet instant, que le seul moyen de vous sortir de ce guêpier était tout simplement d'y participer.

À ce moment-là, un agent de sécurité, faisant sa ronde habituelle dans les couloirs, passa devant la chambre de Mike. Le docteur ne manqua pas de couper son récit pour l'interpeller.

— Excusez-moi, Johnny, pouvez-vous m'apporter un café, s'il vous plaît ? En désirez-vous un, M. Kurly ?

— Non, merci.

Le doc fut flatté d'avoir obtenu une vraie réponse de la part de Mike, verbale et non gestuelle, mais garda cela pour lui. Après avoir remercié cordialement son employé, pour la future dose d'énergie qui allait arriver, il poursuivit.

— Je me suis donc mis à écouter votre histoire avec une attention toute particulière. Bien entendu, d'autres obligations m'ont empêché de passer tout mon temps avec vous. Mais la caméra, que voici, me permettait de retransmettre le soir, la plupart des moments que j'aurais pu louper dans la journée.

Après seulement deux semaines, j'ai compris que le personnage principal de votre histoire était aussi la clé pour vous sauver, je parle d'Ori bien sûr. Je suppose et cela est quasiment une certitude, que vous avez créé ce surhomme et cette histoire car vous n'étiez pas encore prêt à accepter la cruelle réalité des choses. C'est devenu pour ainsi dire votre bouée de sauvetage et je ne doute pas une seule seconde que sans elle, vous auriez sombré à tout jamais dans votre subconscient. Une fois cet état de fait assimilé, il ne me restait plus qu'à vous aider à éliminer celui-ci de votre esprit et c'est à ce moment-là que toute l'ampleur de la tâche m'est apparue. Le problème étant, vous en conviendrez, que vous avez fabriqué un homme à toute épreuve. En effet, Ori était fort, très fort...

— Mais ce qui était plus fort encore, je ne m'en suis malheureusement rendu compte que plus tard, c'est que votre cerveau a été capable de dissocier et de protéger la confidentialité de chaque personnage que vous aviez créé.

La mine dubitative, affichée par Mike à ce moment-là, enjoint le Dr Patrick à s'expliquer plus clairement sur le sujet.

— Ne soyez pas si impatient M. Kurly, objecta le docteur avec un sourire amical, je vais tout de suite rentrer dans les détails. Je ne suis pas fier de l'admettre mais dans les premiers temps, j'ai largement sous-estimé votre force de caractère et toute la vigueur, que vous ne cessiez de mettre en œuvre pour la cohérence de votre histoire. J'ai donc bêtement commencé par vous souffler des idées, de manière grotesque j'en conviens, pour mettre un terme à Ori dans votre esprit. Bien entendu, votre cerveau aguerri et pragmatique n'a pas accepté mes vulgaires confidences. Pire encore, à l'entente de chacune de mes inepties, vous vous fermiez un peu plus à moi. C'est seulement à ce moment-là que je suis pleinement rentré dans votre histoire, ce qui m'a permis de vous soumettre de judicieuses suggestions pour la continuité de votre fantastique épopée. Pour ce faire, j'ai utilisé les personnages rivaux du surhomme les plus importants, principalement le commissaire et Johnson à vrai dire. À titre d'exemple, poursuivit-il en bombant involontairement son torse, le sang d'Ori injecté dans le Barbare et le piège tendu par Alain lorsque votre héros principal était sur le toit de l'immeuble faisaient partie entre autres de l'une de mes nombreuses approches à votre égard. Vous n'imaginez pas M. Kurly, quel plaisir cela a été pour moi d'entendre le lendemain, la suite de votre récit en ayant soigneusement pris la peine d'intégrer certaines de mes idées. En l'espace de quelques jours seulement, je me suis complètement fondu dans votre histoire et celle-ci envahissait mes pensées jour et nuit. En cherchant constamment un moyen fiable ou viable d'assassiner Ori, j'ai dû moduler tous mes codes et toutes mes façons de penser jusqu'à présent, pour passer efficacement du guérisseur au tueur…

Le docteur marqua une pause à ce moment-là, Johnny revenant enfin, avec une tasse fumante entre les mains. S'abstenant de lui faire remarquer que celui-ci avait mis une éternité pour lui apporter un simple café, il le congédia poliment mais sans cérémonie, avant de tremper ses lèvres dans ce fade élixir. Il le trouva à son goût, même s'il ne put s'empêcher de penser, que celui-ci manquait cruellement d'un fond de gniole ou d'une forte dose de whisky. Après quelques gorgées ingérées et autant de déception supplémentaire assimilée, pour cette impardonnable absence d'alcool, le Dr Patrick finalisa son monologue.

— Excusez-moi, dit-il en lapant l'ultime goûte de son café et espérant probablement, y sentir une dernière note amèrement fruitée.

— Ne parvenant pas à détruire Ori dans les formes, reprit-il, je me suis mis à élaborer un stratagème à toute épreuve, pour que cette envie d'en terminer avec celui-ci vienne directement de vous. À partir de ce moment-là, j'ai donc tout fait pour vous faire regretter d'avoir créé le Surhomme, en prétextant que le monde entier pourrait se trouver en danger à cause de celui-ci. Comme vous vous en doutez désormais, le germe de cette idée a commencé avec Johnson, lorsque celui-ci s'est injecté le sang d'Ori dans les veines. Après cela, il a été facile pour moi d'installer le doute en vous et de vous laisser croire que le Surhomme représentait un danger pour toute l'humanité, si jamais vous le laissiez prospérer. La suite bien entendu vous la connaissez et si nous sommes là tous deux à converser, entre hommes civilisés, cela veut dire que mon subterfuge a fonctionné.

— Vous avez terminé, docteur ? demanda Mike effrontément, sans se soucier le moins du monde de paraître offusquant.

— Oui en effet et maintenant que je vous ai tout expliqué, ou tout du moins l'essentiel de ce que vous devez savoir, j'attends de vous que vous me donniez votre avis et votre ressenti le plus profond.

— Je n'en attendais pas moins doc, permettez-moi dans ce cas, de vous conter ma version de l'histoire…

*****

— Lorsque j'ai vu leur véhicule, l'état impensable dans lequel celui-ci se trouvait, mon esprit n'a pas été capable d'accepter la dure réalité des choses.

Son souffle s'accélérant et les paroles qu'il venait de prononcer, devenant saccadé à la suite de la trop grande émotion qu'il ressentit à ce moment-là, Ori fit une courte pause afin de se ressaisir avant de poursuivre.

— Néanmoins, face à ce cauchemar éveillé, mon cerveau a été contraint d'imaginer leurs états à eux et c'est à cet instant, que j'ai entendu un craquement sourd au tréfonds de ma boîte crânienne. Malgré l'insoutenable douleur qui s'était emparée de tout mon être, j'ai immédiatement compris qu'en une fraction de seconde, j'étais devenu un homme unique au monde. Plus ma souffrance grandissait et à mesure que ma colère augmentait, ma puissance quant à elle ne cessait de s'accroître, envahissant tout mon corps d'une énergie vitale incommen...

— Non écoutez M. Kurly, je ne m'attendais pas à cela et malgré ma surprise, je ne peux vous laisser croire que vous êtes réellement devenu ce surhomme. Sachez qu'il ne faut surtout pas que vous mélangiez votre fiction avec la réalité, aussi dur que celle-ci puisse être pour vous et...

Très irrité et se contenant autant que possible de ne pas imploser, Ori lui coupa à son tour la parole.

— Connaissez-vous le respect docteur ? demanda-t-il sans n'attendre de réponse. Est-ce qu'une seule fois, tout au long de votre interminable monologue, je me suis permis d'interrompre votre discours ou tout du moins cet amoncellement d'inepties ?

Décontenancé certes mais plutôt déçu que la conversation prenne une telle tournure, le Dr Patrick préféra mettre un terme à celle-ci avant que le ton ne monte trop haut. Tout en se levant de sa chaise, maudissant au passage l'arthrose dans ses genoux et la violente décharge de douleur que ceux-ci lui envoyèrent à ce moment-là, il prit la peine de s'excuser pour ce départ inopiné.

— Je suis navré Mike mais nous allons devoir écourter cette séance, bien entendu, nous ne manquerons pas de poursuivre celle-ci dans les jours à venir.

Alors que le docteur s'apprêtait à tourner les talons, Ori tapa brutalement la table en fer, de ses deux mains et avec le plat de celles-ci.

— Assez, reprenez immédiatement votre place, Jean-Pierre ! dit-il fermement mais pas fortement, afin de ne pas risquer d'alerter la sécurité, les yeux empreints d'une puissante et déroutante aura.

Choqué par cette crise soudaine mais aussi et surtout, interloqué par le fait d'avoir été dénommé ainsi, le doc décida d'éclaircir le sujet immédiatement.

— Je n'ai pas souvenance de vous avoir divulgué mon prénom M. Kurly, peut-être l'avez-vous entendu d'une manière ou d'une autre, lorsque vous étiez mentalement inconscient ?

— Non en effet mais je le sais, et pas parce que je l'ai entendu à la sauvette, entonné par une tierce personne de l'établissement. Quant à moi, je n'ai pas souvenance de vous avoir autorisé à vous lever, peut-être vous êtes-vous imaginé qu'il s'agissait d'une option envisageable ?

Subitement, alors que Jean-Pierre commençait sérieusement à se faire du mouron, il vit la Fumée Noire quitter l'enveloppe charnelle d'Ori pour investir la sienne. Tétanisé par la peur, il se laissa envelopper par celui-ci sans n'esquisser le moindre mouvement de révolte. Comme dépossédé de son propre corps, il se vit reprendre place sur la chaise et croiser ses mains sur la table. Ayant conservé le contrôle de ses yeux, son regard se porta sur Ori puis sur ses mains, qu'il tentait vainement de bouger. Rapidement, une angoissante terreur s'empara de tout son être et son cœur se mit à battre dangereusement la chamade, cognant dans sa poitrine plus intensément qu'un tambour.

— *Tu devrais le rassurer, mon ami,* déclara Mike sans aucune émotion, *sinon son cœur va exploser.*

— *Je vois à sa tronche qu'il a rajeuni d'une bonne vingtaine d'années, je suppose que ses parties internes aussi, non ?*

— *Oui en effet et étant donné que cela à l'air de t'intéresser, je peux même te dire qu'au vu de l'état actuel de sa verge, ce cher monsieur n'a pas dû avoir d'érection depuis bien longtemps.*

Ne pouvant entendre la conversation se déroulant entre les deux protagonistes, Jean-Pierre vit soudainement son patient partir dans un fou rire des plus éloquents, ce qui eut pour conséquence une énième et alarmante accélération de son rythme cardiaque.

— *Je suis sérieux, Ori,* reprit la Fumée Noire sur un ton grave. *Je n'arrive pas à le calmer, le son de ma voix dans son esprit le perturbe encore plus. Occupe-t'en, dès maintenant.*

Ne souhaitant pas avoir la mort d'un homme sur la conscience, le décès véritable et inextricable d'un être humain, le Surhomme appliqua à la lettre les conseils de son acolyte.

— Je suis navré d'avoir dû en arriver là, docteur, même si vous en conviendrez, vous ne m'avez pas vraiment laissé le choix. Sachez qu'il ne vous sera fait aucun mal et qu'à partir du moment où j'en aurais terminé, vous serez immédiatement libéré. Veuillez cligner deux fois des paupières Jean Pierre, je vous prie, afin d'être certain que vous m'avez bien compris. Très bien. Comme vous pouvez le constater, l'usage de vos yeux ne vous a pas été laissé par hasard, ceux-ci vous permettront d'acquiescer ou tout au contraire de m'arrêter dans mon discours en cas d'incompréhension. Disons que dans ce cas-là, vous n'auriez qu'à fermer les yeux fortement ou pourquoi pas lever les yeux au ciel, qu'en pensez-vous ? Vous pouvez aussi vous adresser directement à Mike. Mentalement, j'entends, car celui-ci a désormais accès à l'intégralité de votre cerveau, comprenant bien entendu vos pensées présentes et vos souvenirs passés.

— *Il a une préférence pour les yeux au ciel,* fanfaronna Mike avec amusement, *peut-être compte-t-il en profiter pour faire un vœu ou une prière.*

— *Si c'est le cas, je crains d'être interrompu plus qu'il n'en faut,* répondit Ori avec un sourire aux bords des lèvres.

— Très bien Dr Patrick, ce seront donc les yeux au ciel. Si vous le permettez, maintenant que je vous sens plus serein, je vais poursuivre mon récit.

Jean Pierre offrit à Ori deux superbes battements de paupières, pour signaler à celui-ci qu'il consentait à entendre la suite, même si en définitive il n'avait pas vraiment le choix. À ce moment-là, alors que son état spirituel général s'était enfin stabilisé, il aperçut Johnny du coin de l'œil en train de faire sa ronde habituelle dans les couloirs. Ne pouvant bouger la tête d'un seul centimètre, il se mit à rouler des yeux dans tous les sens et à battre frénétiquement des paupières, dans le but improbable d'alerter l'agent de sécurité. Celui-ci passa bien entendu son chemin, sans n'avoir octroyé le moindre regard dans sa direction. Résigné, le doc reporta à nouveau son attention sur le Surhomme et vit celui-ci soupirer, d'un air peu avenant et exaspéré.

— Bon, où en étais-je... Après une courte pause et un délicieux massage de tempes, brillamment exécuté avec le pouce et le majeur de sa main droite, Ori poursuivit.

— Tout comme mon corps s'imprégnait d'une force impensable et inimaginable, mon cerveau quant à lui se mit à

357

tourner à plein régime. En cet instant, d'innombrables choix se sont offerts à moi et même si je ne disposais que de très peu de temps, mes nouvelles facultés me permirent de faire efficacement le tri de chacune des opportunités dont je pouvais disposer. La première et la plus évidente consistait tout simplement à mettre fin à mes jours. Et croyez bien qu'à ce moment-là, mon seul et unique désir était de rejoindre ma famille dans l'au-delà, de mettre immédiatement un terme à la vie insignifiante qui m'attendait sans leur présence à mes côtés. Mais qui étais-je pour prendre une telle décision, qui étais-je pour priver l'humanité d'un si grand savoir ? Comprenez bien mes paroles, docteur, le sang qui coule actuellement dans mes veines est capable de décimer toute forme de virus mortel ou de handicap moteur, sans parler d'une durée de vie qui serait probablement doublée et le tout en bonne santé.

— *Il se demande comment tu peux savoir tout ça...* déclara Mike sans pression aucune.

— *Tu ne vas pas te mettre à me couper la parole toi aussi !* répondit le Surhomme d'un air contrit.

— *C'est toi qui lui à suggérer de s'adresser à moi en cas de problème je te rappelle. Chose qu'il vient de faire à l'instant, maintenant si tu préfères que j'étouffe ses suppliques ça me convient tout autant.*

— *C'est vrai, tu as raison.*

— *Je sais.*

— *Bon ben ça va, n'en fais pas trop non plus.*

— *Tu m'excuseras mais je n'ai pas le sentiment d'en faire trop, c'est juste qu'avec ou sans ton assentiment, j'ai déjà conscience d'avoir raison.*

Une furieuse et soudaine envie, de coller une lourde baffe à Mike, démangea soudainement Ori. Mais, se rappelant dans le même temps que celui-ci n'était que volute de fumée et surtout qu'ils commençaient tous deux à se comporter comme un vieux couple, il se calma tout aussi tôt.

— Je vais bientôt y venir, Jean-Pierre, soyez patient, déclara le Surhomme en dissimulant toute colère dans le timbre de sa voix. La seconde option, poursuivit-il, était bien entendu de continuer mon chemin, afin de savoir tout simplement si j'étais une bénédiction pour ce monde ou tout au contraire une malédiction en son sein. Mais encore une fois et comme vous vous en doutez certainement, je n'avais ni le courage en moi ni la foi nécessaire pour prendre le temps de découvrir tout cela, les sachant si loin de moi. Les deux choix précédents s'avérant être inenvisageables à mes yeux, j'ai donc porté toute mon attention sur une troisième possibilité, consistant tout bonnement à effacer ma mémoire.

Interloqué, le Dr Patrick leva les yeux au ciel à ce moment-là, afin d'intimer son patient à développer la dernière phrase de son sujet.

— Je suis tout autant surpris que vous, docteur, et je suis navré de n'avoir aucune explication valable à vous fournir. Tout ce que je peux vous dire, c'est que cela faisait partie intégrante de mes nouvelles facultés, ou tout du moins celles auxquelles j'avais accès en cet instant. Pour vous donner une idée de l'état actuel de mon cerveau, il vous suffit d'imaginer un informaticien sur un ordinateur, modifiant ou améliorant constamment celui-ci sans la moindre peine. Cette réponse vous satisfait-elle ?

Un clignement de paupière en provenance de Jean-Pierre, disgracieux au possible et exagéré à l'extrême, fit office d'approbation à sa question.

— Très bien, je vais donc poursuivre. D'emblée, cette troisième alternative m'est apparue comme providentielle mais celle-ci présentait néanmoins un problème de taille et malheureusement, non négligeable. En effet, n'étant pas en mesure de sélectionner certaines parties de ma mémoire, celle concernant ma famille bien entendu, j'aurais été contraint d'effacer l'intégralité de celle-ci. Ce qui inclut l'apprentissage et l'expérience de la vie. En d'autres termes, docteur, je serais redevenu un enfant dans un corps de géant, doté d'une immense puissance et privé de toute pénitence. Afin d'endiguer ce problème, je me suis donc recréé à l'identique dans mon esprit et j'ai effacé la mémoire de mon avatar, tout comme je souhaitais à la base le faire pour moi. Cela s'est avéré être bien plus compliqué que je ne l'avais imaginé de prime abord. Car pour que cela fonctionne impeccablement, il fallait impérativement que ma mémoire ne pollue pas mon avatar. J'entends par là qu'il n'ait aucun accès à celle-ci et donc aucun souvenir m'appartenant, sinon ma démarche aurait tout perdu de son intérêt premier, à savoir ce que je deviendrai si je m'obstinai à subsister dans ce monde. Il m'a suffi ensuite de laisser celui-ci évoluer à sa guise, dans l'environnement qui est le nôtre. Ce qui m'a permis de tout apprendre sur mes facultés et sur l'intégralité de mon potentiel, sans n'avoir eu besoin une seule fois de me salir les mains. Comme vous pouvez le constater, je viens à l'instant de répondre à votre question car, si je sais tout cela aujourd'hui c'est grâce à mon avatar. La majeure partie de cette histoire a été fabriquée de toutes pièces par celui-ci, je vous avouerai d'ailleurs que son indépendance n'a eu de cesse de me surprendre, me rendant fier de lui et a contrario fier de ma propre création.

— *Je vais lui redonner le contrôle de sa voix, je pense que nous pouvons lui faire confiance et je l'ai prévenu que le cas échéant, il n'aurait plus le plaisir de contrôler quoique ce soit jusqu'à la fin de ses jours.*

— *Tu as bien fait, Mike,* répondit sincèrement Le Surhomme.

— *Je sais,* renchérit la Fumée Noire, comme si leur dernière querelle n'était pas encore entérinée pour lui.

Tout en levant l'index de sa main droite, comme un écolier le ferait pour demander l'autorisation de parler, Jean-Pierre prit la parole à ce moment-là, avec toute la délicatesse dont celui-ci pouvait disposer.

— Si je peux me permettre M. Kurly et si je ne m'abuse, vous avez intégré certaines de mes idées pour le déroulement de votre histoire, ou tout du moins celle de votre avatar.

— *Je rêve, ou il a levé son doigt avant d'ouvrir son clapet ?* demanda Ori à son compère, d'un air surpris et avec un sourire aux bords des lèvres.

— *C'était super drôle non,* répondit Mike tout en se marrant allègrement, *j'étais convaincu qu'il n'allait pas pouvoir s'empêcher de le lever !*

Dépité par la bêtise de son ami, une entité qu'il avait lui-même créée qui plus est, le Surhomme soupira profondément mais ne put malgré tout cacher son amusement. Après avoir pris quelques instants pour se rasséréner, il répondit au docteur.

— Tout à fait, Jean-Pierre et certaines d'entre elles étaient tout simplement brillantes, mais sachez qu'à aucun moment vous n'avez communiqué avec moi. C'était mon avatar qui vous contait cette histoire et comme je vous le disais précédemment, son libre arbitre était aussi abouti que puisse être le vôtre ou le mien. Je n'étais qu'un simple spectateur, assistant au film le plus réaliste qui m'a été donné de voir durant toute ma vie. Je vous le répète, j'ai acquis tout ce savoir grâce à toutes les expériences qu'il a endurées à ma place. Malheureusement, je me retrouve aujourd'hui dans le même état d'esprit que mon avatar, lorsque celui-ci a mis fin à ses jours.

— *Mon ami, fais-moi passer son stylo, s'il te plaît.*

Résigné mais déjà accoutumé à cette idée, la Fumée Noire obtempéra sans rechigner, lui donnant celui-ci avec la main droite de sa marionnette.

Ori observa longuement l'ustensile, le tournant dans tous les sens et appréciant à sa juste valeur, la qualité de l'ouvrage. Tout de noir et agrémenté de motifs argentés, celui-ci arborait un M en argent sur le haut du capuchon, désignant sans le moindre doute la marque du fabricant.

— C'est un magnifique stylo que vous avez là. À ce moment-là, le Surhomme pouvait lire une immense inquiétude dans les yeux du docteur, celui-ci devant tenir fortement à cet objet.

— Je sais que c'est un cadeau de votre fille et que vous y tenez énormément, mais ne vous en faites pas, vous pourrez probablement le récupérer quand j'en aurais terminé. Tout en raffermissant l'emprise du stylo dans son poing, le haut du capuchon vers le bas, Ori signifia ces dernières doléances.

— Vous avez loupé de nombreux passages de l'histoire, docteur, si vous souhaitez me rendre un dernier hommage, prenez le soin d'écouter l'intégralité des bandes sonores. Celles-ci pourraient vous étonner et qui sait, peut-être même vous aider. Vous avez été un lâche toute votre vie, mais souvenez-vous qu'il n'est jamais trop tard pour bien faire, votre destin est et restera toujours entre vos mains.

Soudainement, le Surhomme se planta l'arrière du stylo dans l'œil droit. Horrifié par cette choquante vision, l'ustensile dépassant de l'orbite de son patient et le sang de celui-ci dégoulinant abondement sur sa joue, Jean-Pierre ne put réprimer un hurlement. Il vit ensuite Ori enfoncer le clou jusqu'au bout, à l'aide de la paume de sa main droite. Tout en retrouvant l'usage de sa motricité, il observa le Surhomme basculer de sa chaise et tomber au sol, coincé entre la table et celle-ci. Son cri tonitruant, ayant déjà rameuté les trois quarts de son service, il n'eut pas besoin de se donner la peine d'appeler les secours. Il s'accroupit rigidement, en appui sur l'un de ses genoux, et observa amèrement l'ampleur du désastre. C'était la cohue autour de lui mais il n'y prêta pas la moindre attention, trop obnubilé par son propre échec et par ce que tout cela allait inévitablement impliquer. Gênant les secours, qui s'activaient d'arrache-pied mais vainement sur son patient, il se redressa de tout son séant et quitta enfin la morbide scène des yeux. En sortant, il croisa Johnny, l'agent de sécurité, à qui il souffla quelques mots discrets à l'oreille. Une demi-heure plus tard, il était en possession de toutes les bandes-vidéo…

*****

Il était assis convenablement sur son fauteuil délabré, dans la pénombre de son salon, avec un verre à la main. Il était à peine dix-huit heures et c'était loin d'être le premier whisky qu'il ingurgitait. Mais comme chaque soir, depuis déjà des années, ça ne serait sûrement pas le dernier. Il avait passé plus de trois jours à écouter les bandes-vidéo et n'avait eu de cesse, enregistrement après enregistrement, de se demander comment il avait pu être aussi naïf et imbu de lui-même. Il s'était donné corps et âme pour ce patient, y recherchant probablement un quelconque repenti ou une fierté qu'il avait perdu depuis de trop longues années, pour en définitive ne récolter que de plus amples regrets. Il avait pourtant entendu de nombreux passages de l'histoire. Directement de la bouche de M. Kurly, ou en survolant les bandes sonores lorsque le temps ne lui avait pas manqué, ceux-ci témoignant cruellement d'indice qui aurait dû lui mettre la puce à l'oreille depuis belle lurette. Mais trop accaparé par un désir étant devenu obsessionnel, celui-ci consistant à soigner son patient coûte que coûte, il avait été aveuglé par la magnificence de Mike et son intarissable imagination. Il y avait premièrement les prénoms que celui-ci avait utilisés pour son récit, qui d'un côté étaient criants de vérité mais d'un autre, semblaient plutôt appropriés lorsqu'on y réfléchissait quelque peu. Johnson dit le Barbare pour Johnny, l'un des surveillants de son hôpital à temps complet, et le Dr Podrick dit le doc en herbes, qui n'était autre qu'une profonde inspiration de son propre nom de famille. En ce qui concernait ces deux similitudes, il avait pensé tout simplement que son patient les avait entendus autour de lui, les retranscrivant ensuite dans son histoire. Ce qui, s'était-il dit à ce moment-là, était parfaitement plausible. En effet, combien de fois Johnny l'avait interpellé par son nom et combien de fois lui-même l'avait fait pour son agent de sécurité, le dénommant constamment par son prénom ? Mais pour les autres quolibets, il n'avait tout bonnement aucune excuse et il se demandait actuellement, comment il avait fait pour louper une telle évidence. Ne serait-ce que pour Pierre, dit le Shérif, étant la deuxième partie composée de son prénom. À aucun moment, une tierce personne ne l'avait dénommé ainsi en la présence de son patient, les bandes-vidéo en étant d'ailleurs la preuve. Venait ensuite le dernier clin d'œil et pas des moindres. Elana, la fille du commissaire, ne représentant pas moins que le prénom de sa fille et celui bien sûr qu'il avait donné à son établissement. Tout en lapant une énième gorgée, il repensa à ces vieux démons, plus que jamais ravivés et exacerbé par les feux de l'enfer. Par un être en tout point supérieur, une personne ayant perdu son cœur et ne connaissant plus la peur, un surhomme qui a mis fin à ses jours dans la douleur…

*****

À l'époque, il y a quinze ans de cela, le Dr Patrick faisait partie des plus prometteurs dans son domaine. Semblant avoir un don naturel pour cela, il avait de nombreuses fois réussi, là où ses confrères avaient lamentablement échoué. Dénouant sans cesse et avec brio, les nœuds les plus alambiqués de ses patients, affublés d'autant de pathologies différentes. C'est bien entendu à ce moment-là que le drame arriva. Probablement dû à une trop grande réussite et une confiance excessive en son jugement, lorsqu'il donna son approbation pour la sortie d'un patient qu'il suivait déjà depuis de longs mois. Le lendemain même, alors que Jean-Pierre rentrait exceptionnellement chez lui pour déjeuner, il réalisa toute l'ampleur de son erreur et toute l'horreur que celle-ci impliquait. À peine eut-il entrouvert sa porte d'entrée qu'il découvrit son patient allongé dans le hall, entre les cuisses écartées et tuméfiées de sa femme. Encore aujourd'hui et probablement jusqu'à la fin de ses jours, cette scène lui avait semblé irréelle, tellement celle-ci était insoutenable. Traumatisé à vie et comme marqué à vif, il pouvait bien entendu, revivre cette débâcle dans ses moindres détails. Il revit le regard de sa bien-aimée, celui-ci était empli d'une effroyable terreur et d'une harassante douleur, écarquillant ostensiblement ses yeux à chaque va-et-vient. Bâillonnée et la lame d'un couteau sous la pomme d'Adam, seuls des bruits atroces et inidentifiables sortaient du fond de sa gorge, témoignant amèrement de toute la souffrance qu'elle pouvait endurer. Sa fille Helena, âgée à l'époque de seulement dix ans, était sur l'une des marches menant aux chambres de l'étage, assistant avec impuissance et incompréhension au massacre se déroulant juste sous ses yeux. Pétrifié par une irrépressible peur, Jean-Pierre n'avait pas su trouver en lui la force et le courage d'intervenir, restant simple spectateur de l'horreur. Soudainement, il avait vu la lame glisser avec légèreté sur la tendre chair du cou de sa femme, éclaboussant abondamment le sol et l'un des murs du hall d'entrée. Le psychopathe, un patient qui l'avait complètement manipulé du début jusqu'à la fin, se releva afin de lui faire face. Celui-ci l'avait observé de nombreuses secondes, avec au fond des yeux une indescriptible démence et un sourire machiavélique aux coins des lèvres, avant de s'égorger lui-même avec une lame déjà souillée. Comme statufié, tremblotant de la tête aux pieds, il lui avait fallu une éternité pour sortir de sa torpeur et parvenir à esquisser un mouvement. Bien évidemment, Helena ne s'en est jamais remise et n'a jamais pu pardonner à son propre père d'avoir laissé mourir sa mère. Celle-ci est rapidement tombée dans la drogue dure, enchaînant rail de cocaïne ou injection d'héroïne, avec des rencontres de plus en plus malvenues. Lors d'une sortie avec l'un de ces délinquants, celui-ci avait perdu le contrôle de son véhicule, terminant sa route dans le mur d'un bâtiment. Le jeune homme était mort sur le coup, quant à elle, le même sort aurait été mille fois préférable pour celle-ci. Désormais tétraplégique, depuis lors et jusqu'à la fin de ses jours, celle-ci passait ces journées allongées dans un institut spécialisé, les yeux dans le vide et de la bave coulant constamment sur le menton.

De chaudes et interminables larmes ruisselaient le long de ses joues, suite à cet inoubliable souvenir et le prix incontestable que Jean-Pierre n'avait de cesse de payer, chaque jour de sa misérable vie. Mike l'avait pourtant prévenu à de nombreuses reprises, *je peux lire en vous comme dans un livre,* mais il n'avait pas su écouter et s'était une nouvelle fois fait berner par l'un de ses patients. Bien entendu, les conséquences cette fois-ci en sont tout autre, peut-être même que celles-ci allaient être bénéfiques, songea-t-il à ce moment-là. Son verre étant vide, il se leva et se dirigea mécaniquement en direction de son buffet, afin de se resservir un whisky. Lorsqu'il prit la bouteille, un profond dégoût pour lui-même s'empara de tout son être, suffisamment intense pour le convaincre de reprendre sa vie et ses responsabilités en main. Tout en vidant le contenu de sa bouteille dans l'évier, il repensa aux dernières paroles d'Ori : *Vous avez été un lâche toute votre vie, mais souvenez-vous qu'il n'est jamais trop tard pour bien faire, votre destin est et restera toujours entre vos mains...*

Épilogue

Ori se retrouva subitement dans un couloir qui ne lui était pas inconnu, d'environ deux mètres de large sur trois mètres de haut et d'une vingtaine de mètres de long. Comme coincé dans un rectangle parfait. De nombreuses portes se dessinèrent de chaque côté des cloisons, celles-ci étant désormais toutes ouvertes. Seule l'étonnante porte du fond, celle qui lui faisait face, demeurait close. Le cadre de celle-ci était bordé de sculpture en or et rayonnait d'une vive lumière, dans tout le périmètre. Les gravures en trois dimensions représentaient des épées courbées s'entrelaçant comme des serpents et semblaient être reliées entre elles, par de massives chaînes. Au milieu du plus petit segment du cadre, en haut de la porte, apparaissait le visage d'un homme accompli et empli de sagesse. Celui-ci n'étant autre que son propre reflet, il s'avança en direction de la porte d'un pas décidé, sans la moindre crainte. Lorsque le Surhomme arriva à proximité de la fresque, les chaînes se déroulèrent mécaniquement et libérèrent leurs emprises sur les deux lames, dans un grincement d'acier effroyable pour ses tympans. La porte s'ouvrit, les deux ventaux en même temps, et il franchit le seuil de celle-ci. Sans regret, il découvrit alors le monde d'après ou tout du moins, ce qu'il pensait être. Il était à présent au bord d'une falaise et la porte derrière lui se referma brutalement. Le vent soufflait si fortement, qu'il tanguait perpétuellement aux abords du précipice, risquant à tout moment de s'engouffrer dans celui-ci. Il apercevait au loin un décor apocalyptique, angoissant et écrasant. Où que puisse se poser son regard, tout n'était que rocaille et obscurité, illuminé aléatoirement par de foudroyants éclairs. Sa décision étant déjà prise, n'ayant de toutes les manières aucune autre alternative, il se rapprocha du gouffre et plongea bravement dans le néant. Enivré par un mélange de vide interminable et de noir impénétrable, Ori perdit connaissance avant de toucher terre ou les confins de l'univers...

*****

Le soleil se couchait lentement, inondant la plaine et le ciel d'une intense couleur, indescriptible à l'œil nu. Se trouvant sur une route montagneuse et à haute altitude, il avait fait une halte en bordure de celle-ci, émerveillé par le panorama qui s'offrait à lui. Après s'être imprégné de la beauté du spectacle, les yeux pétillants de fierté, il contourna son camping-car pour accéder à l'arrière de celui-ci. Il ouvrit les portes et avec l'aide d'une télécommande, actionna la descente d'une passerelle métallique, qui descendit de l'imposant véhicule jusqu'au sol. Tendrement et respectueusement, Jean-Pierre souleva sa fille de son lit à barrière pour l'installer dans un fauteuil roulant. Avec prudence, comme à son habitude depuis bientôt deux ans, il emmena ensuite Helena jusqu'au point de vue afin que celle-ci puisse en profiter. S'agenouillant à l'arrière du fauteuil, il enlaça sa fille et blotti sa tête contre la sienne, avant de lui murmurer quelques mots à l'oreille.

— N'est-ce pas magnifique, ma chérie, tu vois les rayons du soleil sur la plaine, il s'apparente au bonheur que tu m'apportes chaque jour...

Il n'eut bien entendu aucune réponse et il n'en aurait jamais plus, mais il s'y était accoutumé depuis bien longtemps. Il ne cesserait néanmoins de lui parler, aimant à penser qu'une infime partie d'elle était encore en mesure de l'entendre et de le comprendre. Deux ans auparavant, il avait tout vendu et tout abandonné pour elle, chose que celle-ci aurait méritée bien avant. Il en avait pleine conscience, c'est d'ailleurs pour cela qu'il s'évertuait et s'efforçait chaque jour qui passait, de combler le temps perdu tout au long de ces années. Se redressant avec difficulté, il ajouta à voix haute et solennellement, comme une prière ou un dernier adieu.

— Je ne vous remercierai jamais assez pour cette leçon, j'espère que là-haut votre famille et vous-même êtes réunis, merci Ori…

Remerciements

En premier lieu, je tiens à remercier mes enfants qui sont pour moi une source intarissable d'inspiration. Lorsque le moment sera venu pour vous de lire ces lignes et si vous aimez celles-ci, je serais alors le plus fier des papas.

Un immense merci à mon frère qui de tout temps, de jour comme de nuit, s'évertue brillamment à régler mes nombreux problèmes d'ordinateur. J'espère que tu as conscience que sans toi, ce projet n'aurait jamais évolué aussi bien. Merci Jason.

Un immense merci à ma compagne cette fois-ci qui ne cesse de m'encourager à poursuivre mes projets. Qui, quand elle estime que quelque chose ne convient pas, n'hésite pas à m'affronter malgré mon ego déplacé à ce sujet. Tu étais et restes la seule personne à croire en moi, je ne pourrais jamais assez te remercier pour cela.

Un grand merci à Jacques, pour sa lecture, relecture et correction ainsi que pour ses précieux conseils. Enfin, merci à Pauline Ragni, illustratrice de la couverture de mon livre. En dehors de son superbe travail, celle-ci est très à l'écoute de nos attentes et fort sympathique. Je vous la conseille vivement. Chers Lecteurs, je vous remercie infiniment pour votre présence.

Imprimé en Allemagne
Achevé d'imprimer en mai 2021
Dépôt légal : mai 2021

Pour

Le Lys Bleu Éditions
83, Avenue d'Italie
75013 Paris

9 791037 728692